ESTUDOS DE DIREITO PÚBLICO
DE
LÍNGUA PORTUGUESA

JORGE BACELAR GOUVEIA

Professor da Universidade Nova de Lisboa e da Universidade Lusíada
Doutor e Mestre em Direito

ESTUDOS DE DIREITO PÚBLICO DE LÍNGUA PORTUGUESA

ALMEDINA

TÍTULO:	ESTUDOS DE DIREITO PÚBLICO DE LÍNGUA PORTUGUESA
ORGANIZADOR:	JORGE BACELAR GOUVEIA (jbg@fd.unl.pt)
EDITOR:	LIVRARIA ALMEDINA – COIMBRA www.almedina.net
LIVRARIAS:	LIVRARIA ALMEDINA ARCO DE ALMEDINA, 15 TELEF. 239851900 FAX 239851901 3004-509 COIMBRA – PORTUGAL livraria@almedina.net LIVRARIA ALMEDINA ARRÁBIDA SHOPPING, LOJA 158 PRACETA HENRIQUE MOREIRA AFURADA 4400-475 V. N. GAIA – PORTUGAL arrabida@almedina.net LIVRARIA ALMEDINA – PORTO R. DE CEUTA, 79 TELEF. 222059773 FAX 222039497 4050-191 PORTO – PORTUGAL porto@almedina.net EDIÇÕES GLOBO, LDA. R. S. FILIPE NERY, 37-A (AO RATO) TELEF. 213857619 FAX 213844661 1250-225 LISBOA – PORTUGAL globo@almedina.net LIVRARIA ALMEDINA ATRIUM SALDANHA LOJAS 71 A 74 PRAÇA DUQUE DE SALDANHA, 1 TELEF. 213570428 FAX 213151945 atrium@almedina.net LIVRARIA ALMEDINA – BRAGA CAMPUS DE GUALTAR UNIVERSIDADE DO MINHO 4700-320 BRAGA TELEF. 253678822 braga@almedina.net
EXECUÇÃO GRÁFICA:	G.C. – GRÁFICA DE COIMBRA, LDA. PALHEIRA – ASSAFARGE 3001-453 COIMBRA E-mail: producao@graficadecoimbra.pt SETEMBRO, 2004
DEPÓSITO LEGAL:	215768/04
	Toda a reprodução desta obra, por fotocópia ou outro qualquer processo, sem prévia autorização escrita do Editor, é ilícita e passível de procedimento judicial contra o infractor.

Aos Povos e Estados de Língua Portuguesa, com o justo orgulho de pertencer a uma comunidade dinâmica, solidária e original

"A minha Pátria é a Língua Portuguesa"

FERNANDO PESSOA

NOTA PRÉVIA

A presente publicação, integrada numa colecção que a Livraria Almedina tem dedicado ao Direito dos Estados de Língua Portuguesa, reúne diversos escritos de natureza jurídica, todos pertencentes ao universo do Direito Público, embora com uma especial incidência no Direito Constitucional.

A maior parte dos textos respeita ao Direito Moçambicano, ordem jurídica africana lusófona que conheço melhor, por ter trabalhado mais tempo em Moçambique, para além do período em que leccionei na Faculdade de Direito da Universidade Eduardo Mondlane.

Mas os diversos estudos igualmente abrangem outras ordens jurídicas, incluindo reflexões de natureza geral, porventura importantes na construção de um Direito Público de Língua Portuguesa.

Cumpre ainda referir o apoio recebido para o presente livro do CEDIS – Centro de Investigação & Desenvolvimento sobre Direito e Sociedade – da Faculade de Direito da Universidade Nova de Lisboa.

Oxalá este contributo possa suscitar um interesse crescente por uma mais intensa integração jurídica no domínio dos Estados de Língua Portuguesa, tanto ao nível das instituições de ensino do Direito como no plano das profissões jurídicas.

Lisboa, 25 de Abril de 2004.

Jorge Cláudio de Bacelar Gouveia

A) A INFLUÊNCIA DA CONSTITUIÇÃO PORTUGUESA DE 1976 NOS SISTEMAS CONSTITUCIONAIS DE LÍNGUA PORTU-GUESA[1]

SUMÁRIO:

1. Em geral
2. O sistema de direitos fundamentais
3. A organização económica
4. A organização do sistema político
5. A garantia e revisão da Constituição

---

[1] Texto introdutório do livro *As Constituições dos Estados Lusófonos*, 2ª ed., Lisboa, 2000, pp. 11 e ss.

1. Em geral

I. As relações que o Direito Constitucional Português actualmente mantém com os Estados Lusófonos nem sempre apresentaram os mesmos contornos, mas parece indubitável que nunca como agora essa influência foi tão directa e profunda. Cumpre, contudo, distinguir o Brasil, por um lado, e os Estados africanos, por outro.

No que respeita ao Brasil, o contacto entre o Direito Constitucional Português e o Direito Constitucional Brasileiro vem de muito longe, praticamente desde o início dos constitucionalismos de ambos os Estados.

Mas divisam-se nessa evolução períodos de diferente índole: ao século XIX, em que ressaltou a identidade das Cartas Constitucionais vigentes, outorgadas pelo mesmo monarca, seguiram-se, já no século XX, momentos de claro contraste e agora, com a Constituição da República Federativa do Brasil de 1988, podemos dizer que de novo se reatou uma ligação mais estreita, com base na Constituição da República Portuguesa de 1976, que também inaugurou uma nova fase dentro do constitucionalismo português – a III República Democrática.

Relativamente aos Estados africanos, tudo decorreu noutros moldes. Depois de um período em que esses cinco Estados passaram por experiências jusconstitucionais marxistas-leninistas, mais ou menos ortodoxas, nascidas na sequência da descolonização, entrou-se recentemente numa segunda fase, com novas Constituições ou com Constituições substancialmente revistas, todas elas marcadas pelo novo Direito Constitucional Português.

II. Cabe então perguntar: o relacionamento que se estabelece entre o sistema jusconstitucional português e os outros sistemas jusconstitucionais lusófonos será suficiente para justificar a formação de uma família jusconstitucional de matriz portuguesa?

Talvez ainda seja cedo para responder. É necessário esperar pela estabilização de cada um desses sistemas, principalmente dos Estados africanos, e observar como a prática político-constitucional vai evoluir nos próximos tempos.

A despeito disso, cremos firmemente que dentro em breve a consolidação dessa família jusconstitucional será uma realidade, à medida que a comunicação, no plano jurídico, for progredindo.

III. Não queremos, contudo, deixar de fornecer aos nossos leitores os elementos indispensáveis a essa tarefa e é por isso que a presente colectânea se anima precisamente pelo propósito de permitir um imediato confronto entre os diversos textos.

Mesmo que a respectiva comparação não conduza à formação de uma família jusconstitucional autónoma, pelo menos revelará a existência de institutos e figuras idênticas em todos ou alguns desses sistemas.

Mas para tornar tal análise ainda mais fácil, importará caracterizar muito sumariamente a Constituição da República Portuguesa de 1976 – pois a caracterização prévia dos vários domínios que compreende constituirá um excelente guia, ao antecipar muitas das soluções com que depararemos nos outros textos constitucionais lusófonos – a partir da seguinte grelha comparativa, que mostra ainda uma certa comunhão de pontos de vista ao nível da sistematização das Constituições, todas elas compreendendo estas quatro partes fundamentais:

– o sistema de direitos fundamentais;
– a organização económica;
– a organização do poder político;
– a garantia e a revisão da Constituição.

2. O sistema de direitos fundamentais

I. O sistema de direitos fundamentais traduz os termos por que qualquer Constituição efectua a protecção dos direitos fundamentais e dos princípios orientadores dessa protecção, havendo que diferenciar, numa apreciação na generalidade, tanto as suas características substanciais como os aspectos de regime.

Quanto ao primeiro ponto, cumpre verificar quais as teorias que explicam a opção por certas espécies de direitos fundamentais, o respectivo fundamento e o carácter fechado ou aberto da tipologia elaborada.

Na outra perspectiva, é de não esquecer o importante conjunto das normas e princípios relativos ao regime jurídico do seu exercício e das suas vicissitudes.

II. No primeiro destes dois planos, detectamos essencialmente três notas mais significativas.

A tipologia dos direitos fundamentais é considerada como exemplificativa, admitindo-se a inclusão de outros tipos de direitos fundamentais não especificados no catálogo, em função da necessidade de o adaptar a novas concretizações.

A dimensão internacional dos direitos fundamentais, por apelo a normas respeitantes à protecção internacional dos direitos do homem ou mesmo à Declaração Universal dos Direitos do Homem, está presente como fundamento da sua constitucionalização.

O conjunto dos tipos de direitos fundamentais adoptado é extremamente abrangente, sendo o seu elenco copioso e encontrando-se uma enorme pluralidade de espécies, quer quanto à titularidade – direitos individuais e direitos institucionais – quer quanto à estrutura – direitos, liberdades e garantias e direitos sociais.

III. Ao nível do regime jurídico, é de realçar a existência de regras que explicitamente se referem às vicissitudes dos direitos fundamentais e que têm a preocupação de discernir uma regulamentação cuidada em ordem à sua protecção.

A sua atribuição está sempre condicionada pelos princípios da igualdade e da universalidade e a restrição e a suspensão contam com regras específicas que visam limitar o poder político.

A defesa é erigida a vicissitude autónoma e consagra-se genericamente o princípio da responsabilidade civil do Estado por violação dos direitos fundamentais.

3. A organização económica

I. Na organização económica, o que se afigura central é o regime económico adoptado, para o que importará aferir as formas de propriedade admitidas e os mecanismos nas mãos do poder público para intervir na regulação da actividade económica.

As duas modalidades a salientar – o regime capitalista e o regime socialista – possibilitam, no entanto, algumas cambiantes.

O primeiro define-se pela admissibilidade e fomento da propriedade privada dos meios de produção e da liberdade económica, sendo os preços formados através do mercado e da livre concorrência.

O outro implica a colectivização dos meios de produção e a determinação dos preços através da planificação imperativa da economia.

As formas mitigadas, assentando em geral na modalidade capitalista, requerem a acção pública no sentido da vigilância e, em certos casos, direcção das actividades económicas.

II. O conjunto de disposições e princípios existentes exprime a ideia geral de economia social de mercado, numa solução claramente intermédia relativamente aos dois modelos económicos puros.

Reconhecem-se genericamente a propriedade e a iniciativa privadas, pelo que os agentes económicos dispõem de liberdade económica para empreender as suas actividades empresariais.

Os preços são determinados pelo livre jogo da oferta e da procura, de acordo com os interesses e as escolhas dos agentes económicos.

III. Note-se, contudo, que essa economia, de mercado na sua essência, não prescinde da intervenção do poder público com vista à correcção de desequilíbrios que eventualmente apareçam.

Ao lado da propriedade privada, assegura-se normalmente a existência de um sector social e de um sector público, com empresas públicas, este destinado a produzir os bens que a simples actividade privada não pode fornecer, por incapacidade ou por uma demasiada onerosidade.

A livre fixação dos preços no mercado não impede igualmente a realização de planos meramente indicativos e a limitação da actividade económica por intermédio da intervenção social do Estado para protecção dos grupos mais desfavorecidos.

Há ainda a preocupação de regulamentar a actividade do investimento estrangeiro, não só para garantir uma certa independência nacional económica como para orientar essa actividade em direcção a sectores em que ela seja socialmente – e não apenas economicamente – mais eficaz.

4. A organização do poder político

I. A organização do poder político implica a consideração simultânea da forma de Estado, da forma de governo e do sistema de governo.

A forma de Estado, que tem o seu lugar teórico na Teoria Geral do Estado, pondera os seus diferentes elementos – povo, poder e território – em face da sua unicidade ou pluralidade:

– ali, temos um Estado unitário, que pode aparecer ainda centralizado ou descentralizado política e/ou administrativamente;
– aqui, existe um Estado composto ou complexo, denominado Estado federal ou união real, consoante o aparelho estadual se sobreponha ou funda com o aparelho político dos Estados membros.

A forma de governo deriva da problemática mais vasta dos laços existentes entre os governantes e os governados, no seio da dialéctica que nasce entre o Estado e a comunidade política que lhe subjaz, e discute quatro temas centrais: a legitimidade, a participação, o pluralismo e a divisão de poder.

Seguindo a lição de JORGE MIRANDA, podemos elencar oito modernas formas de governo:

– a monarquia absoluta;
– o governo representativo clássico ou liberal;
– a democracia jacobina;
– o governo cesarista;
– a monarquia limitada;
– a democracia representativa;
– o governo leninista; e
– o governo fascista.

O sistema de governo tem uma extensão mais limitada e somente se preocupa com a distribuição dos poderes pelos diversos órgãos do Estado. Ele tem, em todo o caso, alguma conexão com as formas de governo, sendo de separar os sistemas de concentração de poderes dos sistemas de desconcentração de poderes, estes tendo como tipos mais conhecidos o sistema parlamentar, o sistema semi-presidencial e o sistema presidencial.

II. A forma de Estado escolhida é a do Estado unitário, em que aparece um único conjunto de elementos do Estado – um povo, um poder político soberano e um território.

Tal não significa, no entanto, que dentro do Estado unitário a repartição do poder político se faça concentradamente na entidade estadual.

É forçoso reconhecer sempre um fenómeno de descentralização territorial ou de natureza político-legislativa, com a existência de regiões autónomas nos arquipélagos dos Açores e da Madeira, ou de natureza administrativa, quando se consagram as autarquias locais.

III. A forma de governo corresponde à da democracia representativa, de tipo europeu ocidental, com natureza republicana.

A componente republicana da forma de governo inculca não apenas a eleição do Chefe de Estado pelos cidadãos, por sufrágio directo e universal, como e numa perspectiva menos imediata a separação entre as igrejas e o Estado, a transitoriedade dos mandatos e a inexistência de regalias após o respectivo termo.

Os quatros aspectos fundamentais da forma de governo apresentam--se do seguinte modo:

– a legitimidade dos governantes é de natureza democrática, sendo aferida periodicamente pelos actos eleitorais;
– o pluralismo político é também uma realidade prevista pela Constituição, que, ao lado da liberdade da criação de partidos e associações políticas, declara solenemente a importância da liberdade de expressão e de opinião política;
– os poderes do Estado são atribuídos a diferentes órgãos por forma a que se limitem reciprocamente e para que, apesar disso, haja relações de interdependência entre eles;
– a participação não se resume à eleição dos titulares dos órgãos políticos principais – Presidente da República e Assembleia da República – na medida em que se introduz um mecanismo de democracia semi-directa – o referendo.

IV. O sistema de governo pode ser caracterizado como um semi-presidencialismo que, embora tivesse sido influenciado pelo semi-presidencialismo francês, surge com uma configuração algo peculiar.

A ideia fundamental, nos termos em que comummente se entende o semi-presidencialismo, é a de que os três órgãos políticos – o Presidente da República, a Assembleia da República e o Governo – são órgãos activos no debate político partidário.

Mas há elementos retirados do parlamentarismo, do presidencialismo e exclusivos do semi-presidencialismo:

– do primeiro, é de referir a diarquia no executivo e o poder de dissolução do Parlamento;
– do segundo, mencione-se a eleição do Chefe de Estado por sufrágio universal e directo;
– do terceiro, há que indicar a dupla responsabilidade política do órgão executivo perante o Chefe de Estado e o Parlamento.

5. A garantia e a revisão da Constituição

I. A parte respeitante à garantia e revisão da Constituição impõe a observação dos dois núcleos fundamentais que aqui se divisam: a fiscalização da constitucionalidade e a revisão constitucional.

O primeiro refere o sistema que se propugna para o controlo dos actos inconstitucionais, mormente as entidades que podem julgar a inconstitucionalidade e as modalidades que tal controlo reveste.

A revisão constitucional, fundamentando-se na necessidade que qualquer Constituição – assim como qualquer acto jurídico normativo – sente de adequar-se permanentemente às condições político-sociais do tempo em que é aplicada, designa as modificações que lhe são introduzidas, mantendo-a, porém, no que tem de essencial, fenómeno que pode justificar a verificação de três diferentes espécies consoante o regime jurídico que a rege, teorização que se deve a MARCELO REBELO DE SOUSA:

- – flexível quando revisível nos termos admitidos para qualquer lei ordinária;
- – rígida se se estipula um procedimento especial, mais gravoso se comparado com o procedimento legislativo ordinário, com limites formais, orgânicos e temporais;
- – hiper-rígida sempre que àqueles limites acresçam limites circunstanciais e materiais.

II. O sector dedicado à fiscalização da constitucionalidade dos actos do poder afirma a prevalência da Constituição – porque conjunto de normas e princípios dotado de força jurídica suprema no seio do ordenamento jurídico-estadual positivo – sobre quaisquer outros actos, públicos ou privados.

Por outro lado, há também um propósito evidente de instituir mecanismos de controlo da conformidade dos actos infra-constitucionais com a Constituição.

A fiscalização jurisdicional que se preconiza desdobra-se em múltiplos tipos: fiscalização preventiva, fiscalização sucessiva abstracta, fiscalização sucessiva concreta e fiscalização da inconstitucionalidade por omissão.

III. A revisão constitucional assume uma importância jurídico-constitucional assinalável, sendo-lhe reservadas normas expressas direccionadas ao estabelecimento de limites ao exercício do correspondente poder.

Desde logo, tal poder é exclusivo da Assembleia da República, que só o exerce ordinariamente de cinco em cinco anos e que se desenvolve segundo um procedimento particularmente exigente quanto à maioria qualificada de dois terços requerida para a aprovação das alterações à Constituição.

Mas ao lado desses limites orgânicos, formais e temporais, há também limites materiais e circunstanciais, o que nos conduz à conclusão de que estamos em face de uma Constituição hiper-rígida. São inconstitucionais as leis de revisão que não respeitem um conjunto de matérias irrevisíveis ou que sejam elaboradas na pendência do estado de sítio ou do estado de emergência.

Lisboa, 29 de Julho de 1993.

B) O PRINCÍPIO DEMOCRÁTICO NO NOVO DIREITO CONSTITUCIONAL MOÇAMBICANO[1]

SUMÁRIO:

I – INTRODUÇÃO

1. Apresentação do tema
2. Sequência da exposição

II – O PRINCÍPIO DEMOCRÁTICO E AS SUAS TRÊS DIMENSÕES

3. A soberania popular
4. O exercício diversificado do poder político pelo povo
5. A dimensão representativa
6. A dimensão semidirecta
7. A dimensão participativa

---

[1] O presente texto corresponde à versão escrita da conferência proferida no pretérito dia 19 de Maio de 1994, no Maputo, a convite dos Serviços Culturais da Embaixada de Portugal em Moçambique, que muito agradecemos na pessoa do seu Director, o Senhor Dr. Soares Martins. Publicado na *Revista da Faculdade de Direito da Universidade de Lisboa*, XXXVI, 1995, pp. 457 e ss.

É evidente que se trata de uma matéria que mereceria sempre um desenvolvimento consideravelmente superior àquele que despendemos, sobretudo agora quando Moçambique se prepara para viver as suas primeiras eleições democráticas.

Pensamos, todavia, que mesmo não alterando a sua configuração inicial, a divulgação deste estudo mantém interesse, não só no âmbito universitário, como noutros sectores menos especializados, mas nem por isso pouco empenhados nas importantes questões que o regime democrático faz surgir no espírito de todos.

III – A DEMOCRACIA REPRESENTATIVA

8. As características do sufrágio
9. A eleição do Presidente da República
10. A eleição dos Deputados à Assembleia da República

IV – A DEMOCRACIA SEMIDIRECTA

11. O referendo de revisão constitucional
12. O referendo político-legislativo

V – A DEMOCRACIA PARTICIPATIVA

13. Os direitos fundamentais de intervenção política
14. Os partidos políticos em especial

VI – CONCLUSÕES

15. Quanto à Parte II
16. Quanto à Parte III
17. Quanto à Parte IV
18. Quanto à Parte V

I

INTRODUÇÃO

1. Apresentação do tema

I. Depois de um primeiro período marcado pela vigência da Constituição de 1975, correspondente a um regime político-económico de matriz soviética[2], a República de Moçambique regista agora uma nova fase na evolução do seu Direito Constitucional.

Um dos princípios que o novo sistema constitucional proclama é o princípio democrático, que a par de outros princípios constitucionais funda substantivamente essa ordem jusconstitucional[3].

II. É nosso propósito efectuar neste ensejo o estudo do princípio democrático e das suas vertentes no novo Direito Constitucional Moçambicano, à luz da doutrina do Direito Constitucional.

Trata-se de uma apreciação sobre o princípio democrático enquanto princípio jurídico caracterizador do Estado Moçambicano, tendo em conta as suas múltiplas conexões e manifestações, quer em matéria de direitos fundamentais, quer em matéria de organização do poder político.

---

[2] Período, aliás, único da recentíssima História do Direito Constitucional da República de Moçambique, fundada em 25 de Junho de 1975, data da proclamação de independência e da entrada em vigor da primeira Constituição.

São quase inexistentes os estudos sobre a História do Direito Constitucional Moçambicano. De referir, no entanto, os trabalhos de JOSÉ NORBERTO CARRILHO, *Moçambique – o nascer da Segunda República*, Maputo, 1991, pp. 11 e ss., e de FERNANDO JOSÉ FIDALGO DA CUNHA, *Democracia e divisão do poder – uma leitura da Constituição Moçambicana*, Maputo, s.d., pp. 49 e ss.

[3] Grande parte dos quais se encontrando explicitamente prevista no art. 1.º da CRM, o qual dispõe que "A República de Moçambique é um Estado independente, soberano, unitário, democrático e de justiça social".

Mas apenas cuidaremos da concreta modelação do princípio demo-crático levada a cabo pelo actual Direito Constitucional Moçambicano, cuja fonte é a Constituição da República de Moçambique, aprovada em 2 de Novembro de 1990 e que entrou em vigor em 30 de Novembro do mesmo ano, tendo já sido revista duas vezes[4]. O estudo da legislação ordi-nária será apenas complementar do entendimento constitucional acerca dos vários pontos a salientar, nela avultando não só o Acordo Geral de Paz como também algumas leis estruturantes do sistema político[5].

A perspectiva a adoptar é a que é própria da Ciência do Direito Cons-titucional, no que a mesma tenha de dirigido à sistematização, interpretação e concatenação dos dados ordenadores disponíveis, numa visão juscien-tífica do princípio democrático, a resultar na descrição da sua positivação constitucional e na aferição da compatibilidade da legislação ordinária aos ditames constitucionais[6], sem nunca pôr em causa o bem ou mal fundado das escolhas político-constitucionais feitas, o que relevaria já da óptica da Política Constitucional.

III. É, na verdade, uma opção temática que se justifica plenamente no momento que o Direito Constitucional Moçambicano actualmente atravessa, sendo possível sintetizar três ordens de considerações que nos impeliram para essa escolha.

Em primeiro lugar, não é demais realçar a proeminência do princípio democrático e das suas múltiplas concretizações no seio do Direito Consti-tucional em geral. Reflectir sobre o princípio democrático significa, no

---

[4] O respectivo texto actualizado pode ser consultado em JORGE BACELAR GOUVEIA, *As Constituições dos Estados Lusófonos,* Lisboa, 1993, pp. 495 e ss.

[5] Adoptaremos o seguinte conjunto de abreviaturas para designar os diversos diplomas: AGP – Acordo Geral de Paz, assinado em Roma a 4 de Outubro de 1992 e aprovado pela Lei n.º 13/92, de 14 de Outubro; CRM – Constituição da República de Moçambique, aprovada em 2 Novembro de 1990, e revista pelas Leis n.ºs 11/92, de 8 de Outubro, e 12/92, de 9 de Outubro; LE – Lei eleitoral – Lei n.º 4/93, de 28 de Dezembro; LFAPP – Lei sobre a formação e actividade dos partidos políticos – Lei n.º 7/91, de 23 de Janeiro, modificada pela Lei n.º 14/92, de 14 de Outubro; LLI – Lei da liberdade de imprensa – Lei n.º 18/91, de 10 de Agosto; LLA – Lei da liberdade de associação – Lei n.º 8/91, de 18 de Julho; LLRM – Lei da liberdade de reunião e de manifestação – Lei n.º 9/91, de 18 de Julho.

[6] A despeito de grande parte deste estudo se assumir como de teor descritivo, apresentando as normas e os princípios constitucionais e legais pertinentes ao princípio democrático, atentar-se-á igualmente na verificação da compatibilidade de algumas nor-mas legais com a Constituição sempre que se suscitem legítimas dúvidas nesse domínio.

O *Princípio Democrático no Novo Direito Constitucional Moçambicano*   23

fundo, reflectir sobre todo o ordenamento jusconstitucional, captando-lhe o seu sentido mais íntimo[7].

Por outro lado, do ponto de vista do desenvolvimento do processo eleitoral em Moçambique, recordando que a realização das primeiras eleições do Presidente da República e dos Deputados à Assembleia da República estão marcadas para os dias 27 e 28 de Outubro de 1994[8], o princípio democrático é, indubitavelmente, o tema mais candente do Direito Constitucional, para o qual se exigem respostas e soluções, mesmo correndo o risco de se deixarem aprisionar, de algum modo, pela força das circunstâncias.

Diga-se ainda que no actual panorama doutrinário moçambicano da Ciência do Direito Constitucional – ou até mesmo da Ciência Política – são praticamente inexistentes os estudos científicos sobre este tema[9]. Temos a intenção, sempre na medida das nossas possibilidades, de contribuir para o enriquecimento da Ciência do Direito Constitucional neste ponto particular do princípio democrático.

IV. O entusiasmo que naturalmente este tema desperta no Cientista do Direito Constitucional não deve fazer esquecer que na sua amplitude devem necessariamente surgir algumas restrições, que delimitam negativamente as nossas lucubrações.

Desde logo, a consideração do princípio democrático não nos obriga a que façamos aqui o seu estudo exaustivo, dissecando-o até ao pormenor; privilegiaremos antes os aspectos mais relevantes, numa óptica sobretudo do regime jusconstitucional, ainda que com algumas incursões em regimes legais[10].

Igualmente não nos preocuparemos com cogitações de índole teorética acerca da natureza das diferentes figuras que iremos versar, direccionando o nosso esforço quase exclusivamente à realidade jurídica moçambicana. As considerações que porventura façamos devem ser enquadradas

---

[7] O que só se confirma pela sua eficácia irradiante na organização do poder político e nos direitos fundamentais, condicionando o desenho constitucional e legal de vários institutos ou impondo mesmo a sua existência em certos termos.

[8] Cfr. Decreto Presidencial n.º 1/94, de 11 de Abril.

[9] As únicas excepções que conhecemos são os trabalhos de JOSÉ ÓSCAR MONTEIRO, *Glossário Eleitoral,* Maputo, 1990, e de FERNANDO JOSÉ FIDALGO DA CUNHA, *op. cit.*

[10] Mas apenas no que eles tenham de verdadeiramente estruturante e complementar do regime jusconstitucional.

no sistema jusconstitucional a que pertencem, permitindo a melhor compreensão dos dados normativos disponíveis.

Também deixaremos de lado qualquer indagação histórica sobre a concretização do princípio democrático e os particulares entendimentos que teve durante a vigência da 1ª República Moçambicana. Para isso, haveria a necessidade não só de conhecer a conceptologia própria dos Estados de inspiração marxista-leninista como de se utilizar outros instrumentos que neste momento não possuímos.

Nem sequer estará em causa qualquer análise de Direito Constitucional Comparado, mesmo dos Direitos Constitucionais Positivos mais próximos ou influenciadores do Direito Constitucional Moçambicano[11].

2. Sequência da exposição

I. A positivação do princípio democrático no Direito Constitucional Moçambicano não se faz, contudo, de um modo unívoco, uma vez que a respectiva recepção implica três importantes dimensões que permitem a sua melhor densificação, vertentes que põem em evidência as potencialidades expansivas deste princípio constitucional como orientação ordenadora susceptível de ser, permanentemente, actualizada e reforçada.

São elas:

– a dimensão representativa;
– a dimensão semidirecta; e
– a dimensão participativa.

II. A presente comunicação será assim constituída por quatro partes materiais, em correspondência com esta divisão entre uma parte geral, relativa à caracterização do princípio democrático, e três partes especiais, atinentes a cada uma das suas vertentes.

A primeira parte será dirigida ao princípio democrático, nele se descobrindo, em primeiro lugar, a sua explicitação pelo princípio da soberania popular, para que depois se faça a respectiva articulação, quanto ao exer-

---

[11] Quando muito, recorreremos a alguns exemplos extraídos do Direito Constitucional Português, tendo presente que tanto a Constituição da República Portuguesa de 1976 como as leis ordinárias vigentes nesse Estado contribuíram, em larga escala, para as soluções normativas encontradas por Moçambique quanto ao sistema democrático adoptado.

cício dessa soberania, com as três dimensões referidas, explicando os respectivos conceitos.

A segunda parte será reservada à dimensão representativa do princípio democrático, no que terá pertinência observar o regime do sufrágio em geral, bem como as singularidades regimentais da eleição do Presidente da República e dos Deputados à Assembleia da República.

A terceira parte dedicar-se-á à dimensão semi-directa do princípio democrático, altura em que indicaremos as particularidades de regime dos dois tipos de referendo que a CRM prevê.

A quarta parte cuidará da dimensão participativa do princípio democrático, apontando os seus principais instrumentos ao nível dos direitos fundamentais de intervenção política, com um maior relevo para a matéria dos partidos políticos.

A terminar, faremos a enunciação das conclusões colhidas ao longo do texto, o que servirá também de breve síntese do nosso pensamento.

II

O PRINCÍPIO DEMOCRÁTICO E AS SUAS TRÊS DIMENSÕES

3. A soberania popular

I. Já referimos por diversas vezes a locução "princípio democrático" sem nunca ter explicado minimamente o seu sentido mais profundo, apesar de ser um conceito que, à partida, devido ao conhecimento generalizado que dele se tem em sociedades democráticas, não oferece muitas dúvidas de significação.

É uma expressão que deriva do grego *demokratia*, palavra compósita que agrega dois outros vocábulos: *kratein* quer dizer poder ou autoridade política e *demo* designa o povo pertencente a um Estado.

II. Na sua essência como princípio estruturante do Estado Constitucional, o princípio democrático liga-se à legitimidade da autoridade política que é exercida, ou seja, à entidade incumbida de decidir os destinos do Estado. Este princípio tem assim como propósito ordenador fazer atribuir o poder político ao povo desse Estado[12].

O primeiro conceito com que lidamos é o de *soberania* ou de *poder político* do Estado. A ideia de *soberania* representa o poder político que qualifica o Estado, uma vez que é o único ente que detém o poder político máximo, distinguindo-se de outras entidades políticas menores, que não têm a suprema amplitude admitida de poder político[13]. E esse poder polí-

---

[12] Sobre a soberania popular, v. JORGE MIRANDA, *Ciência Política,* Lisboa, 1992, policopiado, pp. 141 e ss.; J. J. GOMES CANOTILHO e VITAL MOREIRA, *Fundamentos da Constituição,* Coimbra, 1991, p. 78; J. J. GOMES CANOTILHO, *Direito Constitucional,* 6ª ed., Coimbra, 1993, pp. 418 e 419.

[13] Sobre o poder político estadual, v. REINHOLD ZIPPELIUS, *Teoria Geral do Estado,*

O Princípio Democrático no Novo Direito Constitucional Moçambicano   27

tico do Estado não deve ser apenas o poder constituinte, de elaborar a Constituição, mas deve alargar-se aos poderes constituídos[14].

O outro conceito em causa é o de *povo* pertencente a um certo Estado, categoria que conglomera o conjunto dos indivíduos que se lhe ligam por um vínculo de cidadania. É ele que constitui o elemento humano que define o Estado como instituição política[15].

A relação que se estabelece entre estes dois conceitos funda-se na titularidade que o povo tem da soberania do Estado, implicando o princípio democrático que a mesma lhe seja atribuída, havendo que discernir entre uma forma negativa – pela qual se separa a soberania popular de outras formas de domínio – e uma forma positiva – em que surge a necessidade de uma legitimação democrática para o exercício do poder[16].

III. É precisamente esta concepção de soberania popular que podemos encontrar no texto da CRM, quando se afirma que "A soberania reside no povo"[17].

A densificação dos dois conceitos de *soberania* e de *povo* não se faz, no entanto, do mesmo modo: enquanto que a *soberania* se define implicitamente na relação com o preceito constitucional que apresenta a República de Moçambique como um "... Estado ... soberano ..."[18], o que traduz o poder político do Estado, o *povo* é o *povo moçambicano*, que é contemplado com normas jusconstitucionais no capítulo II da parte I, reservado à nacionalidade, aí se enunciando os regimes da atribuição da nacionalidade originária e adquirida, da perda da nacionalidade e da reaquisição da nacionalidade[19].

2ª ed., Lisboa, 1984, pp. 54 e ss.; JORGE MIRANDA, *Manual de Direito Constitucional*, III, 2ª ed., Coimbra, 1988, pp. 149 e ss.; MARCELLO CAETANO, *Manual de Ciência Política e Direito Constitucional*, I, 6ª ed., Coimbra, 1992, pp. 130 e ss.

[14] Cfr. JORGE MIRANDA, *Ciência...*, cit., p. 141

[15] Sobre o conceito de povo, v. JORGE MIRANDA, *Sobre a noção de povo em Direito Constitucional*, in AAVV, *Estudos de Direito Público em Honra do Professor Marcelo Caetano*, Lisboa, 1973, pp. 205 e ss.; IDEM, *Manual...*, III, cit., pp. 45 e ss.; REINHOLD ZIPPELIUS, *op. cit.*, pp. 45 e ss.; MARCELLO CAETANO, *op. cit.*, pp. 122 e ss.

[16] Cfr. J. J. GOMES CANOTILHO e VITAL MOREIRA, *Fundamentos...*, cit., p. 78.

[17] Art. 2.º, n.º 1, da CRM.

[18] Art. 1.º da CRM.

[19] Cfr. arts. 11.º a 26.º da CRM.

4. O exercício diversificado do poder político pelo povo

I. A singela afirmação de que o princípio democrático se consubstancia na titularidade da soberania do Estado no respectivo povo dá-nos apenas uma ideia ainda muito esfumada da real presença da decisão popular nos destinos do Estado.

Dizer que o poder político é determinado pelo povo é ainda muito pouco se pensarmos nas múltiplas formas que são teoreticamente concebíveis de presença popular na orientação do poder político.

Surge assim uma segunda interrogação no âmbito da clarificação constitucional do princípio democrático: por que modalidades e com que intensidade o povo condiciona as opções da sociedade política?

II. Nos dias de hoje, a Ciência Política e a Ciência do Direito Constitucional anotam a existência de três principais modelos de exercício do poder político pelo povo, numa evolução já longa e que possivelmente não irá parar por aqui[20].

Em primeiro lugar, e como experiência mais antiga, temos a dimensão representativa da democracia, modelo em que o povo exerce o poder político escolhendo os titulares dos respectivos órgãos, particular forma de designação que tomou o nome de *eleição,* na qual o povo intervém através do direito de *sufrágio*.

Outro modelo igualmente considerado é o da democracia semidirecta, que se define pelo facto de o povo ser chamado a decidir, por ele próprio e directamente, questões que se ponham à governação.

Finalmente, encontramos o modelo da democracia participativa, o qual corresponde ao exercício do poder político pelo povo em termos de influência – e não decisão – das providências governativas, com a utilização de uma panóplia apreciável de instrumentos.

III. A observação do Direito Constitucional Moçambicano permite dizer que se optou, ao mesmo tempo, por estas três dimensões do princípio democrático.

---

[20] Cfr. MARCELLO CAETANO, *op. cit.,* p. 361; J. J. GOMES CANOTILHO e VITAL MOREIRA, *Fundamentos...,* cit., pp. 78 e ss., e pp. 193 e ss; IDEM, *Constituição da República Portuguesa,* 3ª. ed., Coimbra, 1993, p. 59.

O Princípio Democrático no Novo Direito Constitucional Moçambicano   29

É a resposta que se extrai do capítulo III do título I, respeitante à "Participação na vida política do Estado", em cujo preceito fundamental a este propósito pode ler-se o seguinte:

"O povo moçambicano exerce o poder político através do sufrágio universal, directo, igual, secreto e periódico para a escolha dos seus representantes, por referendo sobre as grandes questões nacionais e pela permanente participação democrática dos cidadãos na vida da Nação".

Nesta fórmula quase lapidar, deparamos com a síntese da igual relevância destas três dimensões que assinalámos ao princípio democrático[21]:

- a dimensão representativa expressa-se pela referência ao "sufrágio universal, directo, igual, secreto e periódico para a escolha dos seus representantes";
- a dimensão semi-directa retira-se da alusão ao "referendo sobre as grandes questões nacionais";
- a dimensão participativa deriva do apelo à "permanente participação democrática dos cidadãos na vida da Nação".

5. A dimensão representativa

I. A primeira das três dimensões que assinalámos ao princípio democrático é a sua dimensão representativa[22], que assenta no fenómeno da representação política.

Esse conceito de representação política parte da ideia de que entre os titulares dos órgãos do poder político e os cidadãos – ou, empregando uma outra terminologia menos rigorosa mas mais impressiva, entre governantes e governados – há um nexo de relação política.

Os governantes, enquanto representantes do povo, governam em atenção aos interesses da colectividade e essa sua qualidade postula que no momento em que foram escolhidos (e provavelmente durante todo o mandato) houve uma relação de confiança política[23].

---

[21] Explicitamente quanto à dimensão representativa, FERNANDO JOSÉ FIDALGO DA CUNHA, *op. cit.* pp. 59 e 60.

[22] Sobre a democracia representativa, v. MAURICE DUVERGER, *Os grandes sistemas políticos,* Coimbra, 1985, pp. 58 e ss.; JORGE MIRANDA, *Ciência...,* cit., pp 141 e ss.; MARCELLO CAETANO, *op. cit.,* pp. 362 e ss.; J. J. GOMES CANOTILHO e VITAL MOREIRA, *Fundamentos...,* cit., pp. 78, 79 e 193.

[23] Sobre o conceito de representação política, v., de entre muitos outros, DAMIANO

II. Mas o laço fiduciário que subjaz ao fenómeno da representação política tem a sua origem num particular modo de designação dos governantes, o qual vai possibilitar que entre estes e o povo activo se estabeleça a comunicação no plano político: a eleição.

A eleição traduz-se num acto de vontade do conjunto dos cidadãos de determinado Estado, pelo qual fazem a escolha dos titulares dos respectivos órgãos de poder, acto de vontade que incide sobre os candidatos que se apresentam ao acto eleitoral, sendo de exercício colectivo e simultâneo.

III. Pensando em termos individuais, a participação popular na eleição esteia-se no direito de *sufrágio,* que é a escolha que cada cidadão, com direito de voto, pode fazer no sentido da indicação da pessoa que deve preencher o órgão objecto do sufrágio[24].

É um conceito que pode decompor-se em três pontos que lhe são constitutivos:

1) o acto de sufrágio é um acto praticado pelo povo enquanto titular da soberania, sendo necessária à sua caracterização esta especial titularidade;
2) a manifestação de vontade respeita à determinação dos titulares dos órgãos públicos, na base de um critério estritamente individual;
3) o acto de sufrágio apenas vale se colectiva e simultaneamente considerado.

O sufrágio é susceptível de várias classificações, tendo em atenção os diferentes aspectos que podem contar do prisma do regime acolhido:

a) quanto ao objecto – sufrágio para designação de titulares de órgãos políticos, administrativos, jurisdicionais, e nos primeiros, eleição de órgãos políticos singulares e colegiais;

NOCILLA e LUIGI CIAURRO, *Rappresentanza politica,* in *Enciclopedia del Diritto,* XXX, pp. 543 e ss.; GERHARDT LEIBHOLZ, *La rappresentazione nella Democrazia,* Milano, 1989; JORGE MIRANDA, *Representação política,* in *Pólis,* V, pp. 400 e ss.; IDEM, *Ciência...,* cit., pp. 60 e ss.; MARCELLO CAETANO, *op. cit.,* p. 363; VITALINO CANAS, *Preliminares do Estudo da Ciência Política,* Lisboa, 1991, pp. 100, 104 e ss.; J. J. GOMES CANOTILHO, *op. cit.,* pp. 419 e ss.

[24] Sobre a eleição e o sufrágio, v. MAURICE DUVERGER, *op. cit.,* pp. 83 e ss.; MARCELLO CAETANO, *op. cit.,* pp. 239 e ss.; J. J. GOMES CANOTILHO e VITAL MOREIRA, *Constituição...,* cit., pp. 269, 270 e 518; JORGE MIRANDA, *Ciência...,* cit., pp. 151 e ss.; J. J. GOMES CANOTILHO, *op. cit.,* pp. 432 e ss.

O Princípio Democrático no Novo Direito Constitucional Moçambicano 31

b) quanto à titularidade – sufrágio universal ou restrito, capacitário e/ou censitário;
c) quanto à força jurídica – sufrágio igual ou desigual ou ponderado;
d) quanto ao modo – sufrágio directo ou indirecto;
e) quanto à obrigatoriedade – sufrágio obrigatório ou facultativo;
f) quanto à transmissibilidade – sufrágio pessoal ou transmissível;
g) quanto à confidencialidade – sufrágio secreto ou público.

As mais relevantes figuras afins do sufrágio, que têm de comum serem igualmente modos de designação dos governantes, são a nomeação e a cooptação. A nomeação é um acto de um órgão do Estado pelo qual certa pessoa é escolhida como titular de outro órgão, não havendo aqui a intervenção do escolhido quanto a qualquer candidatura prévia, nem muito menos a participação popular pelos cidadãos activos. A cooptação tem como nota singular o facto de se tratar de uma escolha para a titularidade de certo órgão praticada pelos outros membros desse órgão já previamente escolhidos por diferente processo, seja eleição ou nomeação, também não se registando qualquer intervenção por parte dos governados.

IV. A figura do sufrágio, relativamente aos órgãos constitucionalmente previstos, projecta-se em dois diferentes grupos. Dentro dos órgãos de soberania[25], circunscreve-se ao Presidente da República e à Assembleia da República, os únicos considerados como representativos. Mas tem também sentido na designação dos titulares dos órgãos locais do Estado, cujos órgãos deliberativos devem ser "eleitos"[26].

De todos os institutos que relevam no domínio do princípio democrático, é quanto ao sufrágio e à eleição que o articulado constitucional guarda um maior número de preceitos, testemunhando a importância que lhes quis atribuir. No título II, que é dedicado aos "Direitos, deveres e liberdades fundamentais", o art. 73.º, n.os 2 e 3, estabelece as condições para a atribuição do direito de votar e ser eleito, bem como a definição dos termos em que o mesmo pode ser exercido. No título III, reservado aos "Órgãos do Estado", tanto no capítulo I sobre princípios gerais como nos dois capítulos seguintes alusivos ao Presidente da República e à Assembleia da República, avança-se com a enunciação de algumas caracterís-

---

[25] Que, nos termos do art. 109.º da CRM, englobam ainda o Conselho de Ministros, os Tribunais e o Conselho Constitucional.
[26] Cfr. art. 186.º, n.º 2, da CRM.

ticas do sufrágio. No título VI, sobre "Disposições finais e transitórias", os arts. 204.º e 205.º estabelecem normas transitórias com vista à aplicação das normas constitucionais até à realização das primeiras eleições.

No entanto, por força da aturada regulamentação que qualquer acto eleitoral exige, as fontes do regime do sufrágio devem procurar-se também na função legislativa. O AGP, através do Protocolo III, pontos 5 e seguintes, lançou as bases do novo regime eleitoral a vigorar em Moçambique. A LE, que fixou o "quadro jurídico do recenseamento eleitoral dos cidadãos, a eleição do Presidente da República e a eleição dos deputados da Assembleia da República"[27], reiterou e complementou o regime já decorrente da CRM e do AGP. É um diploma que tem um longo articulado de 277 artigos, repartidos por nove títulos, respectivamente, sobre "Disposições gerais", "Organização do processo eleitoral", "Estatuto dos candidatos", "Campanha e propaganda eleitoral", "Processo eleitoral", "Eleição do Presidente da República", "Eleições legislativas", "Contencioso e ilícito eleitorais" e "Disposições finais". Não há ainda qualquer lei reguladora do sufrágio para os órgãos locais.

6. A dimensão semidirecta

I. A segunda dimensão do princípio democrático a referir é a sua dimensão semidirecta, que pressupõe a presença de alguns mecanismos que possibilitam ao povo participar directamente na governação do país[28]. A intervenção popular agora já não se faz por intermédio da escolha das pessoas que são incumbidas das tarefas de governação, mas por decisões governativas tomadas pelo próprio povo.

Do prisma teorético, são essencialmente três as figuras que realizam esta dimensão semidirecta da democracia:

– o referendo;
– o veto popular; e
– as assembleias abertas.

---

[27] Art. 1 da LE.

[28] Sobre a democracia semidirecta, v. MAURICE DUVERGER, *op. cit.*, pp. 67 e ss.; JORGE MIRANDA, *Ciência...*, cit., pp. 156 e 157; MARCELLO CAETANO, *op. cit.*, pp. 371 e 372; J. J. GOMES CANOTILHO e VITAL MOREIRA, *Fundamentos...*, cit., pp. 79, 80, 193 e 194; VITALINO CANAS, *op. cit.*, pp. 99 e 100; J. J. GOMES CANOTILHO, *op. cit.*, pp. 423 e ss.

II. Destes três institutos, o que nos parece mais importante – o que se confirma inclusivamente pela frequência com que os Direitos Constitucionais Positivos o admitem – é o do referendo, que pode ser definido como a figura pela qual o povo activo delibera sobre determinada questão que é posta à sua apreciação[29], definição em que podemos encontrar três diferentes elementos:

– o elemento subjectivo elucida-nos acerca de quem é que pratica a decisão referendária, que é sempre cada um dos governados qualificados em função da sua integração no povo de determinado Estado;
– o elemento objectivo esclarece-nos quanto ao sentido da decisão, que deve incidir sobre providências a tomar no que toca à política da governação;
– o elemento formal implica que a decisão referendária seja tomada colectivamente por cada um dos cidadãos que têm direito de nela intervir, sendo o valor do voto apurado no cômputo colectivo.

O referendo é passível de numerosas classificações, que, se aplicadas em cada sistema jusconstitucional positivo, põem em relevo as várias opções tomadas:

a) quanto ao âmbito territorial – referendo nacional, regional ou local;
b) quanto ao objecto – referendo constituinte, de revisão constitucional, político, legislativo ou administrativo;
c) quanto à iniciativa – referendo popular, parlamentar, governamental ou presidencial;
d) quanto à eficácia – referendo deliberativo ou consultivo;
e) quanto à estrutura – referendo positivo ou negativo;
f) quanto à relação com o acto a aprovar – referendo suspensivo ou resolutivo.

As figuras afins do referendo cuja diferenciação poderá mais interessar, para além das outras figuras que se inscrevem na ideia de democracia semidirecta, são a eleição, a destituição popular e a iniciativa legislativa

---

[29] Sobre o referendo, v. CARMELO CARBONE, *Referendum*, in *Novissimo Digesto Italiano*, XIII, pp. 106 e ss.; JORGE MIRANDA, *Ciência...*, cit., pp. 235 e ss.; J. J. GOMES CANOTILHO e VITAL MOREIRA, *Constituição...*, cit., pp. 529 e ss.; LUÍS BARBOSA RODRIGUES, *O referendo português a nível nacional*, Coimbra, 1994, pp. 19 e ss.

popular. A eleição, que já tivemos ocasião de definir[30], aparta-se do referendo pela matéria sobre que recai, a escolha de pessoas e não de providências governativas.

A destituição popular, praticamente o simétrico da eleição, é a revogação ou perda de mandato por decisão popular e do mesmo modo incide sobre pessoas e não sobre medidas de política governativa.

A iniciativa legislativa popular corporiza-se na faculdade que é atribuída aos cidadãos de apresentarem no Parlamento projectos de lei, que posteriormente devem ser apreciados no âmbito da tramitação do procedimento legislativo, e separa-se do referendo por nunca se constituir como um acto jurídico que possa vincular os órgãos representativos.

III. A CRM decidiu-se unicamente pela consagração do instituto do referendo, de acordo com dois tipos distintos: o referendo de revisão constitucional e o referendo político-legislativo.

O primeiro, como o próprio nome indica, é utilizado para rever o texto constitucional e tem o seu regime descrito no art. 199.°, n.os 1 e 2, da CRM, que aponta os casos em que o mesmo se justifica e qual a sua inserção no procedimento de revisão da Constituição, ao que se acrescenta ainda a primeira parte da al. c) do art. 120.°, da CRM, que esclarece os termos em que a sua realização é considerada.

O outro, para matérias legislativas e políticas infra-constitucionais, tem o seu regime repartido por vários preceitos da CRM: o art. 135.°, al. d), refere-se à respectiva iniciativa, o art. 120.°, al. c), orienta os termos em que o mesmo é decidido e o art. 12.°, al. c), remete para a lei o desenvolvimento de outros aspectos omissos do respectivo regime.

Neste momento, ainda se espera pela elaboração da lei ordinária de regulamentação do regime do exercício do referendo.

Em contrapartida, não vislumbramos a presença, ainda que implícita, da positivação de outros instrumentos de democracia semidirecta, seja dos que mencionámos, seja de outra natureza.

7. A dimensão participativa

I. A última das três dimensões presentes no princípio democrático é a sua dimensão participativa[31], que, ao invés do que sucede com as outras

---

[30] Cfr. *supra* n.° 5 – II.
[31] Sobre a democracia participativa, v. João Baptista Machado, *Participação e*

duas, oscila, do ponto de vista teorético, entre três diferentes concepções[32], cada uma delas exigindo uma configuração peculiar e impondo diferentes intensidades na intervenção popular em questão.

Uma primeira concepção considera a democracia participativa como significando um maior empenhamento por parte dos cidadãos no exercício dos direitos de natureza política constitucionalmente consagrados, influenciando e controlando, mais de perto, se bem que informalmente, a actividade governativa.

As outras duas concepções são mais exigentes e requerem a existência de institutos específicos. Uma delas entende que a democracia participativa envolve a atribuição aos administrados de direitos específicos de intervenção no exercício da função administrativa. A outra encara a democracia participativa como a vertente do sistema político que permite a expressão, em termos jurídicos e ao nível dos procedimentos de decisão dos órgãos do Estado, da vontade de grupos, instituições ou associações com interesses parcelares ou sectoriais na sociedade civil.

II. De acordo com o texto constitucional, parece claro que em Moçambique se optou pela dimensão participativa do princípio democrático nos termos da primeira concepção. À eleição e ao referendo, figuras da democracia representativa e semidirecta, contrapõe-se a participação dos cidadãos moçambicanos na vida política da Nação, numa alusão clara a uma dimensão democrática que atende agora a uma intervenção de influenciação e persuasão política.

Em contraponto, e confirmando tudo quanto acabamos de dizer, ainda não podemos encontrar, ao nível do texto constitucional, mecanismos jurídicos que possibilitem a concretização da democracia participativa em correspondência com a segunda e terceira concepções. Os administrados não beneficiam de quaisquer direitos de intervenção no procedimento administrativo e, a despeito de as associações e grupos serem constitucionalmente reconhecidos, estes não dispõem de particulares meios para fazerem ouvir a sua voz institucionalizadamente.

---

descentralização. Democracia e neutralidade na Constituição de 1976, Coimbra, 1982, pp. 69 e ss., e pp. 95 e ss.; J. J. GOMES CANOTILHO e VITAL MOREIRA, *Fundamentos...*, cit., pp. 194 e 195; IDEM, *Constituição...*, cit., pp. 97 e 98; JORGE MIRANDA, *A Constituição de* 1976 – *formação, estrutura, princípios fundamentais*, Lisboa, 1978, pp. 459 e ss.; IDEM, *Ciência...*, cit., pp. 172 e ss.; VITALINO CANAS, *op. cit.*, pp. 108 e ss.; J. J. GOMES CANOTILHO, *op. cit.*, pp. 426 e ss.

III. O modelo de democracia participativa segundo a concepção que se encontra acolhida pelo Direito Constitucional Moçambicano comporta, na prática, a existência de vários instrumentos que canalizam essa peculiar vontade popular.

Pensando em termos abstractos, podemos elencar como mais significativos a liberdade de expressão, a liberdade de imprensa, a liberdade de reunião, a liberdade de associação, o direito de petição, a liberdade de criação e participação em partidos políticos, a iniciativa legislativa popular, o direito de acesso a cargos públicos, os direitos de antena, de resposta e de réplica política.

A sua relevância em termos de democracia participativa não é, em todo o caso, sempre a mesma, na medida em que há direitos que são especificamente pertinentes à esfera do político, enquanto que outros podem igualmente interessar a outras facetas da pessoa, não se constituindo apenas como direitos políticos.

IV. Olhando a CRM, podemos concluir que nela está positivada a grande maioria deles, os quais constam do capítulo II do seu título II. São eles a liberdade de expressão[33], a liberdade de reunião e de manifestação[34], a liberdade de imprensa[35], a liberdade de associação[36], o direito de petição[37] e os partidos políticos[38] em especial. As disposições que lhes são

---

[32] Cfr. JORGE MIRANDA, *Ciência...*, cit., pp. 174 e 175.

[33] Sobre a liberdade de expressão, v. PAOLO BARILE, *Libertà di manifestazione del pensiero*, in *Enciclopedia del Diritto*, XXIV, pp. 424 e ss.; J. J. GOMES CANOTILHO e VITAL MOREIRA, *Constituição...*, pp. 225 e ss.; JORGE MIRANDA, *Manual de Direito Constitucional*, IV, 2ª ed., Coimbra, 1993, pp. 399 e 400.

[34] Sobre a liberdade de reunião e de manifestação, v. J. J. GOMES CANOTILHO e VITAL MOREIRA, *Constituição...*, pp. 253 e ss.; JORGE MIRANDA, *Manual...*, IV, cit., pp. 426 e ss.

[35] Sobre a liberdade de imprensa, v. NUNO E SOUSA, *A liberdade de imprensa*, Coimbra, 1984; J. J. GOMES CANOTILHO e VITAL MOREIRA, *Constituição...*, cit., pp. 229 e ss.; JORGE MIRANDA, *Manual...*, IV, cit., pp. 399 e ss.

[36] Sobre a liberdade de associação, v. PAOLO RIDOLA, *Democrazia pluralistica e libertà associativa*, Milano, 1987; J. J. GOMES CANOTILHO e VITAL MOREIRA, *Constituição...*, cit., pp. 256 e ss.; JORGE MIRANDA, *Manual...*, IV, cit., pp. 414 e ss.

[37] Sobre o direito de petição, v. PAOLO STANCATI, *Petizione (Diritto Costituzionale)*, in *Enciclopedia del Diritto*, XXXIII, pp. 596 e ss.; J. J. GOMES CANOTILHO e VITAL MOREIRA, *Constituição...*, cit., pp. 279 e ss.; JORGE MIRANDA, *Manual...*, IV, cit., pp. 250 e ss.; J. J. GOMES CANOTILHO, *op. cit.*, pp. 663 e 664.

[38] Sobre os partidos políticos, v., de entre muitos outros, MAURICE DUVERGER, *op. cit.*, pp. 72 e ss.; MARCELO REBELO DE SOUSA, *Os partidos políticos no Direito Constitu-*

pertinentes contêm normas atributivas desses direitos, avançando em alguns casos com algumas regras relativas ao respectivo exercício.

Tanto o AGP, pelos Protocolos II e III, pontos 1, 2 e 3, como a lei ordinária, pelos diplomas LFAPP, LLA, LLRM e LLI[39], complementam muitos desses regimes, especificando as condições do respectivo exercício e algumas das suas vicissitudes.

---

cional Português, Braga, 1983, pp. 63 e ss.; IDEM, *Partidos políticos,* in *Pólis,* IV, pp. 1012 a 1014; GIOVANNI SARTORI, *Partidos y sistemas* de *partidos,* I, Madrid, 1987; JORGE MIRANDA, *Ciência...,* cit., pp. 271 e ss.; VITALINO CANAS, *op. cit.,* pp. 122 e ss.; MARCELLO CAETANO, *op. cit.,* pp. 387 e ss.; J. J. GOMES CANOTILHO e VITAL MOREIRA, *Constituição...,* cit., pp. 98, 525 e 526; J. J. GOMES CANOTILHO, *op. cit.,* pp. 446 e ss.

[39] Leis que podem ser consultadas na nossa colectânea *Legislação de Direito Constitucional,* Maputo, 1994.

III

A DEMOCRACIA REPRESENTATIVA

8. As características do sufrágio

I. A aceitação por parte do Direito Constitucional Moçambicano do sufrágio como modo de designação dos titulares dos órgãos representativos não nos elucida ainda totalmente quanto ao regime que foi efectivamente adoptado[40].

O sufrágio, nos termos em que o mesmo é regulado pelo texto constitucional, é susceptível de ser apreciado relativamente à titularidade, ao conteúdo e ao exercício.

II. A titularidade é atribuída apenas a pessoas físicas, com base em dois diferentes critérios: o da cidadania moçambicana e o da maioridade de dezoito anos[41]. O primeiro requisito parece abranger qualquer espécie de cidadania, mesmo se adquirida ou readquirida, e o requisito etário afere-se no momento da realização do sufrágio.

A regulação da capacidade eleitoral activa não se esgota nestes dois requisitos positivos, uma vez que simultaneamente se exige que se não verifiquem certos requisitos negativos, que originam a incapacidade eleitoral activa. Além da circunstância de não deixarem de estar inscritos no recenseamento eleitoral[42], os cidadãos não devem estar interditos por sentença com trânsito em julgado, não devem ser reconhecidos como demen-

---

[40] Sobre o sufrágio no Direito Constitucional Português, v. JORGE MIRANDA, *O direito eleitoral na Constituição*, in AAVV, *Estudos sobre a Constituição*, II, Lisboa, 1978; IDEM, *Ciência...*, cit., pp. 228 e ss.; J. J. GOMES CANOTILHO e VITAL MOREIRA, *Constituição...*, cit., pp. 96 e ss., 269 e ss. e 518 e ss.; J. J. GOMES CANOTILHO, *op. cit.*, pp. 432 e ss.

[41] Cfr. art. 73.º, n.º 2, da CRM.

[42] Cfr. art. 10, n.º 1, da LE.

O Princípio Democrático no Novo Direito Constitucional Moçambicano   39

tes, não devem ser delinquentes condenados em pena de prisão por crime doloso de delito comum e não devem estar sob prisão preventiva[43].

Nenhum outro factor de atribuição da titularidade do sufrágio que não esteja aqui contemplado se afigura como relevante, podendo assim dizer-se que o sufrágio é *universal* pelo facto de ser todo o povo activo – sem acepção de sexo, etnia, instrução ou fortuna – que pode ser titular da escolha por sufrágio.

III. O conteúdo obriga à análise de duas questões fundamentais, que se apresentam com autonomia: saber se o valor de cada voto é igual aos dos restantes e saber se a escolha que se consubstancia no voto se projecta imediatamente nos titulares dos órgãos representativos ou se, pelo contrário, ainda essa vontade eleitoral é filtrada por entidades intermédias, que se interponham entre o voto e os titulares dos órgãos representativos.

Quanto ao primeiro problema, há que dizer que o sufrágio político é *igual,* pois o valor de cada voto é rigorosamente o mesmo do valor dos restantes votos[44]. São proibidos os votos ponderados ou os votos múltiplos. É mais uma decorrência do princípio *um homem – um voto,* que não só impõe a ausência de discriminações como proíbe a introdução de votos desiguais.

Com respeito ao outro problema, deve dizer-se que se optou pelo voto directo e não indirecto, já que os cidadãos com capacidade eleitoral activa determinam, por eles próprios, a escolha dos titulares dos órgãos representativos[45]. Aliás, a bem dizer, só uma escolha directa confere a eficácia que o princípio democrático exige, porquanto no caso de voto indirecto a vontade popular acaba por ser condicionada por outras instâncias, perdendo boa parte das suas virtualidades.

IV. O exercício reveste-se de algumas importantes características que, embora não atingindo o cerne do instituto, contribuem inegavelmente para a sua verdadeira expressão, prevenindo fraudes ou irregularidades eleitorais que se destinem a diminuir a liberdade de voto.

A mais importante é obviamente a confidencialidade do sufrágio, que tem por objectivo evitar que o votante, caso outros soubessem da

---

[43] Cfr. art. 12 da LE.
[44] Cfr. arts. 30.º e 107.º, n.º 2, da CRM e art. 3 da LE.
[45] Cfr. arts. 30.º e 107.º, n.º 2, da CRM e art. 3 da LE.

sua escolha, se sentisse obrigado a votar de acordo com orientações alheias, receando represálias advenientes do seu desrespeito[46].

Mas duas outras há que se alinham, do mesmo modo, com este objectivo: a pessoalidade, intransmissibilidade ou inalienabilidade do voto, que impede a sua representação e veda o respectivo exercício a outros que não sejam os respectivos titulares[47]; a presencialidade do voto, que força a deslocação do eleitor à assembleia de voto, o que aviva a consciência cívica do votante, fazendo ponderar, por um modo mais solene, o acto que pratica[48].

9. A eleição do Presidente da República

I. Parte do regime da eleição do Presidente da República já se deixou entrever pelo estudo das características do sufrágio no Direito Constitucional Moçambicano, uma vez que se apresenta como comum à eleição tanto do Chefe de Estado como dos Deputados à Assembleia da República[49].

Outros aspectos existem, porém, que não foram objecto de consideração, posicionando-se como singularidades regimentais a realçar e que são a capacidade eleitoral passiva, a apresentação de candidaturas e o sistema eleitoral que é utilizado.

II. A capacidade eleitoral passiva para os candidatos a Presidente da República é definida pela CRM na base de quatro requisitos, que funcionam cumulativamente: a nacionalidade moçambicana originária, a filiação de pais moçambicanos de nacionalidade originária, a idade mínima de 35 anos e o pleno gozo dos direitos civis e políticos[50]. A LE também avança com a sua própria formulação, afirmando que a elegibilidade se define em função da nacionalidade moçambicana originária, a idade mínima de 35 anos, o pleno gozo dos direitos civis e políticos e os demais requisitos impostos pela CRM[51].

---

[46] Cfr. arts. 30.° e 107.°, n.° 2, da CRM e arts. 3 e 129 da LE.

[47] Cfr. arts. 73.°, n.° 3, e 107.°, n.° 2, da CRM e art. 126, n.° 1, da LE.

[48] Cfr. arts. 126, n.° 1, e 128 da LE.

[49] Sobre a eleição do Presidente da República no Direito Constitucional Português, v. J. J. GOMES CANOTILHO e VITAL MOREIRA, *Constituição...*, cit., pp. 558 e ss.

[50] Art. 118.°, n.° 3, da CRM.

[51] Art. 178 da LE.

O primeiro requisito não oferece dúvidas interpretativas, uma vez que o texto constitucional regula exaustivamente as diferentes situações de atribuição da cidadania moçambicana.

O segundo requisito, na mesma linha do primeiro, impõe que a atribuição da cidadania originária aos pais se faça nos mesmos termos, mas estabelece-se que essa cidadania originária deve ser titulada por ambos os progenitores e não apenas pelo pai ou pela mãe.

O terceiro requisito, como não se fixa o momento em que a idade de 35 anos se afigura relevante, deve entender-se exigível apenas no dia da eleição, podendo o candidato ter menos de trinta e cinco anos quando se candidata[52].

O quarto requisito não é definido directamente pelo texto constitucional, esclarecendo a LE um conjunto de situações de inelegibilidade: a incapacidade eleitoral activa, a condenação em pena de prisão maior por crime doloso, a condenação em pena de prisão pelos crimes dolosos de furto, roubo, abuso de confiança, burla, falsificação ou crime cometido por funcionário público, a declaração de delinquência habitual por sentença transitada em julgado, a não residência habitual no território moçambicano nos seis meses anteriores à data da eleição[53]. A incapacidade eleitoral activa não é definida por este preceito e deve ser preenchida com as situações enunciadas pela LE, correspondentes às circunstâncias em que encontram os interditos por sentença transitada em julgado, os notoriamente reconhecidos como dementes, os delinquentes condenados em pena de prisão por crime doloso de delito comum e os cidadãos sob prisão preventiva.

Embora não seja encarado como um requisito de candidatura, é de referir ainda um quinto, pelo qual se impõe que a pessoa a candidatar-se não

---

[52] Se os dois primeiros requisitos tinham a sua justificação numa ligação estreita ao País, este terceiro requisito já nos suscita muitas dúvidas quanto à sua fundamentação.

Sendo a sua razão de ser a necessidade de o candidato já ter alcançado uma certa maturidade política, então não se percebe o motivo por que esse requisito se não estende aos restantes titulares de órgãos do poder, como os Deputados da Assembleia da República ou os membros do Governo.

Também importa não esquecer que esta incapacidade eleitoral passiva não se explica convenientemente em termos do princípio de igualdade que enforma o texto constitucional, não podendo haver discriminações, de entre outras razões, em função da idade.

Por último, a imposição de um limite mínimo para alguém se candidatar a Presidente da República, por esta lógica, ainda deveria ser seguida pela imposição de um limite máximo, a partir do qual se presumiria também que nenhum candidato estaria em boas condições físicas e mentais para o desempenho do cargo.

[53] Cfr. art. 179 da LE.

42   *Estudos de Direito Público de Língua Portuguesa*

possa ter sido já reeleita duas vezes imediatamente antes. A eleição para um quarto mandato, depois de uma reeleição por duas vezes consecutivas, só pode dar-se depois de transcorridos cinco anos sobre o último mandato[54].

III. A apresentação de candidaturas à eleição presidencial, nos termos da CRM, conta com a exigência de haver a proposição por um número mínimo de dez mil eleitores. A LE, reiterando esta hipótese de apresentação da candidatura por grupos de dez mil cidadãos no mínimo, acrescenta ainda uma outra hipótese, que é a da apresentação das candidaturas por partidos políticos ou por coligações de partidos, com a mesma exigência do apoio por um número mínimo de dez mil cidadãos eleitores. Levantamos reticências quanto à constitucionalidade da segunda possibilidade que foi acrescentada pela LE. É que nos termos do texto constitucional a apresentação das candidaturas a Presidente da República é unicamente permitida a grupos de cidadãos eleitores e se a CRM entendeu constitucionalizar este ponto particular do regime da eleição do Chefe de Estado, não cremos que seja legítimo à lei ordinária alterar sensivelmente um certo equilíbrio que foi pretendido. Isto sem esquecer que esta nova possibilidade terá como inevitáveis consequências a partidarização de uma eleição que se quer livre da actuação partidária quanto à apresentação de candidaturas.

IV. O território eleitoral relevante para a eleição do Presidente da República projecta-se na existência de um único círculo eleitoral, o que se compreende pelo facto de se eleger apenas um único mandato[55]. Os cidadãos moçambicanos que residam no estrangeiro estão, assim, excluídos de participar na eleição presidencial, o que dificilmente se compatibiliza com o preceito constitucional que atribui o direito de sufrágio aos cidadãos moçambicanos independentemente do lugar da sua residência, numa situação até algo contraditória porquanto se admite a participação destes eleitores na eleição dos Deputados à Assembleia da República[56], não esquecendo

---

[54] Cfr. art. 118.º, n.º 6, da CRM.

[55] Cfr. art. 180 da LE.

[56] Em Portugal, a CRP expressamente impõe, através do seu art. 124.º, que: "1. O Presidente da República é eleito por sufrágio universal, directo e secreto dos cidadãos portugueses eleitores, recenseados no território nacional. 2. O direito de voto é exercido presencialmente no território nacional".

Ultimamente, porém, do ponto de vista tanto político como jurídico, várias vozes se

O Princípio Democrático no Novo Direito Constitucional Moçambicano · 43

ainda que a CRM, ao definir genericamente o direito de sufrágio, afirma enfaticamente que os "órgãos representativos são escolhidos através de eleições em que *todos os cidadãos* têm o direito de participar"[57].

O sistema eleitoral a utilizar é, do mesmo modo, limitado pela natureza unipessoal do órgão a eleger, só podendo ser o sistema maioritário. Trata-se de um sistema eleitoral em que os mandatos são atribuídos à maioria dos votos emitidos[58].

O sistema maioritário, mesmo aplicado à eleição do Chefe de Estado, é ainda susceptível de se repartir por duas modalidades, isto é, sistema maioritário com maioria relativa e sistema maioritário com maioria absoluta. Em Moçambique, o legislador constituinte optou pelo sistema maioritário com maioria absoluta. Num primeiro sufrágio, ao qual concorrem todos os candidatos, ganha o mandato aquele que obtiver a maioria absoluta dos votos validamente expressos[59]. Se isso não acontecer, haverá um segundo sufrágio, ao qual concorrem apenas os dois candidatos mais votados, recebendo o mandato o que obtiver a maioria absoluta daqueles votos, maioria que necessariamente se verificará atendendo à circunstância de apenas competirem dois candidatos[60].

10. A eleição dos Deputados à Assembleia da República

I. O outro órgão representativo cujos titulares são igualmente escolhidos através de sufrágio é a Assembleia da República, que é composta por 250 Deputados[61]. As características genéricas do sufrágio têm aqui, tal como sucedeu para o Presidente da República, todo o cabimento, havendo agora apenas que registar as respectivas peculiaridades de regime[62].

---

têm insurgido contra esta limitação constitucional ao direito de sufrágio para a Presidência da República.

[57] Art. 107.º, n.º 1, da CRM.

[58] Cfr. art. 118.º, n.º 2, da CRM.

[59] Cfr. art. 119.º, n.º 1, da CRM e art. 181, n.º 2, da LE.

[60] Cfr. art. 119.º, n.º 2, da CRM e art. 181, n.os 3 e 4, da LE.

[61] De acordo com o texto constitucional, no seu art. 134.º, n.º 2, a Assembleia da República é constituída por um número mínimo de 200 e um número máximo de 250 Deputados. A LE veio, assim, optar pelo número máximo.

[62] Sobre a eleição dos Deputados à Assembleia da República no Direito Constitucional Português, v. J. J. Gomes Canotilho e Vital Moreira, *Constituição...*, cit., pp. 620 e ss.

Os domínios que por agora nos ocupam são a capacidade eleitoral passiva, a apresentação de candidaturas e o sistema eleitoral adoptado.

II. A definição da capacidade eleitoral passiva assenta na capacidade eleitoral activa, podendo ser candidatos os cidadãos moçambicanos maiores de dezoito anos.

As situações em que não se admite a candidatura apresentam-se já com maior complexidade, havendo que referir dois grupos de situações: os casos a que a LE chama de incapacidade eleitoral passiva e as inelegibilidades.

Os casos incluídos no preceito referente à incapacidade eleitoral passiva abrangem os que não gozam de capacidade eleitoral activa, os condenados em pena de prisão pela prática dos crimes dolosos de furto, roubo, abuso de confiança, peculato, falsificação, fogo posto ou crime cometido por funcionário público, e os que tiverem sido judicialmente declarados delinquentes habituais de difícil correcção[63].

As situações de inelegibilidade reúnem os grupos de magistrados judiciais e do Ministério Público em efectividade de serviço, os militares e os membros das forças militarizadas do quadro permanente e em efectividade de funções e os diplomatas de carreira em efectividade de serviço[64]/[65].

III. A apresentação de candidaturas pressupõe o monopólio dos partidos políticos ou das coligações de partidos, uma vez que só através deles é que se realiza a eleição[66]. Não há assim lugar a candidaturas subscritas pelos próprios candidatos ou por intermédio de grupos de cidadãos, organizados ou não em associações políticas ou de outra índole.

A candidatura de cada formação política é única em cada círculo eleitoral[67] e nenhum candidato a Deputado pode concorrer por mais de uma

---

[63] Cfr. art. 196 da LE.

[64] Cfr. art. 198 da LE.

[65] A LE refere ainda as incompatibilidades, mas estas já nada têm que ver com a capacidade eleitoral passiva porquanto não impedem a eleição, mas tão-somente vedam, o exercício do cargo de Deputado. As duas hipóteses previstas pela LE são a de membro do Governo e a de emprego remunerado por Estados estrangeiros ou por organizações internacionais.

[66] Cfr. art. 206 da LE.

[67] Cfr. art. 206, n.º 2, da LE.

lista[68]. Nas listas partidárias, podem no entanto figurar candidatos independentes, não inscritos em qualquer partido[69].

IV. O território eleitoral moçambicano, para efeito da eleição dos Deputados à Assembleia da República, é repartido por 11 círculos eleitorais internos, correspondentes a cada uma das províncias – Cabo Delgado, Gaza, Inhambane, Manica, Maputo, Nampula, Niassa, Sofala, Tete e Zambézia – e à cidade de Maputo, elevada a círculo autónomo, e por um círculo eleitoral externo, para representação das comunidades moçambicanas radicadas no estrangeiro.

Quanto à repartição dos 250 Deputados pelos doze círculos eleitorais, a LE apenas determina a atribuição ao círculo eleitoral exterior de três Deputados, dois para a região de África e o outro para o resto do mundo. A distribuição dos restantes 247 Deputados pelos 11 círculos internos deverá ser determinada pela Comissão Nacional de Eleições, num número proporcional relativamente aos eleitores recenseados. Essa operação matemática funda-se na proporção estabelecida pela divisão entre o número total de eleitores ao nível nacional e o número de deputados a eleger[70].

O sistema eleitoral adoptado é o da representação proporcional de acordo com a variante de Hondt[71], método aplicável à eleição dos Deputados tanto pelos círculos internos como pelo exterior. A conversão dos votos em mandatos processa-se com a divisão dos votos obtidos por cada lista sucessivamente por 1, 2, 3, 4, 5, 6, 7, 8, *etc.*, ordenando-se os quocientes pelo seu valor decrescente até se esgotar o número de mandatos a eleger; os mandatos pertencem às listas a que correspondem os termos da série e no caso de empate no último mandato, deve o mesmo ser atribuído à lista que tiver obtido menor número de votos[72].

O sistema eleitoral é completado com a imposição de uma cláusula-barreira que impede a atribuição de qualquer mandato às listas que recebam menos de 5% dos votos expressos à escala nacional[73/74]. Novamente

---

[68] Cfr. art. 207 da LE.

[69] Cfr. 206, 2ª parte, da LE.

[70] Cfr. art. 200 da LE.

[71] Cfr. JORGE MIRANDA, *Ciência...*, cit., p. 215; VITALINO CANAS, *op. cit.*, p. 127, nota n.º 170.

[72] Cfr. art. 204 de LE.

[73] Cfr. art. 203 de LE.

[74] Note-se que em Portugal a respectiva Constituição de 1976, no seu art. 155.º, dispõe que a "...lei não pode estabelecer limites à conversão dos votos em mandatos por

aqui se nos levantam sérias reservas relativamente à sua constitucionalidade, dado que, por um lado, lhe falece, por completo, permissão constitucional expressa, e, por outro lado, ela introduz desvios ao princípio da representação proporcional, estrangulando-o quando a representação desça a um nível inferior a 5%[75].

---

exigência de uma percentagem de votos nacional mínima", proibindo assim a imposição de cláusulas-barreira.

No plano doutrinário, J. J. GOMES CANOTILHO, *op. cit.,* p. 449.

[75] O que, para além do mais e agora no plano de Ciência Política, se afigura como totalmente inconveniente a Moçambique, numa altura em que o regime democrático desponta e em que aparecem, pela primeira vez, as diferentes formações partidárias, as mais pequenas das quais não tendo sequer a possibilidade de alcançar o órgão representativo para fazerem ouvir a sua voz.

IV

A DEMOCRACIA SEMIDIRECTA

11. O referendo de revisão constitucional

I. O mais importante dos dois tipos de referendo que o Direito Constitucional Moçambicano consagra é o referendo de revisão da Constituição, fazendo depender a adopção de alterações ao texto constitucional do sentido afirmativo da vontade popular.

O regime do referendo de revisão constitucional levanta algumas questões bastante intrincadas, boa parte delas, aliás, só podendo obter resposta satisfatória com a consideração conjunta dos dados normativos constitucionais e legais.

Neste momento, vamos limitar a nossa apreciação a três aspectos que reputamos essenciais: os casos que justificam a utilização do referendo, os termos em que o mesmo é decretado e a sua inserção no procedimento de revisão constitucional[76].

II. De acordo com a descrição do regime da revisão da Constituição, facilmente se verifica que o referendo de revisão constitucional não serve para rever um qualquer preceito constitucional, mas apenas é utilizável quando as propostas de revisão "impliquem alteração fundamental dos direitos dos cidadãos e da organização dos poderes públicos"[77]. Se assim não for, a alteração da Constituição é aprovada por maioria de dois terços dos Deputados da Assembleia da República. Temos assim um referendo só para rever as alterações fundamentais do texto constitucional; nos restan-

---

[76] Sobre o referendo no Direito Constitucional Português, v. JORGE MIRANDA, *Ciência...*, cit., pp. 262 e ss.; J. J. GOMES CANOTILHO e VITAL MOREIRA, *Constituição...*, cit., pp. 529 e ss.; LUÍS BARBOSA RODRIGUES, *op. cit.*, pp. 157 e ss.

[77] Art. 199.º, n.º 1, da CRM.

tes casos, a respectiva aprovação faz-se por um acto único da Assembleia da República.

A principal dificuldade consiste em precisar o sentido das "alterações fundamentais dos direitos dos cidadãos e da organização dos poderes públicos", na medida em que o emprego de um conceito indeterminado por vaguidade – "alterações fundamentais" – não permite o recorte rigoroso de boa parte da previsão normativa. E essa dificuldade aumenta se pensarmos na inexistência de cláusulas de consagração de limites materiais expressos, que poderiam constituir um precioso auxílio nessa tarefa interpretativa.

Há, em todo o caso, e até pela própria contextura dos conceitos indeterminados por vaguidade, um núcleo material que não deixa dúvidas quanto à sua fundamentalidade constitucional, cuja revisão decerto impõe a realização de um referendo. Estamos a referir-nos aos princípios constitucionais estruturadores do sistema de direitos fundamentais e do sistema político: no primeiro, o princípio da igualdade, o princípio da liberdade, o princípio da participação e o princípio da sociabilidade; no outro, o princípio da independência, o princípio do Estado de Direito, o princípio do Estado unitário e o princípio republicano.

III. O articulado constitucional não contém qualquer indicação expressa acerca do carácter obrigatório ou facultativo da realização do referendo de revisão constitucional.

A leitura dos poucos preceitos que lhe são reservados parece depor no sentido de se considerar a sua realização obrigatória. É o que se retira da necessidade da realização do referendo em matérias de alteração fundamental, em contraposição às modificações constitucionais que exigem apenas um acto parlamentar.

No entanto, o carácter obrigatório do referendo poderá ser posto em causa pelo preceito que atribui poder ao Presidente da República para decidir da realização do referendo de revisão constitucional, paralelamente ao poder que tem para decidir a realização do referendo político-legislativo[78]. Mas julgamos que a ideia da obrigatoriedade deve prevalecer e a norma que confere competência ao Presidente da República para a realização do referendo ser entendida como concedendo um poder de exercício obrigatório.

---

[78] Cfr. art. 120.º, al. c), da CRM.

O *Princípio Democrático no Novo Direito Constitucional Moçambicano*   49

IV. Na inserção do referendo no procedimento de revisão constitucional, urge saber, primeiro, qual a posição que o mesmo ocupa nas suas diversas fases, desde a iniciativa até à entrada em vigor e, depois, qual a respectiva eficácia, se consultiva ou se vinculativa.

A menção que é feita à necessidade de a Assembleia da República elaborar uma lei constitucional de acordo com os resultados do referendo implicita que se optou pelo referendo prévio à fase da aprovação, momento constitutivo da lei de revisão constitucional que compete ao Parlamento.

Contudo, tal não significa que a decisão referendária seja meramente consultiva e que depois a Assembleia da República possa, livremente, adoptar ou não o sentido das alterações votadas pelo povo. Bem ao contrário. Apesar do carácter interlocutório da decisão de referendo no âmbito do procedimento de revisão constitucional, a sua eficácia é vinculativa, pelo facto de se empregar uma norma impositiva a estabelecer um dever de conversão dos resultados do referendo em lei constitucional, que se exprime pela expressão "são adoptados"[79].

12. O referendo político-legislativo

I. O outro tipo de referendo admitido em Moçambique é o referendo político-legislativo, a respeito de grandes questões nacionais.

A indagação do regime deste segundo tipo de referendo, em face apenas da parte que está estipulada e enquanto se espera pela lei ordinária que irá fazer a sua regulamentação[80], como acontece com o primeiro, deve ponderar duas questões, as únicas que têm solução jusconstitucional: o objecto a que respeita e as entidades que intervêm no respectivo procedimento.

II. A definição das matérias sobre que o referendo político-legislativo pode incidir deve considerar a delimitação simultaneamente negativa e positiva das mesmas.

---

[79] Cfr. art. 199.º, n.º 2, da CRM.

[80] Ausência que não deixa de causar algumas perplexidades, uma vez que numa matéria tão sensível e importante o legislador constituinte deveria ter ido mais longe, não deixando à lei ordinária – sempre fruto das flutuações políticas conjunturais – a definição de múltiplos relevantes aspectos do regime do referendo, como a tipologia das matérias abrangidas ou a relação da decisão referendária com os actos normativos do Estado.

A delimitação negativa afasta, desde logo, as alterações à Constituição, que são reguladas pelo outro tipo de referendo, com tratamento sistemático privativo, mesmo que as matérias em questão não sejam formuladas intencionalmente nesses termos, mas acarretando inevitavelmente uma vicissitude constitucional.

Mas, para além disso, das expressões "questões de interesse fundamental para a Nação" e "...questões de interesse nacional", é possível fazer também a exclusão das providências meramente regionais ou locais que não se projectam directamente no interesse nacional ou as providências que respeitem a certos grupos ou categorias de pessoas.

Lembre-se ainda que do objecto do referendo se devem afastar as matérias de natureza administrativa, com uma importância secundária relativamente à promoção do interesse primário da comunidade política.

A delimitação positiva das matérias incluídas no âmbito material das perguntas referendárias traz à consideração, essencialmente, as providências a tomar pelo Estado em sede de competência legislativa e política, providências que podem revestir tanto a forma de actos internos como de actos internacionais.

III. As fases do procedimento referendário que surgem como constitucionalmente relevantes são as da iniciativa e da decisão de realização.

A iniciativa, na medida em que só está prevista para a Assembleia da República, parece que só este órgão a pode exercer e nem sequer o próprio Presidente da República, que só intervém numa fase posterior desse procedimento[81]. Muito menos verosímil é a hipótese de a iniciativa referendária poder ser cometida igualmente ao Governo.

A fase decisória compete, em termos normativos explícitos, ao Presidente da República, que dispõe de total liberdade para admitir ou recusar a realização do referendo político-legislativo. É uma decisão discricionária que o Chefe de Estado toma com base na sua legitimidade democrática, decisão que nunca poderá ser sindicada em sede de justiça constitucional.

---

[81] Assim também acontece em Portugal, pois o Presidente da República só intervém no procedimento referendário depois da iniciativa de outros dois órgãos de soberania: a Assembleia da República ou o Governo.

V

A DEMOCRACIA PARTICIPATIVA

13. Os direitos fundamentais de intervenção política

I. A ideia geral da "permanente participação democrática dos cidadãos na vida da Nação" é ilustrada pelo texto constitucional pelo exercício dos direitos fundamentais de intervenção política, que possibilitam aos cidadãos tomar parte nos assuntos que afectam a governação do Estado.

Descontando por agora o direito de sufrágio, que caracteriza peculiarmente a dimensão representativa do princípio democrático, cumpre esclarecer em que consistem os vários direitos fundamentais previstos no capítulo II do título II da CRM que se reconduzem a essa ideia de participação política, para que de seguida se explicite em que moldes é que o exercício desses direitos vivifica o conceito de democracia participativa[82].

II. A liberdade de expressão representa a faculdade que é atribuída aos cidadãos – ou até às pessoas em geral – de poderem, livremente e sem qualquer constrangimento, emitir as suas opiniões, opiniões de qualquer natureza[83].

O respectivo conteúdo é jusconstitucionalmente descrito e afere-se pela faculdade de o respectivo titular poder divulgar o seu próprio pensamento por todos "os meios legais"[84]. É um direito que, em todo o caso, tem os seus limites constitucionalmente traçados: "deve ser exercido com

---

[82] Sobre os direitos fundamentais de natureza política no Direito Constitucional Português, v. JORGE MIRANDA, *O quadro dos direitos políticos da Constituição,* in AAVV, *Estudos sobre a Constituição,* I, Lisboa, 1977; IDEM, *Manual...,* IV, cit., pp. 86 e 87; J. J. GOMES CANOTILHO e VITAL MORELRA, *Constituição...,* cit., pp. 266 e ss.

[83] Cfr. art. 74.º, n.º 2, da CRM.

[84] Art. 74.º, n.º 2, da CRM.

respeito pela Constituição, pela dignidade da pessoa humana e pelos imperativos da política externa e da defesa nacional"[85].

III. A liberdade de imprensa tem uma estrutura mais complexa do que a da liberdade de expressão e, no plano do articulado jusconstitucional, compreende o poder conferido aos profissionais de comunicação social de expressarem a sua opinião, "de terem acesso às fontes de informação, de poderem ver a sua actividade protegida pelo segredo profissional e de criarem e fundarem jornais e outras publicações"[86], sem qualquer impedimento ou censura prévia[87].

Tal como se verificou relativamente à liberdade de expressão, a liberdade de imprensa sujeita-se às limitações decorrentes do respeito pela Constituição, pela dignidade da pessoa humana e pelos imperativos da política externa e da defesa nacional[88].

A LLI veio definir os princípios que regem a actividade da imprensa e estabelecer os direitos e os deveres dos seus profissionais, sendo de evidenciar alguns dos aspectos que esse extenso diploma versa: os objectivos da actividade de imprensa, o estatuto dos jornalistas, o direito de resposta e o Conselho Superior de Comunicação Social.

A imprensa, entendida como a actividade de comunicação social em geral, incluindo por isso qualquer suporte de comunicação que não apenas os jornais[89], tem por objectivos a consolidação da unidade nacional e a defesa dos interesses nacionais, a promoção da democracia e da justiça social, o desenvolvimento científico, económico, social e cultural, a elevação do nível de consciência social, educacional e cultural dos cidadãos, o acesso atempado dos cidadãos a factos, informações e opiniões, a educação dos cidadãos sobre os seus direitos e deveres, a promoção do diálogo entre os poderes públicos e os cidadãos e a promoção do diálogo entre as culturas do mundo[90].

Os jornalistas, que são considerados como os profissionais que se dedicam "à pesquisa, recolha, selecção, elaboração e apresentação pública de acontecimentos sob forma noticiosa, informativa ou opinativa"[91], têm

---

[85] Art. 74.º, n.º 4, da CRM.
[86] Art. 74.º, n.º 3, da CRM.
[87] Cfr. art. 74.º, n.º 3, da CRM.
[88] Cfr. art. 74.º, n.º 4, da CRM.
[89] Cfr. art 1 da LLI.
[90] Cfr. art. 4 da LLI.
[91] Cfr. art. 26 da LLI.

como direitos o "livre acesso a lugares públicos, não serem detidos, afastados ou impedidos de desempenhar a sua função onde seja necessário, não acatar orientação editorial que não provenha da competente autoridade do órgão de informação a que pertence, recusar, no caso de interpelação ilegal, a entrega ou exibição de material de trabalho utilizado ou de elementos recolhidos, participar na vida interna do seu órgão de informação e recorrer às autoridades para protecção dos seus direitos"[92], devendo, contudo, respeitar os direitos e liberdades dos cidadãos, produzir uma informação completa e objectiva, ser rigoroso e objectivo na sua actividade, rectificar informações falsas ou inexactas que tenham sido publicadas, abster-se da apologia, directa ou indirecta, do ódio, racismo, intolerância, crime e violência, repudiar o plágio, a calúnia, a difamação, a mentira, a acusação sem provas, a injúria e a viciação de documentos e abster-se da utilização do prestígio moral da sua profissão para fins pessoais ou materiais[93].

O direito de resposta consubstancia-se no poder atribuído às pessoas físicas e colectivas de corrigir informações inverídicas ou erróneas publicadas a seu respeito e que afectem a sua integridade moral e o seu bom nome[94]. O esclarecimento deve ser divulgado nos mesmos termos em que a informação danosa foi publicada[95], podendo haver recurso judicial no caso de o órgão de informação recusar a publicação do desmentido[96].

O Conselho Superior da Comunicação Social é a entidade constitucional pelo qual "o Estado garante a independência dos órgãos de informação, a liberdade de imprensa, o direito à informação e o exercício dos direitos de antena e resposta"[97], competindo-lhe a emissão de decisões, pareceres e recomendações[98]. É composto por onze membros, com um mandato com a duração de cinco anos[99], sendo dois designados pelo Presidente da República, quatro escolhidos pela Assembleia da República, um magistrado judicial designado pelo Conselho Superior da Magistratura Judicial, três representantes dos jornalistas, escolhidos pelas respectivas organizações profissionais, e um representante das empresas ou instituições jornalísticas[100].

---

[92] Cfr. art. 27 da LLI.
[93] Cfr. art. 28 da LLI.
[94] Cfr. art. 33, n.º 1, da LLI.
[95] Cfr. art. 33, n.º 3, da LLI.
[96] Cfr. art. 34 da LLI.
[97] Art. 105.º, n.º 1, da CRM e art. 35 da LLI.
[98] Cfr. art. 37 da LLI.
[99] Cfr. art. 39, n.º 1, da LLI.
[100] Cfr. art. 38, n.º 1, da LLI.

IV. A liberdade de reunião concretiza-se no poder de que os cidadãos gozam para se agruparem, temporária e organizadamente, sem necessidade de qualquer autorização do poder público[101].

A regulação do respectivo exercício é, por inteiro, confiada à LLRM, com incidência no objecto desta liberdade, limites ao seu exercício e procedimento para a sua organização.

O conceito legal de reunião aponta para a formação de um grupo inorgânico de pessoas, de duração temporária[102], em locais públicos, abertos ou particulares[103], tendo por objectivo a expressão pública de uma vontade sobre assuntos políticos e sociais, de interesse público ou outros[104].

Há, contudo, limites materiais, espaciais e temporais ao exercício desta liberdade. Do ponto de vista material, são proibidas as reuniões "contrárias à lei, à moral, à ordem e tranquilidade públicas, bem como aos direitos individuais e das pessoas colectivas"[105], e as que sejam ofensivas da honra dos titulares dos órgãos do Estado[106]. Do ponto de vista espacial, não são permitidas as reuniões com ocupação abusiva de edifícios ou a menos de cem metros das sedes dos órgãos de soberania, instalações militares e militarizadas, estabelecimentos prisionais, sedes das representações diplomáticas e consulares e sedes dos partidos políticos[107]. Do ponto de vista temporal, e no caso de cortejos e desfiles, os mesmos só poderão realizar-se aos sábados, domingos e feriados e, nos dias úteis, depois das dezassete horas até às zero horas e trinta minutos[108].

A organização das reuniões em lugares públicos ou abertos ao público obedece à necessidade de os respectivos promotores, com a antecedência mínima de quatro dias úteis, o comunicarem por escrito às autoridades civis e policiais da área, constando desse aviso a assinatura de, pelo menos, dez, com os seus dados pessoais, no qual deverá constar ainda a indicação da hora, local e objecto da reunião[109].

---

[101] Cfr. art. 75.º da CRM.

[102] Cfr. art. 2.º, n.º 2, da LLRM.

[103] Cfr art. 2.º, n.º 1, da LLRM.

[104] Art. 2.º, n.º 3, da LLRM.

[105] Art. 4, n.º 1, da LLRM.

[106] Cfr. art. 6 da LLRM.

[107] Cfr. art. 10 da LLRM.

[108] Cfr. art. 4, n.º 2, da LLRM.

[109] Art. 10 da LLRM.

V. A liberdade de associação engloba o poder de os cidadãos criarem e organizarem, sem limitações ou impedimentos, associações jurídicas e de nelas participarem[110]. No conteúdo dessa liberdade se insere especificamente o direito que as organizações sociais e as associações "têm de prosseguir os seus fins, criar instituições destinadas a alcançar os seus objectivos específicos e possuir património para a realização das suas actividades"[111].

Também aqui o legislador constitucional, perante a impossibilidade de determinar todo o regime desta posição subjectiva fundamental, remeteu para a LLA a regulação de outros aspectos, dos quais se salientam os limites impostos à sua criação, o procedimento de constituição e o estatuto das de utilidade pública.

Apesar de a criação das associações ser protegida pela liberdade de associação, estipula-se que as mesmas devem estar "conformes aos princípios constitucionais em que assenta a ordem moral, económica e social do país e não ofendam direitos de terceiros ou o bem público"[112], não podendo as mesmas ter carácter secreto[113].

O procedimento da criação das associações comporta duas fases: a do reconhecimento, com o qual adquirem personalidade jurídica, e a do registo. O reconhecimento, que é da competência do Governo ou do representante provincial deste se a sua actividade se circunscrever ao território de uma província[114], é realizado por despacho, que deve verificar a existência destes três requisitos: dez fundadores como número mínimo, o respeito, pelos estatutos, do disposto na lei especial e na lei geral e a comprovação da existência dos meios necessários para o seu funcionamento de acordo com os respectivos estatutos[115]. O registo é feito pelo órgão directivo da associação junto da conservatória do registo competente[116].

Se as associações "prosseguirem fins de interesse geral ou da comunidade, cooperando com a Administração Pública na prestação de serviços a nível central e local"[117], o Conselho de Ministros pode declarar a sua

---

[110] Art. 76.º, n.º 1, da CRM.

[111] Cfr. art. 76.º, n.º 2, da CRM.

[112] Art. 1, n.º 1, da LLA.

[113] Cfr. art. 2 da LLA.

[114] Cfr. art. 5, n.º 1, da LLA.

[115] Cfr. art. 4 da LLA.

[116] Cfr. art. 6 da LLA.

[117] Cfr. art. 11 da LLA.

utilidade pública[118], o que tem como vantagens um conjunto de isenções de impostos e de taxas[119], embora essas associações devam, anualmente, enviar ao Ministério das Finanças e ao Tribunal Administrativo o relatório e contas do exercício findo, bem como fornecer as informações que lhes forem pedidas pelas autoridades oficiais[120].

VI. O direito de petição implica a faculdade de os cidadãos poderem apresentar junto dos órgãos do Estado, dos quais sobressaem os órgãos de soberania, petições, queixas ou reclamações, com vista à defesa dos seus direitos ou à defesa do interesse geral[121].

A despeito de as respostas às petições apresentadas pelos cidadãos não terem de ser forçosamente favoráveis aos seus interesses, o exercício deste direito tem o relevante significado de permitir chamar a atenção do Estado para as preocupações sociais mais ingentes.

VII. A função que estes direitos fundamentais desempenham na realização prática da democracia participativa atesta-se pela possibilidade que oferecem aos cidadãos de uma acrescida intervenção política, quando os mesmos são utilizados para fins políticos.

Não é, no entanto, uma intervenção formal e muito menos directa; revestem claramente a natureza de um instrumento de influenciação genérica, destinando-se a persuadir o poder político do sentido da opinião pública a respeito de cada problema que se ponha à governação.

14. Os partidos políticos em especial

I. Da série de institutos que reflectem o conceito de democracia participativa, merece particular realce, sem qualquer margem para dúvidas, a matéria dos partidos políticos, que são organizações duradouras de pessoas, baseadas numa ideologia política, que visam o exercício do poder político[122]/[123].

---

[118] Cfr. art. 12 da LLA.

[119] Cfr. art. 13 da LLA.

[120] Cfr. art. 14 da LLA.

[121] Cfr. art. 80.º, n.º 1, da CRM.

[122] A LFAPP, no seu art. 1, n.º 1, oferece a seguinte definição de partido político: "São partidos políticos as organizações de cidadãos constituídas com o objectivo fundamental de participar democraticamente na vida política do país e de concorrer, de acordo

O *Princípio Democrático no Novo Direito Constitucional Moçambicano*   57

Já tivemos ocasião de falar nos partidos políticos aquando da apreciação da dimensão representativa do princípio democrático, no qual desempenham uma importante tarefa de mediação da vontade popular, de acordo com o direito que detêm na apresentação de candidaturas à eleição dos Deputados à Assembleia da República. Trata-se agora de perspectivar os partidos políticos na vertente participativa do princípio democrático, em que reflectem o papel dos cidadãos na influenciação do poder político.

É de observar, assim, o regime que lhes foi desenhado, unificado em torno dos objectivos a prosseguir, o respectivo procedimento de constituição, os seus membros, a sua estrutura orgânica e o estatuto de direitos e deveres[124].

II. Os objectivos que os partidos devem prosseguir, genericamente enquadrados nos objectivos que conferem essa qualidade a uma qualquer associação, são naturalmente livres quanto ao respectivo programa, em sintonia com a própria liberdade para a sua criação. A definição desses objectivos faz-se, em todo o caso, de acordo com um conjunto de requisitos constitucionais e legais, que limitam uma pretensa liberdade máxima existente nesta matéria.

Do ponto de vista jusconstitucional, devem ter âmbito nacional, defender os interesses nacionais, contribuir para a formação da opinião pública, reforçar o espírito patriótico dos cidadãos e a consolidação da Nação moçambicana e contribuir para a educação política e cívica dos cidadãos, para a paz e estabilidade do país[125], acrescentando a LFAPP que não devem ter natureza separatista, discriminatória, antidemocrática, nem ter base em grupos regionalistas, étnicos, tribais, raciais ou religiosos, devendo ainda contribuir para o desenvolvimento das instituições políticas e estatais[126].

---

com a Constituição e as leis, para a formação e expressão da vontade política do povo, intervindo, nomeadamente, no processo eleitoral, mediante a apresentação ou o patrocínio de candidaturas".

[123] Cfr. art. 77.º, n.º 1, da CRM.

[124] Sobre os partidos políticos no Direito Constitucional português, v. MARCELO REBELO DE SOUSA, *Os partidos políticos na Constituição*, in AAVV, *Estudos sobre a Constituição*, II Lisboa, 1978; IDEM, Os *partidos...*, cit., pp. 387 e ss.; JORGE MIRANDA, *Ciência...*, cit., pp. 289 e ss.; J. J. GOMES CANOTILHO e VITAL MOREIRA, *Constituição...*, cit., pp. 98, 275 e ss., e 525 e ss.; J. J. GOMES CANOTILHO, *op. cit.*, pp. 446 e ss.

[125] Cfr. art. 32.º, n.os 2 e 3, da CRM.

[126] Cfr. art. 3, als. g) a i), da LFAPP.

III. A constituição dos partidos políticos é protegida jusconstitucionalmente por um direito fundamental – a liberdade de criação de partidos políticos – e considera-se como inteiramente na disponibilidade dos cidadãos, ficando apenas dependente do reconhecimento pelas entidades competentes[127].

A decisão sobre o seu reconhecimento é da competência do Ministério da Justiça, ao qual se dirige o respectivo requerimento acompanhado dos estatutos, programa, lista dos filiados fundadores e documentos vários[128]. Exige-se como número mínimo de filiados fundadores dois mil cidadãos moçambicanos residentes no país com capacidade eleitoral activa[129]. Segue-se a fase do registo do novo partido, que também se efectua no Ministério da Justiça[130].

IV. Quanto aos respectivos membros, o princípio é o da livre adesão ou da adesão voluntária, não podendo ninguém ser obrigado a aderir ou não aderir a qualquer formação partidária. O único critério relevante de escolha é o desejo de cada um pretender abraçar certo ideal político[131].

Esse princípio tem, todavia, dois limites: um é o da proibição da filiação plúrima[132]; o outro é o da obrigatoriedade de os filiados nos partidos terem de ser cidadãos moçambicanos[133].

V. A estrutura orgânica dos partidos políticos obedece ao princípio democrático, nem outra coisa se podendo conceber em face do lugar que ocupam numa sociedade democrática, em que o exemplo deve partir logo destas formações[134]. Tal princípio tem como corolários a escolha por sufrágio dos titulares dos órgãos representativos e a tomada das decisões com base na regra da maioria.

Essa estrutura deve, no entanto, apresentar um órgão central com funções deliberativas, democraticamente eleito e competente para aprovar o programa do partido[135], e só pode ser dirigente partidário o cidadão

---

[127] Cfr. art. 77.º, n.º 1, da CRM.
[128] Cfr. art. 6 da LFAPP.
[129] Cfr. art. 5 da LFAPP.
[130] Cfr. art. 8 da LFAPP.
[131] Cfr. art. 77.º, n.º 2, da CRM.
[132] Cfr. art. 2, n.º 2, da LFAPP.
[133] Cfr. art. 1, n.º 1, da LFAPP.
[134] Cfr. art. 31.º, n.º 2, da CRM.
[135] Cfr. art. 11.º da LFAPP.

moçambicano que goze da plenitude dos direitos civis e políticos e que resida em território nacional[136].

VI. O estatuto dos partidos políticos agrega o conjunto de direitos e deveres de que são titulares ou destinatários, especificamente concebidos em razão da sua natureza.

Do ponto de vista estritamente político, os direitos incluem a prossecução livre e pública dos respectivos objectivos, a candidatura às eleições, a definição de objectivos de governação, a emissão de opinião sobre actos governamentais, a difusão pública e livre da sua política pela comunicação social, a aquisição de bens à prossecução dos seus fins e a filiação livre em organismos políticos internacionais[137].

Do ponto de vista financeiro, para além do direito a receberem dotações do orçamento geral do Estado[138], os partidos gozam da isenção dos seguintes tributos: direitos alfandegários na aquisição de bens necessários ao seu próprio funcionamento, imposto do selo, imposto sobre as sucessões e doações, sisa na aquisição de edifícios para a instalação dos seus serviços e contribuição predial pelos rendimentos colectáveis dos edifícios onde estejam instalados os seus serviços[139].

Os deveres são os de respeitar a Constituição e as leis, comunicar às autoridades competentes eventuais alterações aos estatutos e programa, bem como a superveniência de uma qualquer vicissitude, publicar anualmente as contas, não podendo recorrer à violência ou defender o seu uso para alterar a ordem política e social do País, fomentar ou difundir ideologias ou políticas separatistas, discriminatórias, antidemocráticas ou fundar-se em grupos regionalistas, étnicos, raciais ou religiosos, difundir ou propagar palavras ou imagens ofensivas à honra devida aos titulares dos órgãos de Estado ou aos dirigentes de outros partidos, e utilizar nomes, siglas ou símbolos que incentivem a violência, que se prestem a conotações divisionistas com base na raça, região, tribo, sexo ou religião, ou que possam constituir ofensa à moral pública[140].

VII. Em face do papel decisivo que os partidos políticos têm assumido nas democracias pluralistas das últimas décadas, quase que seria

---

[136] Cfr. art. 13 da LFAPP.

[137] Cfr. art. 14 da LFAPP.

[138] Cfr. al. h) do art. 14 do LFAPP.

[139] Cfr. art. 15 da LFAPP.

[140] Cfr. art. 16 da LFAPP.

despropositado salientar a sua importância na vertente participativa do princípio democrático, sendo certo que igualmente estão presentes na democracia representativa através da apresentação das candidaturas à eleição do Presidente da República, em concorrência com grupos de cidadãos e à eleição dos Deputados à Assembleia da República, aqui em exclusividade.

Diremos, contudo, que o papel das formações partidárias se joga, segundo pensamos, em duas principais frentes: como organizações que mais qualificadamente podem discutir e apreciar providências de acção governativa por via da sua maior especialização; e como organizações que, de um modo mais cabal, conseguem uma mais estreita ligação entre governados e governantes, pelo facto de no seu seio, tratando-se de partidos com representação parlamentar, podermos encontrar, em diálogo, militantes ou simpatizantes com cargos políticos e militantes ou simpatizantes apenas cidadãos.

São, assim, um instrumento de influenciação específica na governação, e na opinião pública em geral, por terem um elevado grau de especialização política, em razão dos seus membros e da sua estrutura e actividade.

VI

CONCLUSÕES

15. Quanto à parte II

a) o princípio democrático, do ponto de vista substantivo, traduz-se na ideia da soberania popular, ou seja, na atribuição da titularidade do poder político máximo existente no Estado ao povo como conjunto de pessoas vinculadas por um laço de cidadania, conceito para que apela o art. 2.º, n.º 1, da CRM;

b) o exercício do poder político pelo povo compreende, todavia, diferentes vias, que põem em relevo as três dimensões que o princípio democrático acolhe no Direito Constitucional Moçambicano: a dimensão representativa, a dimensão semidirecta e a dimensão participativa;

c) a dimensão representativa, conexa com o fenómeno da representação política, funda-se na eleição dos titulares dos órgãos do Estado como particular modo de designação dos governantes, que se pensada em termos individuais se efectiva no sufrágio, matéria a qual a CRM dedica alguns preceitos relativamente ao Presidente da República e aos Deputados à Assembleia da República;

d) a dimensão semidirecta evidencia a faculdade que o povo tem, por intermédio do referendo, veto popular ou assembleias abertas, de decidir directamente sobre as questões políticas que lhe são colocadas, sendo de frisar a consagração constitucional em Moçambique apenas do referendo e de dois tipos: de revisão constitucional e político-legislativo;

e) a dimensão participativa, susceptível de ser concretizada por três diferentes concepções, é acolhida pela CRM através do empenho dos cidadãos no exercício efectivo dos direitos fundamentais de intervenção política, encontrando-se previstos, dos logicamente admissíveis, a liberdade de expressão, a liberdade de imprensa, a liberdade de reunião, a liberdade de associação, o direito de petição e os partidos políticos.

16. Quanto à parte III

a) o sufrágio que a CRM garante, que tem as características que se encontram habitualmente nos regimes verdadeiramente democráticos, é universal, apresenta-se como igual e directo e o respectivo exercício postula a sua confidencialidade, a sua pessoalidade e a sua presencialidade;

b) no regime da eleição do Presidente da República, é de registar que a capacidade eleitoral passiva impõe a reunião dos requisitos da nacionalidade moçambicana originária, da filiação em pais moçambicanos de nacionalidade originária, da idade mínima de 35 anos e do pleno gozo dos direitos civis e políticos, a candidatura deve surgir como apoiada ou por um número mínimo de 10 000 cidadãos eleitores ou por uma formação partidária, ainda se exigindo do mesmo modo esse apoio, e o sistema eleitoral utilizado é o sistema maioritário em duas voltas, contando todo o território nacional como um único círculo eleitoral;

c) no regime da eleição dos Deputados à Assembleia da República, a capacidade eleitoral passiva, menos exigente se comparada com a imposta para o Presidente da República, implica que se esteja perante cidadãos moçambicanos maiores de dezoito anos, não podendo haver ou incapacidades eleitorais ou inelegibilidades, a apresentação das candidaturas é monopolizada pelas formações partidárias, sendo única em cada círculo eleitoral, com possibilidade de candidaturas independentes, e o território eleitoral é dividido em 12 círculos, dos quais 11 são internos, elegendo 247 Deputados, e 1 externo, elegendo 3 Deputados, sendo os mesmos escolhidos através do método da representação proporcional de Hondt, excepcionado por uma cláusula barreira de 5%.

17. Quanto à parte IV

a) o referendo de revisão constitucional destina-se a possibilitar a

O *Princípio Democrático no Novo Direito Constitucional Moçambicano*   63

aprovação das leis de revisão constitucional nas matérias que "impliquem alteração fundamental dos direitos dos cidadãos e da organização dos poderes públicos", conceito que se densifica, em parte, pelos princípios constitucionais em matéria de direitos fundamentais e sistema político, é de realização obrigatória, surge como prévio à aprovação da lei de revisão constitucional e possui uma eficácia vinculativa;

b) o referendo político-legislativo incide sobre as grandes questões nacionais pertencentes à esfera das funções política e legislativa, com exclusão das alterações à Constituição e das matérias sectoriais e regionais, a sua iniciativa compete à Assembleia da República e a decisão quanto à sua realização incumbe discricionariamente ao Chefe de Estado.

18. Quanto à parte V

a) os direitos fundamentais de intervenção política que revelam o conceito de democracia participativa correspondem à expressão do pensamento, ao desempenho da actividade jornalística, ao agrupamento inorganizado e temporário de pessoas, à criação e participação em associações jurídicas e à apresentação de petições junto dos órgãos do Estado sem quaisquer impedimentos e nos termos em que a lei ordinária regulou o respectivo exercício, constituindo cada um deles um contributo peculiar à realização da democracia participativa pela influenciação genérica do poder político que propiciam;

b) os partidos políticos, que se definem como organizações ideológicas duradouras que visam o exercício do poder político, têm o seguinte regime: os seus objectivos são definidos livremente pelo grupo de filiados fundadores, estando limitados, no entanto, ao âmbito nacional, ao contributo para a formação cívica dos moçambicanos e à paz e estabilidade do País e à necessidade de não se basearem em grupos sociais separatistas; a sua criação é considerada inteiramente livre, não dependendo de actos discricionários do poder político, que apenas intervém no reconhecimento e registo dos novos partidos; a adesão aos partidos é inteiramente livre, embora se proíba a filiação plúrima e se imponha a nacionalidade moçambicana aos filiados; a estrutura orgânica deve ser democrática, o que se traduz na obrigatoriedade de os dirigentes serem escolhidos por sufrágio e de as decisões serem tomadas, regra geral, por maioria, devendo haver um órgão dirigente central com funções deliberativas democraticamente eleito, só podendo ser dirigente partidário o cidadão moçambicano no pleno gozo dos direito civis e políticos e residente em Moçambique; o estatuto compreende, no plano dos direitos, a prossecução livre e pública dos objectivos, a apresentação de candidaturas à eleição dos titulares dos órgãos representativos, a definição dos objectivos de governação, a emissão de opinião sobre actos governamentais, a difusão da sua política pela comunicação social, a aquisição de bens, a livre filiação em organizações internacionais congéneres, subsídios do Estado e isenções fiscais, e no plano dos deveres, o respeito pela ordem constitucional e legal, a comunicação às autoridades competentes de vicissitudes ocorridas na sua fisionomia, a publicação anual das contas, a proibição do uso da violência, o fomento ou a difusão de ideologias ou políticas separatistas e ofensa dos titulares dos órgãos do Estado ou dirigentes de outros partidos; o seu papel na democracia participativa é o de instrumento de influenciação específica na governação, pelo grau de especialização de que desfrutam.

Maputo, 6 de Maio de 1994.

C) A RELEVÂNCIA CIVIL DO CASAMENTO CATÓLICO NO DIREITO MOÇAMBICANO DA FAMÍLIA[1]

SUMÁRIO:

I – INTRODUÇÃO

1. Apresentação do tema
2. Sequência da exposição

II – A RELEVÂNCIA CIVIL DO CASAMENTO CATÓLICO NA TEORIA DO DIREITO DA FAMÍLIA

3. Os diferentes modelos de relevância civil do casamento católico
4. O modelo da proscrição civil
5. O modelo da irrelevância civil
6. O modelo da relevância civil

III – A RELEVÂNCIA CIVIL DO CASAMENTO CATÓLICO NA HISTÓRIA DO DIREITO DA FAMÍLIA MOÇAMBICANO

7. Periodização da evolução histórica
8. 1.º período: de 1867 a 1910

---

[1] Versão escrita da comunicação proferida em 24 de Maio de 1994, em Maputo, no âmbito das I Jornadas de Direito Civil, organizadas pelas Faculdades de Direito da Universidade Eduardo Mondlane e da Universidade de Lisboa, que tiveram as seguintes participações: Professor Doutor José de Oliveira Ascensão – *Posse e propriedade*; Dr. Luís Filipe Sacramento – *Da hereditabilidade do direito de indemnização*: Dr. Paulo Câmara – *Arrendamento urbano na ordem jurídica moçambicana*; Dr. Armando Dimande – *Responsabilidade do empreiteiro;* Professor Doutor Miguel Teixeira de Sousa – *Incumprimento e venda de coisa defeituosa*: Dr. Ramos Ascensão – *Direito Civil e Direito Económico no moderno Estado Social de Direito*; Dr. Carlos Jeque – *Contrato de depósito*. Texto publicado na revista *Africana*, VIII, n.º 14, Porto, 1994, pp. 155 e ss.

9. 2.º período: de 1910 a 1940
10. 3.º período: de 1940 a 1975
11. 4.º período: de 1975 a 1990

IV – A RELEVÂNCIA CIVIL DO CASAMENTO CATÓLICO NO ACTUAL DIREITO DA FAMÍLIA MOÇAMBICANO

12. As fontes normativas pertinentes
13. Posição defendida
14. Posição adoptada

V – CONCLUSÕES

15. Quanto à parte II
16. Quanto à parte III
17. Quanto à parte IV

I

INTRODUÇÃO

1. Apresentação do tema

I. O tema que nos propomos versar nesta comunicação pertence ao âmbito do Direito da Família e respeita à relevância civil do casamento católico, numa apreciação simultaneamente teorética, histórica e doutrinária.

Trata-se de saber se e em que medida o acto de casamento católico, nos termos em que o mesmo é definido e regulado pelo Direito da Igreja Católica, tem reflexos no Direito da Família, sector do Direito Estadual que se destina a regular as relações sociais no seio desta instituição.

Mas dentro da análise que iremos efectuar, à luz dos ditames da Ciência do Direito da Família, numa visão puramente juscientífica deste problema, privilegiaremos uma tríplice perspectiva segundo a Teoria do Direito da Família, a História do Direito da Família Moçambicano e a Doutrina do Direito da Família Moçambicano:

- com a primeira, há uma preocupação de índole teorética, tendente a esboçar, em abstracto e numa dimensão susceptível de interessar a qualquer Direito da Família Positivo, o quadro das modalidades possíveis de relevância civil do casamento católico;
- na segunda, registamos a evolução das respostas que o Direito Familiar Moçambicano, ao longo do evoluir dos tempos, tem dado a esta matéria;
- pela terceira, finalmente, somos elucidados acerca da caracterização que o Direito da Família actualmente vigente em Moçambique faz da eficácia civil do casamento católico[2].

---

[2] Se a perspectiva histórica se apresenta para alguns como descritiva e relativamente dispensável, o mesmo já não pode dizer-se tanto da perspectiva teorética como da pers-

II. Contudo, poder-se-á perguntar: por que motivo, dentro da enorme plêiade de assuntos para os quais o Direito Civil Moçambicano requer soluções, e que constitui o tema genérico das presentes I Jornadas de Direito Civil, se escolheu precisamente o da relevância civil do casamento católico? Podemos elencar três motivos que terão sido decisivos.

Em primeiro lugar, cumpre realçar a sua importância no contexto de qualquer Direito da Família, ou até mesmo de qualquer Direito Civil, importância que advém não apenas do facto de se situar num melindroso ponto de confluência entre dois ordenamentos jurídicos distintos – o ordenamento jurídico estadual e o ordenamento jurídico eclesiástico – como também do seu enorme interesse social, enquanto domínio que se prende, indelevelmente, à vida das pessoas e que conforma o modo por que as mesmas pautam os seus comportamentos individuais e colectivos[3].

Por outro lado, e a despeito dos múltiplos esforços que a Ciência do Direito Civil Moçambicano tem feito, que aproveitamos neste ensejo para enaltecer publicamente, continua a registar-se, infelizmente, um certo abandono do Direito da Família, área em que rareiam os estudos juscientíficos, sendo nosso propósito dar um pequeno contributo para o esclarecimento de uma das suas questões mais candentes, para as quais é urgente encontrar caminhos e linhas coerentes de desenvolvimento legislativo[4].

Recorde-se ainda que, sendo o ano de 1994 dedicado pela Organização das Nações Unidas[5] e pela Igreja Católica[6] à família, o tratamento, num

---

pectiva doutrinária, porquanto é aquela que possibilita a compreensão e sistematização dos dados normativos e das soluções com que esta trabalha.

[3] E essa importância não diminui, ao contrário do que muitos possam pensar, nos lugares em que, como poderá ser o caso de Moçambique, a religião católica não se apresenta maioritária, porquanto a expansão dos valores transmitidos através do casamento tem uma validade universal, muitos deles, aliás, expressamente reconhecidos por outras confissões religiosas.

[4] Do ponto de vista doutrinário, não é possível deparar com quaisquer estudos relativos a esta matéria, sendo justo realçar o papel dos tribunais moçambicanos – dos quais devemos referir o Tribunal Supremo – no encontrar de soluções para os numerosos problemas que a nova situação de Moçambique veio trazer, fazendo as vezes, em muitos casos arduamente, do papel que competiria à doutrina.

[5] Cfr. Resolução n.º 44/82 da Assembleia Geral das Nações Unidas, adoptada na 44ª sessão, 78ª sessão plenária, de 8 de Dezembro de 1989, na qual se afirma nos pontos 2 e 4 o seguinte:

"2. Decide que as principais actividades para celebrar o ano se deverão organizar aos níveis local, regional e nacional o apoio das N.U. e dos organismos afins, e visam estudo de Direito Civil, da relevância civil do casamento católico surge como uma particular forma de comemoração deste evento, que se quer especialmente devotado à problemática familiar nas suas mais variegadas incidências.

III. A potencial dispersão temática que estas reflexões poderiam desencadear aconselha a excluir das nossas preocupações aspectos que, apesar de hipoteticamente ligados ao respectivo aprofundamento, neste momento não podemos curar.

A apreciação deste tema, que tem muito de interdisciplinar, não nos irá levar ao estudo do Direito Canónico, dado que nos posicionamos do lado do Direito Estadual, aferindo em que circunstâncias o casamento católico, regulado por aquele ordenamento jurídico, tem efeito civis, e muito menos chegaremos à avaliação da posição que a Igreja Católica tem relativamente a esta questão.

A dimensão especificamente jurídica que pretendemos imprimir a esta indagação força-nos também à renúncia de outras dimensões – como a sociológica, a etnológica, a política ou a ideológica – que pudessem interessar, sem olvidar que em Moçambique a realidade social, mercê de uma história recente e bastante atribulada, é pouco conhecida e apesar de muitas vezes se continuar a preferir abordagens não jurídicas.

---

melhorar a compreensão dos governos, dos responsáveis e do público de que a família é a célula natural e fundamental da sociedade;

4. Convida todos os governos, as instituições especializadas, as organizações inte-governamentais e não governamentais relacionadas com a família, e também as organi-zações nacionais interessadas, a que não negligenciem esforços para a preparação e a celebração do ano e para cooperarem com o Secretário-Geral com o fim de se atingirem os objectivos;"

6 Que foi particularmente celebrado pelo Papa João Paulo II com a *Carta às Famílias*, de 2 de Fevereiro de 1994, na qual o sumo Pontífice explica nestes termos a sua importância (n.º 3):

"Precisamente por estes motivos, a Igreja saúda com alegria a iniciativa promovida pela Organização das Nações Unidas, de fazer de 1994 o Ano Internacional da Família. Esta iniciativa manifesta como é fundamental o problema familiar para os Estados que são membros da ONU. Se a Igreja deseja tomar parte nesta iniciativa, fá-lo porque ela própria foi enviada por Cristo a "todas as nações" (Mt 28,19). Não é a primeira vez, aliás, que a Igreja assume como sua uma iniciativa internacional da ONU. Basta recordar, por exem-plo, o Ano Internacional da Juventude em 1985. Deste modo, torna-se presente no mundo, realizando a intenção tão querida ao Papa João XXIII e inspiradora da Constituição con-ciliar *Gaudium et Spes*".

Já dentro de um contexto puramente jurídico, não nos abalançaremos a questões de Direito da Família Comparado[7] ou de Política Legislativa de Família[8], por se não compaginarem com os limites que nos são estabelecidos no âmbito desta iniciativa académica.

2. Sequência da exposição

I. A ordem por que as diversas matérias compreendidas na presente exposição nos aparece é condicionada pela natural articulação lógica que se deve estabelecer entre elas.

Numa primeira parte, de teor teorético, descreveremos os vários modelos abstractamente concebíveis de relevância civil do casamento católico, os quais têm uma potencialidade de aplicação a quaisquer Direitos Positivos.

Nas segunda e terceira partes, faremos a aplicação dos modelos descritos ao Direito da Família Moçambicano, qualificando cada sistema concretamente escolhido, primeiro na sua evolução histórica e depois no Direito actualmente vigente.

II. Esta comunicação compreende, portanto, a existência de três partes substantivas distintas.

A primeira dedicar-se-á à sistematização e explanação de cada um dos modelos de relevância civil do casamento católico, aos termos em que tem sido aplicado em alguns Estados estrangeiros e à ponderação das vantagens e desvantagens que os juscivilistas normalmente lhes assinalam.

A segunda cuidará da evolução histórica do Direito da Família Moçambicano, tanto ainda na fase colonial como mais tarde já com a independência política, no que se divisa a existência de quatro períodos:

1) de 1867 a 1910;
2) de 1910 a 1940;

---

[7] Isso não significa, no entanto, que não possamos ilustrar algumas das situações a tratar com ensinamentos que podemos colher em alguns Direitos Estrangeiros, dos quais evidenciamos, justificadamente, o Direito Português.

[8] Que neste momento têm uma acentuada acuidade na medida em que se trabalha, há já alguns anos, na reforma do Direito Civil da Família, que desde a criação do Estado Moçambicano em 1975 nunca obteve uma modificação sistemática de fundo, havendo apenas a indicar alterações pontuais, tanto mais importante quanto é certo ter-se entretanto transformado radicalmente as concepções subjacentes a muitos institutos familiares.

3) de 1940 a 1975; e
4) de 1975 a 1990.

A terceira – a mais importante para a Ciência de Direito da Família Moçambicano pela sua actualidade – respeitará ao sistema de relevância civil do casamento católico efectivamente adoptado nos dias de hoje, momento em que, depois de referirmos as fontes normativas pertinentes e a posição que quase pacificamente tem sido defendida, avançaremos com a nossa própria posição.

Terminaremos com a enunciação das conclusões, que sintetizarão tudo quanto tiver sido dito.

II

A RELEVÂNCIA CIVIL DO CASAMENTO CATÓLICO NA TEORIA DO DIREITO DA FAMÍLIA

3. Os diferentes modelos de relevância civil do casamento católico

I. Uma das maiores singularidades que o casamento oferece é o facto de pela sua regulamentação tanto se interessar o Estado como a Igreja Católica.

Do ponto de vista estadual, o casamento é tratado pelo Direito Civil Familiar, pelo qual é considerado, a par do parentesco, da afinidade e da adopção, como uma das fontes das relações jurídicas da família[9]. É um domínio que compreensivelmente o Estado chama a si, na medida em que se constitui como a mais proeminente instituição social, incumbindo-lhe a regulação, em termos coactivos, da vida em sociedade.

Do ponto de vista religioso, o casamento é considerado como um dos sacramentos entre baptizados e é na legislação e jurisdição da Igreja Católica que esse acordo de vontades deve encontrar a sua disciplina[10], com excepção dos seus efeitos *mere civiles*, na inteira disponibilidade do Estado. O casamento entre não baptizados, validamente celebrado, é do mesmo modo deixado à regulação do Estado, mas desde que conforme ao Direito Natural[11].

---

[9] Na verdade, dispõe o art. 1576.º do Código Civil Moçambicano: "São fontes das relações jurídicas familiares o casamento, o parentesco, a afinidade e a adopção".

[10] O Código de Direito Canónico de 1983, no seu cânone 1055, § 1, dá do matrimónio a seguinte definição: "O pacto matrimonial pelo qual o homem e a mulher constituem entre si a comunhão íntima de toda a vida, ordenada por sua índole natural ao bem dos cônjuges e à procriação e educação da prole, entre baptizados, foi elevado por Cristo, Nosso Senhor, à dignidade de sacramento".

[11] O regime do casamento católico consta dos cânones 1055 a 1165 do Código de Direito Canónico.

Sobre o regime do casamento católico, v. GONÇALVES PROENÇA, *Relevância do*

A Relevância Civil do Casamento Católico no Direito Moçambicano da Família   73

II. A observação dos vários Direitos Civis Familiares que os ordenamentos jurídicos hoje apresentam um pouco por toda a parte, bem como o estudo da sua evolução histórica, principalmente nos Estados que chefiaram grandes processos de transformação civilizacional, mostram que a relevância que é atribuída ao casamento católico por este ramo jurídico não é sempre a mesma, antes se tornando possível, senão mesmo necessário, forjar alguns modelos com as várias combinações que são logicamente admissíveis, todas elas, aliás, já experimentadas.

Os juscivilistas que estudam esta problemática apresentam habitualmente essas relações inter-sistemáticas na base de três diferentes sistemas ou modelos: o sistema do casamento civil obrigatório, o sistema do casamento civil facultativo e o sistema do casamento civil subsidiário[12-13], sendo o segundo sistema, por sua vez, ainda normalmente desdobrável em dois subsistemas, um em que o casamento católico tem relevância civil apenas enquanto acto ou cerimónia, com o restante regime integralmente regulado pelo Direito Civil, e um outro pelo qual já se admite que seja o Direito Canónico a disciplinar os vários aspectos pertinentes ao casamento católico, todos eles aceites pelo Direito Civil.

III. A nosso ver, importará fazer três observações relativamente ao modo clássico em que esta questão tem sido colocada: uma respeitante ao prisma adoptado para a sua análise, outra referente ao número de sistemas encontrado e a terceira quanto à terminologia fixada.

O ponto de partida assente na figura do casamento civil como obrigatório, facultativo e subsidiário não nos posiciona imediatamente na questão da relevância civil do casamento católico, dado que se situa no lado oposto do casamento civil, e destina-se a mostrar em que circunstâncias é que o mesmo se relaciona com o casamento católico. Ora, o que está aqui

---

Direito Matrimonial Canónico no ordenamento estadual, Coimbra, 1955, p.p. 319 e ss.; Pereira Coelho, *Curso de Direito de Família*, I, 2.ª ed., Coimbra, 1970, pp. 127 e ss. e 352 e ss.; Orlando Gomes, *Direito de Família*, 7ª ed., Rio de janeiro, 1990, pp. 57 e ss.; Antunes Varela, *Direito de Família*, I, 2.ª ed., Lisboa, 1987, pp. 260 e ss.

[12] Sobre os sistemas de relação entre o casamento civil e o casamento católico, v. Jacinto Fernandes Rodrigues Bastos, *Direito de Família – Segundo o Código Civil de 1996*, I, Viseu, 1976, p. 40; Pereira Coelho, *op. cit.*, I, pp. 136 e ss.; Jefferson Daibert, *Direito da Família*, Rio de Janeiro, 1980, pp. 29 e 30; Orlando Gomes, *op. cit.*, pp. 52 e ss.; Pires de Lima e Antunes Varela, *Código Civil Anotado*, IV, 2ª ed., Coimbra, 1992, pp. 46 e 47.

[13] Pereira Coelho (*op. cit.*, I, p. 136) adita ainda o sistema do casamento religioso obrigatório.

em causa é exactamente o inverso, o que nada tem que ver com o casamento civil, podendo até acontecer que esta modalidade de casamento nem sequer exista, ou, indo ainda mais longe, que a lei civil atribua relevância a mais de uma espécie de casamento religioso.

O elenco dos três sistemas referidos igualmente nos parece incompleto, pois que outras combinações lógicas com aplicações práticas há que neles não encontram acolhimento. Estamos a pensar em dois modelos diametralmente contrastantes:

– de um lado, o modelo pelo qual só o casamento católico é que tem relevância civil e nem mesmo o casamento civil existe como figura autónoma;

– do outro lado, pode acontecer que a lei civil vá ao extremo de proibir a própria celebração do casamento católico, não se bastando com a sua irrelevância.

Para além disso, consideramos que a subdivisão que se opera dentro do modelo dito de casamento civil facultativo, a que aludimos, justifica plenamente a respectiva autonomização em dois modelos diversos, porquanto se saldam numa diferença qualitativa digna de nota[14].

Do ponto de vista terminológico, a utilização da adjectivação em torno do casamento civil, porquanto cada modelo é nominado por referência a este, não retrata convenientemente que o que se pretende frisar são as relações entre o casamento católico e o Direito Civil. Essa nomenclatura poderia valer se estivesse em causa o casamento religioso em geral, sem especificar uma das suas espécies, mas o que é certo é que a nossa apreciação se restringe ao casamento católico, devendo portanto na terminologia dar-se logo uma devida ideia a esse propósito[15].

IV. O resultado destes nossos reparos salda-se na necessidade de encararmos esta problemática à luz das possíveis relações inter-sistemáticas que se conhecem entre ordenamentos jurídicos diferentes, que podem ser de três espécies – de conflito, de indiferença e de coincidência, consoante

---

[14] Diversidade que PEREIRA COELHO (*op. cit.*, I, pp. 139 e 140) devidamente salienta, apesar de os incluir no mesmo sistema do casamento facultativo.

[15] Mas é evidente que o quadro de relações que iremos estabelecer entre o casamento civil e o casamento católico igualmente se aplicará a outras espécies de casamento religioso, mas que por necessária delimitação temática e por interesse jurídico prático não nos ocupam nesta comunicação.

a posição do primeiro em relação ao outro seja de oposição, de neutralidade ou de reconhecimento.

Aplicando esta classificação do relacionamento entre ordenamentos jurídicos à relevância civil do casamento católico, que concretiza uma das possíveis relações entre o Direito Canónico e o Direito Civil, adoptamos uma classificação tripartida de modelos matrimoniais, com possibilidade de haver ainda sub-modelos ou subdivisões:

– o modelo da proscrição civil;
– o modelo da irrelevância civil; e
– o modelo da relevância civil

4. O modelo da proscrição civil

I. O modelo da proscrição civil do casamento católico consubstancia-se na proibição da sua celebração ou do reconhecimento, sempre no foro religioso, do estado de casado.

A repressão estadual do casamento católico afere-se pela existência de normas de teor proibitivo, muitas vezes completadas pela adição de sanções civis ou até penais.

II. Os exemplos que vivificam a oposição do Direito Estadual ao casamento católico são escassos e encontram-se normalmente em regimes totalitários de matriz soviética, em Estados fundamentalistas islâmicos ou em Estados laicistas.

Alguns dos Estados totalitários de matriz soviética pretenderam, muitas vezes mesmo a todo o custo, eliminar as manifestações religiosas das respectivas comunidades, o que obviamente também abrangeu o próprio casamento católico, com a alegação de que assim se poria em causa o fundamento ideológico monista de uma sociedade marxista-leninista-materialista.

Nos Estados fundamentalistas islâmicos, por força da exclusividade que a confissão ocupa e que reflecte a própria fusão do poder político com a religião, as outras confissões religiosas, como a católica, não são reconhecidas, proibindo-se assim a sua prática, com naturais consequências também sobre o casamento católico.

Nos Estados laicistas, embora se proclame a separação entre o Estado e o fenómeno religioso, na prática dificulta-se ou impede-se a realização do casamento católico, normalmente indirectamente pelo cumprimento de certos formalismos, como acontece quando se exige a prévia celebração do casamento civil.

III. A utilização deste modelo patrimonial defronta-se com sérias dificuldades de aceitação tanto no plano dos princípios como ao nível sociológico.

No que toca aos princípios, o primordial a recordar é a violação flagrante da liberdade religiosa em que se contabiliza, ao vedar-se o exercício de um acto da religião católica, que é o casamento. O Estado deve garantir à pessoa um conjunto mínimo de direitos de liberdade, nos quais se integra, como um dos mais importantes, a liberdade religiosa, em reconhecimento da sua dignidade, que postula a sua autonomia moral.

E mesmo que o Estado apenas imponha a prévia celebração do casamento civil para a celebração do casamento religioso, aí estamos perante uma inadmissível intromissão da esfera civil na esfera religiosa, forçando os nubentes à prática de um acto civil. Quer dizer: à lei civil já não basta não reconhecer o casamento católico; quer mais, quer ainda aprisionar a sua celebração a um acto civil que, para os nubentes, não tem qualquer significado, numa atitude, não de neutralidade, mas de anti-religiosidade óbvia.

De acordo com uma visão mais do foro sociológico, este modelo não consegue absorver a inelutável diversidade que se vive em cada comunidade, mesmo que percentualmente o número de praticantes da confissão religiosa do Estado seja superior, e daí que nunca se adeque verdadeiramente à realidade que quer disciplinar.

5. O modelo da irrelevância civil

I. O modelo da irrelevância civil do casamento católico caracteriza-se pela circunstância de o Estado não reconhecer quaisquer efeitos ao casamento católico dentro do seu ordenamento jurídico, embora obviamente não impeça ou dificulte a sua realização no foro estritamente religioso. Só o casamento civil, celebrado de harmonia com a lei civil e tendo por estatuto o que esta lhe reservar, se apresenta com validade no plano jurídico[16].

---

[16] Sobre o sistema da irrelevância civil do casamento católico, v. PEREIRA COELHO, *op. cit.*, I, pp. 137 e ss.; ANTUNES VARELA, *op. cit.*, I, pp. 194 e 195.

A Relevância Civil do Casamento Católico no Direito Moçambicano da Família 77

Este modelo matrimonial teve a sua origem em França, no seguimento da Revolução Francesa, que assumiu, aliás, como uma das principais preocupações ideológicas o combate à influência social da Igreja Católica. O preceito constitucional que ficaria celebrizado pertencia à primeira Constituição francesa, de 1791, no qual podia ler-se que "La loi ne considère le mariage que comme contrat civil"[17]. Houve, no entanto, dois importantes precedentes nos Países Baixos e na Inglaterra, onde o casamento civil já tivera sido reconhecido, no primeiro em 1580 e no outro em 1653[18].

II. A observação comparada dos diversos Direitos Positivos permite chegar à conclusão de que é este o modelo actualmente maioritário no contexto mundial ou, pelo menos, nos países mais significativos do ponto de vista do Direito Civil Familiar.

É de referir os exemplos da Bélgica, Holanda, Alemanha, Suíça, Rússia, Hungria e Roménia.

III. A vantagem que a doutrina tem apontado a este modelo matrimonial prende-se com a possibilidade de, mais facilmente, unificar o casamento em torno de um único regime e evitar a dispersão ou o tratamento inigualitário das relações matrimoniais em função das opções religiosas de cada um, vantagem que PEREIRA COELHO considera "apreciável em países muito divididos sob o ponto de vista religioso"[19].

Mas também se tem dito que este modelo tem como demérito a desnecessária duplicação das celebrações por parte dos nubentes, que terão de realizar, sucessivamente, o casamento civil e o casamento católico[20].

IV. Quanto a nós, temos as maiores dúvidas acerca da pretensa vantagem da unificação matrimonial em matéria de casamento, sem esquecer de que se trata de um dos domínios mais importantes da esfera da personalidade do indivíduo. Não consideramos que haja a necessidade de no Direito do Estado se possuir uma unidade do Direito Matrimonial, numa época em que se tem defendido, por vezes com tanta veemência, a peculiaridade cultural e religiosa dos povos e das minorias.

---

[17] Art. 7.º da Constituição Francesa de 1791.
[18] Cfr. PEREIRA COELHO, *op. cit.*, I, p. 91, nota n.º 1.
[19] *Op. cit.*, I, p. 95.
[20] Cfr. PEREIRA COELHO, *op. cit.*, I, p. 139.

Mas também se relembre que este modelo, afora este aspecto, não se conforma, em rigor, com os ditames da liberdade religiosa, pelos quais, no tocante ao Direito Canónico, se solicita o reconhecimento civil do casamento católico tal como ele é celebrado ao abrigo deste Direito.

6. O modelo da relevância civil

I. O modelo da relevância civil do casamento católico confere eficácia, em termos de Direito Civil, a esse acto religioso, valendo o mesmo com o respectivo título e enquanto celebrado nos termos definidos pelo Direito Canónico.

É um modelo que, em todo o caso e para a sua melhor compreensão, sugere a sua subdivisão em três submodelos, variando apenas a intensidade desse reconhecimento civil.

São eles:

– o submodelo da relevância civil formal;
– o submodelo da relevância civil plena; e
– o submodelo da relevância civil exclusiva.

II. Com o submodelo da relevância civil formal do casamento católico, o Direito Estadual reconhece-lhe efeitos civis, mas encarando-o somente como acto, cerimónia ou rito, e continua a reservar para si a regulação dos restantes aspectos de regime, que ficam assim subtraídos ao domínio do Direito Canónico.

O casamento católico, nos termos deste submodelo, tem apenas uma relevância civil na forma de celebração ou no acordo de vontades que se exprimem, mas no restante o regime é o estipulado na lei civil[21].

Trata-se de um submodelo que tem tido projecção nalguns ordenamentos jurídicos civis, como nos casos da Inglaterra, Suécia, Noruega, Islândia, Dinamarca, Estados Unidos da América, Grécia, Brasil e outros países da América do Sul[22].

---

[21] Sobre o sistema da relevância civil formal, v. PEREIRA COELHO, *Versão portuguesa do relatório apresentado à Assembleia Geral da Comission Internationale de l'État Civil de 11 de Setembro de 1975*, in Boletim do Ministério da Justiça, n.º 251, 1975, pp. 29 e ss.; IDEM, *op. cit.*, I, pp. 140 e 141; ANTUNES VARELA, *op. cit.*, I, pp. 195 e 196.

[22] Cfr. PEREIRA COELHO, *op. cit.*, I, pp. 139 e 140, nota n.º 2; IDEM, *op. cit., loc. cit.*, p. 30.

III. O submodelo da relevância civil plena do casamento católico, que como o primeiro os autores igualmente integram no apelidado sistema de casamento civil facultativo, traduz-se no reconhecimento, por parte do Estado, do casamento católico não somente enquanto rito, mas agora como instituto global, dotado de um regime próprio, definido unicamente pelo Direito Canónico. Aqui o casamento católico é integralmente válido para o Direito Civil de acordo com o regime que lhe é atribuído pelo Direito da Igreja Católica quanto às suas diversas vertentes[23].

Este submodelo matrimonial aparece na prática jurídica de alguns países, como é o caso de Itália, Espanha e República Dominicana.

É este também o submodelo que actualmente vigora em Portugal[24], embora se verifique, depois da Reforma de 1977, um certo hibridismo, o que leva à sua qualificação como submodelo mitigado. Quanto à generalidade do regime, o casamento católico continua a ser regulado pelo Direito Canónico, nomeadamente em matéria de divergências entre a vontade real e a vontade declarada, de vícios na formação da vontade e de declaração de nulidade do casamento, respectivas causas e regime processual. Só quanto à dissolução por divórcio é que rege a lei do Estado, por força das alterações introduzidas a partir de 1975, possibilitadas pela modificação da Concordata, passando agora a dizer-se que "Celebrando casamento católico, os cônjuges assumem por esse mesmo facto, perante a Igreja, a obrigação de se aterem às normas canónicas que o regulam e, em particular, de respeitarem as suas propriedades essenciais", dispondo-se de seguida que "A Santa Sé, reafirmando a doutrina da Igreja Católica sobre a indissolubilidade do vínculo matrimonial, recorda aos cônjuges que contraírem o matrimónio canónico o grave dever que lhes incumbe de se não valerem da faculdade civil de requerer o divórcio"[25].

---

[23] Sobre o sistema da relevância civil plena do casamento católico, v. PEREIRA COELHO, *op. cit., loc. cit.*, p. 30; IDEM, *op. cit.*, I, pp. 141 e 142; ANTUNES VARELA, *op. cit.*, I, p. 196.

[24] Sobre o sistema português de relevância civil do casamento católico, v. PEREIRA COELHO, *op. cit., loc. cit.*, p. 31; IDEM, *op. cit.*, I, pp. 153 e ss.; JACINTO FERNANDES RODRIGUES BASTOS, *op. cit.*, I, pp. 58 e ss.; JOÃO DE CASTRO MENDES e MIGUEL TEIXEIRA DE SOUSA, *Direito da Família*, Lisboa, 1991/1992, pp. 42 e ss.; PIRES DE LIMA e ANTUNES VARELA, *op. cit.*, IV, pp. 47 e ss.; ANTUNES VARELA, *op. cit.*, I, pp. 204 e ss.

[25] Redacção do Protocolo Adicional à Concordata de 7 de Maio de 1940, celebrado em 1975.

IV. O submodelo da relevância civil exclusiva do casamento católico implica que o Estado, no que respeita ao casamento, se subordina ao Direito Canónico, apenas reconhecendo o casamento católico nos termos em que o mesmo é regulado nesse Direito, tendo a Igreja Católica a exclusividade na definição dos que podem aceder à sua celebração. Nesta hipótese, o casamento civil fica confinado para as pessoas que não podem realizar o casamento católico de acordo com os ditames do Direito Canónico, ou seja, os que não receberam o baptismo válido, os que não se converteram à fé católica ou os que abjuraram da sua crença[26], não havendo qualquer opção a fazer entre casamento católico ou casamento civil[27].

Foi este o submodelo que vigorou até há pouco tempo em Espanha, sistema jurídico em que o casamento civil só era admitido quando "se prove que nenhum dos contraentes professa a religião católica"[28]. A comprovação da não pertença à religião católica, com a lei da liberdade religiosa, Lei n.º 44/67, de 28 de Junho, e o Decreto de 22 de Maio de 1969, era feita através de simples comunicação do facto ao pároco do seu domicílio, comunicação que permitia a realização do casamento civil.

V. A doutrina do Direito da Família também tem apresentado, para cada um destes submodelos, méritos e inconvenientes que, se analisados globalmente, acabam por salientar uma relativa aceitabilidade de cada um deles, o que aliás se vê facilmente pelo facto de já todos terem sido praticados recentemente e em países mais ou menos homogéneos do ponto de vista dos respectivos sistemas jurídicos.

O submodelo da relevância civil formal tem a vantagem de conservar a unidade matrimonial entre cônjuges casados civil e catolicamente, dado que o regime das relações matrimoniais é o mesmo. E tem como segunda vantagem o facto de, ao contrário do que se passava com o modelo da irrelevância civil, já não forçar à duplicação de celebrações, aproveitando-se a celebração do matrimónio católico para daí se retirarem, integralmente, os efeitos civis[29].

---

[26] Cfr. Cân. 1055 do Código de Direito Canónico e ANTÓNIO LEITE, *O casamento canónico-concordatário,* in *Scientia Iuridica,* X, 1961, p. 361.

[27] Sobre o sistema da relevância civil exclusiva do casamento civil, v. PEREIRA COELHO, *op. cit.*, I, pp. 142 e ss; ANTUNES VARELA, *op. cit.*, I, pp. 197 e 198.

[28] Art. 42.º do Código Civil Espanhol, na redacção da Lei de 24 de Abril de 1958.

[29] Cfr. PEREIRA COELHO, *op. cit.*, I, pp. 96 e 97.

Ao submodelo da relevância civil plena é-lhe também reconhecida utilidade no que tange à poupança de esforços dos nubentes que pretendam realizar o casamento católico, não tendo de participar em duas celebrações. No entanto, autores há, como é o caso de PEREIRA COELHO, que consideram que neste caso a evitação dessa dupla celebração se faz "agora à custa da unidade do direito matrimonial, que é sacrificada"[30]. E é este mesmo autor que acrescenta que neste submodelo não se consegue a harmonia entre o Direito Civil e o Direito Canónico, porquanto as "uniões que são legítimas em face de um deles não o são necessariamente em face do outro"[31].

O submodelo da relevância civil exclusiva tem como benefício a total coincidência entre o ordenamento estadual e o ordenamento canónico em matéria matrimonial, não havendo discrepância quanto ao que ambas as ordens normativas consideram legítimo ou ilegítimo. Em contrapartida, considerar-se que este submodelo põe em causa a liberdade religiosa e de culto, porquanto o Estado obrigaria as pessoas à prática de um acto religioso, mesmo aos nubentes que, apesar de baptizados, deixassem de praticar a fé católica, pois como afirma PEREIRA COELHO, seria sempre esta a conclusão, "ainda que se permita o casamento civil aos baptizados que façam declaração de apostasia, pois uma das manifestações da liberdade religiosa é, certamente, a faculdade de retardar a opção que em matéria religiosa se faça e mesmo de não revelar essa opção"[32].

VI. Em face das objecções que levantámos quanto aos dois modelos anteriores, o modelo que julgamos em abstracto preferível só pode ser, por exclusão de partes, o da relevância civil do casamento católico. É o que melhor exprime a necessidade de corresponder aos legítimos anseios dos nubentes de verem a sua relação matrimonial católica legalizada e com efeitos ao nível do Direito do Estado.

Mas como este modelo comporta, dentro de si, um desdobramento em três submodelos, coloca-se oportunamente a questão de saber qual deles é que se apresenta como mais consentâneo com os valores que necessariamente devem estar aqui presentes.

A nossa posição propende a considerar que o subsistema ideal é o da relevância civil plena do casamento católico, havendo que salientar alguns

---

[30] *Op. cit.*, I, pp. 97 e 98.
[31] *Op. cit.*, I, p. 98.
[32] *Op. cit.*, I, p. 100, nota n.º 1.

óbices quer quanto ao subsistema da relevância civil formal quer quanto ao subsistema da relevância civil exclusiva.

No que toca ao primeiro, somos de opinião de que o exercício de uma religião, no que ela tenha de específico no caso do casamento, não se contenta com o mero reconhecimento do acto de casamento. Há todo um conjunto de matérias, principalmente os efeitos pessoais, que justificam que o Direito Canónico possa ter relevância civil e a sua preterição pode dificultar – senão mesmo obstruir – a livre pertença à confissão religiosa em causa[33].

Relativamente ao outro, pensamos que, com efeito, não se adequa integralmente à liberdade religiosa, porquanto esta impõe que a pessoa seja forçada a declarar que não perfilha certa religião em ordem à realização do acto civil matrimonial.

O subsistema da relevância civil plena do casamento católico consegue, de um modo notável, ultrapassar todos estes problemas. Sem deixar de reconhecer-se a plena relevância a este acto, entende-se que as pessoas podem optar pelo casamento civil em respeito à sua liberdade religiosa.

---

[33] Leia-se, a este propósito, o seguinte trecho de JAVIER HERVADA (*Comentários ao Código de Direito Canónico*, Braga, 1984, pp. 647 e 648), comentando o cân. 1059 do Código de Direito Canónico:

"Com algumas variantes de redacção este c. reproduz o c. 1016 do CIC 17. Reafirma a jurisdição exclusiva da Igreja sobre o matrimónio canónico, salvo os efeitos meramente civis que são da competência do poder civil. Em boa técnica jurídica, o ordenamento estatal deve reconhecer o matrimónio canónico, não como uma mera *forma de contrair*, mas como um *sistema matrimonial* com força própria. O chamado sistema de matrimónio civil obrigatório, ao desconhecer a jusrisdição da Igreja, supõe o desconhecimento de um ordenamento jurídico primário – o canónico – , posição inaceitável deste ponto de vista jurídico.

O desconhecimento do ordenamento canónico não é uma consequência necessária da confessionalidade do Estado, mas um corolário do agnosticismo do Estado, que é uma forma de confessionalidade: a confessionalidade laicista. O Estado confessional deve reconhecer o facto religioso, com todas as suas consequências, também – no caso da Igreja Católica – a existência do ordenamento canónico, pois é o reconhecimento de um facto social, dotado de juridicidade originária".

III

A RELEVÂNCIA CIVIL DO CASAMENTO CATÓLICO NA HISTÓRIA DO DIREITO DA FAMÍLIA MOÇAMBICANO

7. Periodização da evolução histórica

I. A apreciação da evolução histórica do Direito da Família em Moçambique quanto aos modelos matrimoniais que foram adoptados impõe a divisão de todo esse tempo por uma fase pré-histórica, para o período correspondente ao Direito Colonial, e por uma fase histórica, já depois da independência política.

Se porventura não fará muito sentido estudar o Direito vigente em Moçambique ao tempo colonial em termos de organização política, dado que Moçambique como Estado só nasceu em 1975, o mesmo já não se dirá do Direito da Família em matéria de sistemas matrimoniais.

É que a lei civil que nos dias de hoje regula a actividade jusprivada moçambicana remonta ainda ao tempo colonial e não há a assinalar quaisquer mudanças estruturais que tivessem sido levadas a cabo por reformas legislativas profundas[34].

II. A periodização a fazer na evolução dessa pré-história e história do Direito Familiar Moçambicano implica a autonomização de quatro diferentes momentos, a começar com a primeira versão do Código Civil de 1867 e a terminar com a entrada em vigor da Constituição Moçambicana de 1990.

São eles:

1.°) período: de 1867 a 1910;

---

[34] As modificações que se registaram em matéria de Direito Civil atingiram apenas alguns aspectos muito parcelares do conjunto de domínios codificados pelo Código Civil de 1966. Cumpre frisar, por exemplo, a matéria da propriedade da terra e do divórcio.

2.°) período: de 1910 a 1940;
3.°) período: de 1940 a 1975;
4.°) período: de 1975 a 1990.

8. 1.°) período: de 1867 a 1910

I. O primeiro período é caracterizado pela vigência da primeira versão do Código Civil de 1867, que terminou com a implantação da forma institucional republicana em 5 de Outubro de 1910. O problema é que as fontes normativas constantes deste Código, fruto de uma acesa polémica que envolveu a relevância civil do casamento católico, não se alinharam num mesmo fio programático.

Dois dos preceitos que regulavam esta matéria inclinavam-se no sentido da admissibilidade do casamento civil apenas para não católicos, ficando os católicos submetidos ao casamento católico[35-36].

No entanto, prescrevia-se paralelamente, e num sentido aparentemente contrário, a proibição da realização de qualquer inquérito prévio acerca da religião dos nubentes[37] e a impossibilidade da anulação de casamento por motivo religioso[38].

II. Pela leitura singela dos dois primeiros preceitos, a conclusão imediata a que se chegaria seria a de que se teria optado pela relevância civil exclusiva do casamento católico, dado que o casamento civil só podia ser celebrado por aqueles que não professassem a religião católica.

Mas a disposição que proibia qualquer inquérito prévio acerca da religião dos nubentes, bem como o artigo que repudiava a ideia de anulação do casamento civil por motivo religioso, depõem contra essa consagração da relevância civil exclusiva do casamento católico, pela faculdade de os nubentes poderem optar pela celebração deste ou do civil.

A conclusão que se retira é a de que durante este período vigorou efectivamente um sistema próximo do modelo da relevância civil plena – e não exclusiva – do casamento católico[39].

---

[35] Art. 1057.° do Código Civil de 1867.

[36] Art. 1072.° do Código Civil de 1867.

[37] Art. 1081.°, 2ª parte, do Código Civil de 1867.

[38] Cfr. o art. 1090.° do Código Civil de 1867.

[39] Neste sentido, PEREIRA COELHO, *op. cit.*, I, p. 147; PIRES DE LIMA e ANTUNES VARELA, *op. cit.*, IV, p. 47, ANTUNES VARELA, *op. cit.*, I, pp. 198 e ss.

A Relevância Civil do Casamento Católico no Direito Moçambicano da Família   85

III. Essa resposta poderia ser considerada como satisfatória caso os dados legais disponíveis fossem apenas os mencionados. A verdade, porém, é que a lei civil introduziu duas significativas limitações ao regime do casamento católico.

Por um lado, estendeu os impedimentos impedientes do casamento civil aos impedimentos aplicáveis ao casamento católico, havendo como consequência a punição penal do ministro religioso que celebrasse algum casamento contra o disposto na lei civil[40].

Por outro lado, impunha-se, para se unificar o registo dos casamentos, a remessa da acta do casamento católico, no prazo de quarenta e oito horas, ao oficial do registo civil, a fim de que fosse por este registada[41].

IV. Não estamos, assim, diante de um sistema que se baste com a aplicação integral das normas canónicas, mas inversamente coexistia com duas importantes limitações civis de regime tendentes a aproximar o casamento católico do casamento civil[42].

A solução a encontrar enquadra este regime, portanto, no submodelo da relevância civil plena, sim, mas na sua vertente mitigada, pela aposição de dois limites oriundos do Direito Civil, que têm por objectivo evitar uma acentuada disparidade de efeitos entre o casamento católico e o casamento civil.

9. 2.º) período: de 1910 a 1940

I. O segundo período coincide com o regime estabelecido pelo Decreto n.º 1, de 25 de Dezembro de 1910, que veio instituir uma nova disciplina em matéria de casamento, e pela posterior aprovação do Código de Registo Civil de 1911.

O Decreto n.º 1, de 25 de Dezembro de 1910, o primeiro diploma do novo poder instalado e bem revelador da preocupação revolucionária em torno da matéria do casamento e da religião em geral, continha várias disposições com relevo directo para a questão do sistema matrimonial adoptado: em primeiro lugar, declarou-se o casamento como um contrato

---

[40] Respectivamente, cfr. o art. 1058.º e o art. 1071.º do Código Civil de 1867.
[41] Art. 2476.º do Código Civil de 1867.
[42] Cfr. PEREIRA COELHO, *op. cit.*, I, pp. 147 e 148.

"puramente civil"[43]; em segundo lugar, estabeleceu-se, categoricamente, que só o casamento celebrado perante o respectivo oficial do registo civil, com as condições e na forma estabelecida na lei civil, é que seria válido[44]; em terceiro lugar, as causas de nulidade ou anulação do casamento ficaram pertencendo exclusivamente ao foro civil[45].

O Código de Registo Civil de 1911, por seu lado, veio confirmar estas radicais alterações legislativas, impondo o princípio da precedência obrigatória da realização do casamento civil quanto à cerimónia do casamento religioso[46], sob pena de pesadas sanções.

II. Deste conjunto de elementos normativos, considera-se que a qualificação do sistema da relevância civil do casamento católico se alterou substancialmente, entendendo-se ser agora o da sua irrelevância civil[47].

Ao Direito do Estado deixa de interessar, por completo, a celebração do casamento católico ou o regime próprio que o rege segundo as normas da Igreja Católica. Só o casamento civil se considera válido.

Por outro lado, acentuando ainda mais a vertente anti-religiosa que é clara em todo este período, verifica-se que ao legislador não foi suficiente apenas a irrelevância civil do casamento católico como ainda impôs a obrigatoriedade de o casamento católico ter de ser precedido pela realização do casamento civil.

III. Quer parecer-nos, todavia, que é necessário ir um pouco mais longe e julgar este acervo de fontes como perfilhando, não um modelo de mera irrelevância civil do casamento católico, mas um modelo de proscrição civil do mesmo.

Só o próprio facto de se forçar à prévia celebração do casamento civil no caso de os nubentes pretenderem celebrar o casamento católico seria, por si só, elemento mais do que bastante para justificar este entendimento.

Mas se olharmos ao contexto político-social da altura, da laicização social militante, e, principalmente, a algumas das normas da nova Constituição de 1911, então já não poderemos ter quaisquer hesitações de que,

---

[43] Cfr. o art. 2.º do Decreto n.º 1, de 25 de Dezembro de 1910.

[44] Cfr. o art. 3.º do Decreto n.º 1, de 25 de Dezembro de 1910.

[45] Cfr. o art. 65.º do Decreto n.º 1, de 25 de Dezembro de 1910.

[46] Cfr. os arts. 312.º e 313.º do Código do Registo Civil de 1911.

[47] Neste sentido, ANTÓNIO LEITE, *op. cit., loc. cit.*, p. 360; PEREIRA COELHO, *op. cit.*, I, p. 149; PIRES DE LIMA e ANTUNES VARELA, *op. cit.*, IV, p. 47; ANTUNES VARELA, *op. cit.*, I, p. 199.

A Relevância Civil do Casamento Católico no Direito Moçambicano da Família   87

na verdade, assim foi. Embora se admitisse a liberdade de religião e de crença e outros direitos de separação do Estado da Igreja Católica[48], manteve-se em vigor, por exemplo, a legislação que extinguiu inúmeras instituições religiosas[49].

10. 3.º) período: de 1940 a 1975

I. O terceiro período é marcado, do ponto de vista normativo, por dois importantes documentos: a Concordata celebrada entre Portugal e a Santa Sé, de 7 de Maio de 1940 (incorporada no Direito da Metrópole pelo Decreto n.º 30 615 e no Direito Ultramarino pelo Decreto n.º 35 461), e o novo Código Civil de 1966.

A Concordata estabeleceu a obrigatoriedade de o Estado Português reconhecer efeitos civis aos casamentos celebrados em conformidade com as leis canónicas[50], impôs a renúncia, por parte dos cônjuges, à faculdade civil do divórcio[51], e cometeu o conhecimento das causas concernentes à nulidade do casamento católico e a dispensa do casamento rato e não consumado aos tribunais e repartições eclesiásticas[52].

O Código Civil de 1966, por seu turno, confirmou o sentido desses preceitos, ao tratar o casamento civil e o casamento católico como dois actos distintos, em correspondência com regimes igualmente diferenciados. A indissolubilidade por divórcio foi também prevista na nova lei civil para os casamentos católicos celebrados depois de 1 de Agosto de 1940[53].

II. O sistema assim gizado enquadra-se na modalidade da relevância civil plena do casamento católico[54], por este valer no Direito Civil como acto jurídico materialmente regulado pelo Direito Canónico.

---

[48] Cfr. o art. 3.º, §§ 4.º e ss., da Constituição de 1911.

[49] Cfr. o art. 3.º, §§ 12, da Constituição de 1911.

[50] Art. XXII, 1ª parte, da Concordata de 7 de Maio de 1940.

[51] Art. XXIV, da Concordata de 7 de Maio de 1940.

[52] Art. XXV, 1ª parte, da Concordata de 7 de Maio de 1940

[53] Art. 1790.º do Código Civil de 1966, na versão inicial.

[54] Assim, ANTÓNIO LEITE, *op. cit., loc. cit.*, p. 361; PEREIRA COELHO, *op. cit., loc. cit.*, pp. 27 e ss.; PIRES DE LIMA e ANTUNES VARELA, *op. cit.*, IV, p. 48; ANTUNES VARELA, *op. cit.*, I, pp. 200 e ss.

III. É, contudo, um sistema de relevância plena mitigada pelas duas imposições que foram assinaladas, mas que não põem em causa a sua essência, e que também difere bastante do sistema consagrado na primeira versão do Código Civil de 1867.

Neste caso, parafraseando PEREIRA COELHO, tratou-se de uma "transacção" entre o Estado Português e a Igreja Católica no tocante ao regime do casamento católico:

– o Estado Português reconheceu os seus efeitos civis, não permitiu que os seus tribunais lhe aplicassem o divórcio e deixou para o foro eclesiástico a apreciação da sua validade;
– em contrapartida, a Igreja Católica aceitou que a lei civil aplicasse o seu conjunto de impedimentos, que regulasse o processo preliminar de publicações e de registo e que decretasse a separação de pessoas e bens[55].

11. 4.°) período: de 1975 a 1990

I. O quarto período engloba ao mesmo tempo as normas da Constituição de 1975 pertinentes e as modificações introduzidas no Código Civil e no Código de Registo Civil.

Quanto às normas constitucionais, apenas é de registar a intenção de o Estado proteger o casamento, juntamente com a família, a maternidade e a infância[56].

Relativamente ao Código Civil, sublinhe-se a existência de alterações tácitas e expressas importantes. Por um lado, caducaram, por inconstitucionalidade superveniente, as normas existentes que reconheciam eficácia civil ao casamento católico[57].

Mas também atente-se nas modificações pontuais expressas pelas quais, na nova redacção do preceito civil alusivo às causas justificativas da não homologação dos casamentos urgentes, deixou de haver qualquer referência à qualificação do casamento como casamento católico pelas auto-

---

[55] *Op. cit.*, I, p. 150.
[56] Cfr. o art. 29.°, n.° 2, da Constituição de 1975.
[57] Que são os arts. 1587.°, 1588.°, 1589.°, 1596.°, 1597.°, 1598.°, 1599.°, 1625.°, 1626.°, 1654.°, al. a), 1655.°, 1656.°, 1657.°, 1658.°, 1659.°, 1660.°, 1661.° do Código Civil de 1966.

A Relevância Civil do Casamento Católico no Direito Moçambicano da Família   89

ridades eclesiásticas[58], não se fazendo também excepção à ressalva de direitos de terceiro quanto ao casamento católico no caso da retroacção de efeitos do registo[59].

O Código de Registo Civil[60] também foi alvo de alterações profundas, que naturalmente tiveram os seus reflexos em matéria de relevância civil do casamento católico. Foram expressamente revogados todos os preceitos que pressupunham os efeitos civis desse acto de casamento.

No que toca à Concordata celebrada entre Portugal e a Santa Sé, em 7 de Maio de 1940 aplicável a Moçambique, ela caducou, quanto à parte moçambicana[61], pela superveniência da nova Constituição, que determinou a automática cessação de vigência de toda a legislação anterior contrária[62].

II. Esta apresentação do novo Direito Civil vigente em Moçambique relacionado com a matéria do casamento católico deixa ver claro que se deu uma transformação substancial no sistema que tinha sido predominante até então.

A qualificação do sistema adoptado que mais facilmente lembra ao intérprete é o correspondente ao modelo de irrelevância civil do casamento católico.

Essa opinião estaria em consonância com a concepção de Estado perfilhada em matéria de relações com o fenómeno religioso, que seria a

---

[58] Cfr. o art. 1624.º, al. a), do Código Civil, na nova redacção do Código de Registo Civil, dada pelo art. 188.º do Decreto-Lei n.º 21/76, de 22 de Maio.

[59] Cfr. o art. 1670.º, n.º 2, *in* fine, do Código Civil, na nova redacção do Código de Registo Civil, dada pelo art. 211.º do Decreto-Lei n.º 21/76, de 22 de Maio.

[60] Levada a cabo pelo Decreto-Lei n.º 21/76, de 22 de Maio, em cujo preâmbulo se podia ler o seguinte quanto aos objectivos visados: "A principal preocupação do presente decreto-lei foi, por um lado, eliminar regras que são incompatíveis com os princípios vigentes e, por outro lado, simplificar quanto possível a prática do registo civil, afastando tudo aquilo que se considerou inútil, com vista a facilitar a actividade dos Serviços".

[61] Em termos de sucessão nos tratados celebrados por Portugal e aplicáveis a Moçambique, a Frente de Libertação de Moçambique afirmou no ponto 14 do Acordo de Lusaka, de 7 de Setembro de 1974, que "declara-se disposta a aceitar a responsabilidade decorrente dos compromissos financeiros assumidos pelo Estado Português em nome de Moçambique desde que tenham sido assumidos no efectivo interesse deste território".

[62] Cfr. o art. 79.º da Constituição de 1975.

90   *Estudos de Direito Público de Língua Portuguesa*

de um Estado laico, no qual o poder político não possui qualquer religião, de acordo com a modalidade da separação absoluta, ao não se privilegiar qualquer confissão religiosa em particular.

Algumas normas constitucionais testemunhariam precisamente essa ideia:

- afirma-se que a "República Popular de Moçambique é um Estado laico, nela existindo uma separação absoluta entre o Estado e as instituições religiosas"[63];
- diz-se que na "República Popular de Moçambique as actividades das instituições religiosas devem conformar-se com as leis do Estado"[64];
- declara-se que "Na República Popular de Moçambique o Estado garante aos cidadãos a liberdade de praticar ou de não praticar uma religião"[65].

III. Uma análise um pouco mais detida leva-nos, contudo, a pensar que a melhor qualificação para o sistema matrimonial deste momento de evolução do Direito Civil não é essa, mas antes a do sistema coincidente com o modelo de proscrição civil do casamento católico, pelo qual este acto canónico, ainda que implicitamente admitido, era na prática hostilizado do ponto de vista jurídico.

Tal conclusão só pode ser percebida à luz da concepção verdadeiramente praticada no tocante às relações entre o Estado e as confissões religiosas, não de Estado laico ou a-religioso, mas sim de Estado laicista ou anti-religioso, situação em que o poder político tem por objectivo fazer desaparecer todas as irrupções de religiosidade dos cidadãos.

É a conclusão que podemos extrair não só da atenta leitura do articulado constitucional e da ideologia que o informava como igualmente da prática política e social. A referência constitucional expressa, num dos artigos da Constituição de 1975, ao facto de se dizer que "A República Popular de Moçambique realiza um combate enérgico contra o (...) obscurantismo ..."[66] implica que se pretendeu apagar todas as expressões reli-

---

[63] Art.19.º, n.º 1, da Constituição de 1975.

[64] Art.19.º, n.º 2, da Constituição de 1975.

[65] Art. 33.º, n.º 1, da Constituição de 1975.

[66] Art. 15.º da Constituição de 1975.

giosas, uma das atitudes consideradas na altura como de obscurantismo. O quotidiano vivido nesse período mostrou também que por parte do poder político havia a orientação de fazer diminuir ou mesmo extinguir a religiosidade popular"[67].

---

[67] E quanto à Igreja Católica, o resultado foi em alguns casos as perseguições a sacerdotes e o encerramento de templos.

Sobre as dificuldades vividas no período do regime totalitário de tipo soviético pela Igreja Católica de Moçambique, v. LUCIANO DA COSTA FERREIRA, *Igreja Católica em Moçambique: que caminho?*, Maputo, 1993, pp. 15 e ss.

Este mesmo autor descreve (*op. cit.*, p. 21) deste modo impressivo o período conturbado por que passou a Igreja Católica Moçambicana: "Porém, a mais bela demonstração da "novidade" que irrompeu nesta Igreja são os exemplos de *vida oferecida, os testemunhos de martírio*, as provações de toda a sorte assumidas por causa de Cristo e do Seu evangelho de paz e bem. Raptos, emboscadas, ataques, pilhagens, prisões ... e a própria morte, são o maior sinal da autenticidade do novo modo de ser Igreja e a melhor promessa da sua consolidação, pelo caminho ministerial".

IV

A RELEVÂNCIA CIVIL DO CASAMENTO CATÓLICO NO ACTUAL DIREITO DA FAMÍLIA MOÇAMBICANO

12. As fontes normativas pertinentes

I. A caracterização do sistema adoptado pelo Direito da Família Moçambicano neste momento vigente deve partir da prévia identificação das fontes normativas relevantes.

Como já tem sido frequente nas últimas décadas, numa tendência que se foi acentuando com o incremento do Estado Social de Direito, a localização destas fontes normativas deixou de pertencer unicamente aos códigos civis, para se alargar ao próprio texto constitucional[68] e até, nalguns Estados, mercê de circunstâncias particulares, à legislação extravagante.

Mais recentemente, fruto da crescente internacionalização dos ordenamentos jurídicos estaduais, é ainda possível encontrar disposições relativas ao casamento em textos de Direito Internacional.

É exactamente isso o que acontece com o Direito da Família Moçambicano, cujas fontes mais significativas – e que são também as que relevam no específico domínio em que nos encontramos – se repartem pela Constituição, pelo Código Civil, por alguma legislação extravagante[69] e por textos de Direito Internacional.

---

[68] Sobre a constitucionalização do Direito da Família, v. ANTUNES VARELA, *op. cit.*, I, pp. 153 e 154.

[69] Exactamente o mesmo fenómeno de descodificação e de constitucionalização do Direito da Família ocorre em Portugal, no qual a respectiva disciplina se reparte por vários preceitos da Constituição de 1976, pelo Livro IV do Código Civil de 1966 e por legislação extravagante, sem esquecer ainda o Direito Canónico.

Sobre as fontes do Direito da Família Português, v. PEREIRA COELHO, *op. cit.*, I, pp. 85 e ss.; JOÃO DE CASTRO MENDES e MIGUEL TEIXEIRA DE SOUSA, *op. cit.*, pp. 29 e ss.

A Relevância Civil do Casamento Católico no Direito Moçambicano da Família   93

II. Ao nível constitucional, deparamos com dois importantes preceitos, integrados no capítulo IV do título I da Constituição de 1990, reservado à organização económica e social, que estabelecem duas orientações básicas em matéria de casamento.

Por um lado, garante-se a instituição matrimonial, ligando-a à família, definida previamente como a célula base da sociedade, e afirma-se que o "Estado reconhece e protege, nos termos da lei, o casamento como instituição que garante a prossecução dos objectivos da família"[70].

Por outro lado, eleva-se ao estalão constitucional a necessidade da liberdade do consentimento no acto de casamento, ao dizer-se que no "quadro do desenvolvimento de relações sociais assentes no respeito pela dignidade da pessoa humana, o Estado consagra o princípio de que o casamento se baseia no livre consentimento"[71].

III. No que respeita ao Código Civil Moçambicano, a única alteração expressa a registar é a da introdução da possibilidade da dissolução do casamento civil por divórcio não litigioso, modificando-se simultaneamente algumas das normas do regime do divórcio litigioso[72].

No resto, e na matéria que nos ocupa, a caducidade das várias normas do Código Civil que reconheciam eficácia civil ao casamento católico manteve-se.

IV. No plano internacional, o texto emblemático da protecção dos direitos do homem – e que marcou a viragem decisiva para a respectiva internacionalização – é a Declaração Universal dos Direitos do Homem, aprovada pela Assembleia Geral das Nações Unidas[73] pouco depois do termo da II Guerra Mundial, e ainda no rescaldo dos inúmeros atropelos cometidos pelas ditaduras envolvidas nesse conflito. Nela se dispõe que a "partir da idade núbil, o homem e a mulher têm o direito de casar e de constituir família, sem restrição alguma de raça, nacionalidade ou religião"[74], dizendo-se ainda que o "casamento não pode ser celebrado sem o livre e pleno consentimento dos futuros esposos"[75].

---

[70] Art. 55.°, n.° 2, da Constituição de 1990.
[71] Art. 55.°, n.° 3, da Constituição de 1990.
[72] Trata-se da Lei n.° 8/92, de 6 de Maio.
[73] Texto aprovado em 10 de Dezembro de 1948.
[74] Art. 16.°, n.° 1, da Declaração Universal dos Direitos do Homem.
[75] Art. 16.°, n.° 2, da Declaração Universal dos Direitos do Homem.

94 Estudos de Direito Público de Língua Portuguesa

Mas o texto internacional ao qual o Estado Moçambicano manifestaria a sua vinculação, através da respectiva ratificação, é o Pacto Internacional de Direitos Civis e Políticos[76], aprovado em 1966 e destinado, juntamente com o Pacto Internacional de Direitos Económicos, Sociais e Culturais, à pormenorização e vinculação contratual dos Estados da comunidade internacional. Nele se estabelece que o "direito de se casar e de fundar uma família é reconhecido ao homem e à mulher a partir da idade núbil"[77], acrescentando-se que nenhum "casamento pode ser concluído sem o livre e pleno consentimento dos esposos"[78]. Estas duas disposições são antecedidas por um preceito genérico referente à família, no qual se declara que a "família é o elemento natural e fundamental da sociedade e tem direito à protecção da sociedade e do Estado"[79].

13. Posição defendida

I. Perante a manutenção da legislação ordinária em matéria de casamento civil, a remontar ao período que marcou a evolução destas fontes entre 1975 e 1990, tem-se considerado que o sistema matrimonial actualmente em vigor na República de Moçambique se conserve, do mesmo modo, qualificável como correspondente ao modelo de irrelevância civil, em que o casamento católico e o casamento civil são regulados por ordenamentos jurídicos distintos, sem qualquer comunicação entre si.

Esta é a posição que a doutrina juscivilista tem manifestado implicitamente, sendo também essa a opinião da jurisprudência, em que não se conhece qualquer evolução. A própria prática da celebração separada do casamento católico e do casamento civil pelos nubentes e pelas instituições religiosas e civis que assistem ao acto comprova a inalteração deste posicionamento.

Assim se concluiria que, afinal, o período balizado pelo começo da vigência da nova Constituição Moçambicana nunca teria justificado a sua separação do período iniciado em 1975. As novas disposições constitucionais, em si mesmo muito próximas das disposições constitucionais anterio-

---

[76] Que foi ratificado pela Resolução n.º 5/91, de 12 de Dezembro, da Assembleia da República.

[77] Art. 23.º, n.º 2, do Pacto Internacional de Direitos Civis e Políticos.

[78] Art. 23.º, n.º 3, do Pacto Internacional de Direitos Civis e Políticos.

[79] Art. 23.º, n.º 1, do Pacto Internacional de Direitos Civis e Políticos.

res, não destoariam muito do mesmo espírito em que estava imbuída a Constituição Moçambicana de 1975.

II. Por nós, não temos assim tanta certeza de que, de acordo com o novo texto constitucional, se tivesse pretendido conservar o regime matrimonial existente até então. É que, na formulação dos actuais preceitos constitucionais, há indicadores seguros de que se quis abandonar uma atitude de oposição, por parte do Estado, ao acto de casamento católico.

A referência mais desenvolvida ao instituto do casamento que se encontra no texto constitucional mostra um cristalino propósito salientar o casamento como acto jurídico, de acordo com a liberdade que os nubentes têm para o praticar.

Os preceitos normativos que podemos observar no Pacto Internacional de Direitos Civis e Políticos apontam para a necessidade de haver, em matéria de casamento, o devido reconhecimento pelo Estado do casamento religioso celebrado entre os respectivos cidadãos.

III. Essa diferente atitude que se verifica relativamente ao fenómeno religioso em Moçambique é também confirmada no plano mais amplo das relações entre Estado e Igreja, a atestar pela observação das fontes constitucionais e infra-constitucionais pertinentes.

Do ponto de vista constitucional, embora se continue a proclamar que a "República de Moçambique é um Estado laico"[80] e que a "acção das instituições religiosas conforma-se com as leis do Estado"[81], inova substancialmente no ordenamento jusconstitucional ao já não falar-se na separação absoluta entre Estado e confissões religiosas, num sinal seguro de que já não se deseja manter o assento tónico numa visão laicista das relações entre o Estado e a Igreja. Não se esqueça, por outro lado, que à mera garantia da "liberdade de praticar ou de não praticar uma religião"[82], se adita a ideia de que o "Estado valoriza as actividades das confissões religiosas visando promover um clima de entendimento e tolerância social e o reforço da unidade nacional"[83].

---

[80] Art. 9.º, n.º 1, da Constituição de 1990.

[81] Art. 9.º, n.º 2, da Constituição de 1990.

[82] Art. 78.º, n.º 1, da Constituição de 1990, de redacção idêntica ao preceito congénere da Constituição de 1975.

[83] Art. 9.º, n.º 3, da Constituição de 1990.

96 Estudos de Direito Público de Língua Portuguesa

Do ponto de vista infraconstitucional, o PIDCP adopta, do mesmo modo, posição largamente favorável a uma ampla liberdade religiosa[84], através de um preceito em que se afirma que "Toda e qualquer pessoa tem direito à liberdade de pensamento, de consciência e de religião; este direito implica a liberdade de ter ou de adoptar uma religião ou uma convicção da sua escolha, bem como a liberdade de manifestar a sua religião ou a sua convicção, individualmente ou conjuntamente com outros, tanto em público como em privado, pelo culto, o cumprimento dos ritos, as práticas e o ensino"[85].

O sentido normativo que retiramos destes preceitos constitucionais e infra-constitucionais impele-nos para pensar que se abandonou a visão do Estado Moçambicano como um Estado laicista, em que o poder político quer abafar as diferentes manifestações religiosas, substituindo-a por uma concepção de Estado laico, com separação entre o Estado e a Igreja[86], mas sem nunca tomar uma posição anti-religiosa. A despeito do Estado não ter religião e de as actividades religiosas se apresentarem como apartadas das actividades do poder político, este não as hostiliza e até admite formas de colaboração.

14. Posição adoptada

I. Em face das alterações normativas que registámos, impõe-se tomar posição quanto ao sistema matrimonial que o actual Direito da Família Moçambicano consagra.

Trata-se de saber, em primeiro lugar, qual o sistema adoptado no lugar do modelo da irrelevância civil, que parece ter sido abandonado, para que depois se esclareça qual a modalidade concreta em que o mesmo se concretiza.

---

[84] Numa formulação muito próxima, aliás, da que se lê no art. 18.º da Declaração Universal dos Direitos do Homem: "Toda a pessoa tem direito à liberdade de pensamento, de consciência e de religião; este direito implica a liberdade de mudar de religião ou de convicção, assim como a liberdade de manifestar a religião ou convicção, sozinho ou em comum, tanto em público como em privado, pelo ensino, pela prática, pelo culto e pelos ritos".

[85] Art. 18.º, n.º 1, do Pacto Internacional de Direitos Civis e Políticos.

[86] Sobre as relações entre o poder político e o fenómeno religioso de acordo com o conceito de Estado laico, v. JORGE MIRANDA, *Manual de Direito* Constitucional, IV, 2ª ed., Coimbra, 1993, pp. 356 e ss.

A *Relevância Civil do Casamento Católico no Direito Moçambicano da Família*   97

II. É nossa convicção que se pretendeu criar um sistema de relevância civil do casamento católico, que passa a ter, portanto, eficácia civil. Depõe nesse sentido, em primeira linha, a nova concepção das relações entre o Estado e as confissões religiosas, relativamente às quais o Estado se obriga a conferir, no plano jurídico, a devida valorização nas actividades que essas confissões religiosas desempenham. E um desses aspectos é, sem dúvida, o do casamento, acto que assume a máxima relevância enquanto união perpétua entre duas pessoas de sexo diferente e que condiciona o seu estatuto social. Pode mesmo ler-se na Constituição de 1990 que "as confissões religiosas gozam do direito de prosseguir livremente os seus fins religiosos, possuir e adquirir bens para a materialização dos seus objectivos"[87].

Depois, a associação, no plano constitucional, do casamento à prossecução dos objectivos da família, numa claríssima semelhança com o que acontece com o casamento católico, como pudemos observar aquando do estatuto da sua definição, mostra que a lei civil coincide com a estrutura do casamento católico, não lhe sendo, por isso, impossível conferir relevância jurídica.

III. Mas, como se sabe, a concretização do modelo da relevância civil do casamento católico efectiva-se pela implantação de três submodelos abstractamente idealizáveis e que já tivemos ocasião de descrever. Pergunta-se por que submodelo terá optado a Constituição Moçambicana.

Recordando as objecções que dirigimos aos submodelos da relevância civil formal e exclusiva, é evidente que o reconhecimento da eficácia civil do casamento católico se deve fazer nos termos do submodelo da relevância civil plena. Aquele primeiro nunca satisfaria as reivindicações que o Direito Canónico formula no sentido da cabal aceitação do casamento católico como instituto regulado, nos seus traços essenciais, pelo Direito religioso. O outro deparar-se-ia com o obstáculo inexpugnável da violação da liberdade religiosa.

IV. A implantação deste sistema de relevância civil do casamento católico não se encontra, porém, acabada, porquanto apenas se possui o alicerce constitucional, faltando o restante. A imposição constitucional é dirigida num certo sentido, mas importa que o legislador ordinário lhe dê execução, através das competentes normas jusfamiliares.

---

[87] Art. 78.º, n.º 2, da Constituição de 1990.

98 Estudos de Direito Público de Língua Portuguesa

Porém, aqui verificamos um enorme desfasamento entre o sentido do texto constitucional e o texto legal do Código Civil: enquanto que o primeiro aponta no caminho da eficácia civil plena, o outro, fiel ao sistema anteriormente adoptado, corporiza as orientações inerentes à, pelo menos, irrelevância civil do casamento católico. Como superar então esta contradição entre a fonte constitucional e a fonte legal?

Uma resposta mais superficial consideraria este problema como facilmente solúvel pela via da posição hierárquica relativa ocupada pelas normas constitucionais e legais no ordenamento jurídico. Funcionando o princípio da constitucionalidade[88], as normas da Constituição prevaleceriam sempre sobre as normas ordinárias e, portanto, estas apenas tinham que se conformar com aquelas, quer fosse através de caducidade, por inconstitucionalidade superveniente, quer fosse através do necessário preenchimento de lacunas em zonas carecedoras de regulação legal.

Outra possibilidade já mais complexa seria a de considerar que da mudança de orientação ao nível constitucional resultaria necessariamente a caducidade das normas familiares que não atribuíssem significado ao casamento católico e a revigência das normas por ela caducadas em 1975, através de um fenómeno de repristinação.

Contudo, nenhuma delas nos convence e a nossa opinião defende a ideia de que a definição constitucional do modelo matrimonial pressupõe, como se pode ler no próprio preceito constitucional, a intervenção da lei, na medida em que o casamento como instituição é reconhecido e protegido "nos termos da lei"[89]. Temos, portanto, aqui uma omissão legislativa quanto à execução do sistema constitucionalmente perfilhado que só poderá ser colmatada pela actuação do legislador infraconstitucional no reconhecimento da relevância civil do casamento católico.

V. Por aqui se conclui que o Direito da Família Moçambicano, pelo menos na parte do casamento e concretamente na relevância civil do casamento católico, se encontra num crucial momento de viragem histórica, pontificada pela necessidade de uma reforma legislativa que adeque as fontes normativas infra-constitucionais existentes à plena realização dos imperativos constitucionais.

Mas o que é certo é que essa reforma tem tardado, o que só tem vindo a acentuar algumas disfunções na aplicação do Direito da Família. A incer-

---

[88] Cfr. art. 200.º da Constituição de 1990.
[89] Art. 55.º, n.º 2, 2ª parte, da Constituição de 1990.

teza e a insegurança das relações jurídicas em matéria familiar é muitíssimo grande, pois que ao lado de normas legais, relativamente às quais não se sabe ao certo a extensão da respectiva inconstitucionalidade, existe toda uma prática determinada superiormente do ponto de vista administrativo. Tem-se também corrido o risco de se conferir demasiado poder ao aparelho judiciário, a quem compete aplicar a lei, em certos casos criativamente, mas não tomar opções políticas de fundo, como por vezes acaba por suceder, em face da total ausência de orientações legislativas.

Esse atraso tem-se justificado, em primeiro lugar, pelo tecnicismo que esta reforma exige, numa altura em que os estudos jurídicos ainda se encontram numa fase de lançamento, e após um longo período de reorganização das estruturas jurídicas nacionais motivada pela independência política. Tem-se falado igualmente na diversidade sociológica que se vive no país em matéria de casamento, não apenas no plano do casamento tradicional como também no plano do casamento religioso, com a existência de numerosas confissões religiosas, protelando qualquer esforço legislativo que possibilite a elaboração de uma lei com pretensão de efectividade social em todas as regiões moçambicanas.

Mas estes obstáculos que se têm colocado à actividade reformista do Direito da Família Moçambicano não são, de modo algum, inultrapassáveis. Quanto ao tecnicismo que acompanharia essa reforma, nunca se pode ter a pretensão de fazer reformas perfeitas à primeira, mas apenas atingir um nível mínimo de qualidade, para que depois a sua execução vá dando sinais sobre o que deve ser corrigido. No que tange à diversidade sociológica, em parte o caminho está aberto pelo facto de a instituição do casamento, nos seus traços essenciais, ser definida em termos constitucionais, definição que permite avançar numa concepção de casamento marcada pelos valores da liberdade do consentimento – com o qual se inconstitucionalizam os casamentos forçados e herdados – e pela sua ligação à família, com as componentes da paternidade, da maternidade e da prole, bem como o igual estatuto da mulher face ao esposo – com os quais se inconstitucionalizam os casamentos que recusam a ideia de família, que alinham na poligamia ou poliandria ou que marginalizam a mulher para um papel secundário.

É, na verdade, agora o momento de se avançar com essa tão ambicionada reforma.

V

CONCLUSÕES

15. Quanto à Parte II

a) sendo o casamento um acto que simultaneamente interessa ao Estado e à Igreja Católica, surgem dois ordenamentos jurídicos com regimes específicos nesta matéria, o que leva à necessidade de se gizar um quadro com os vários modelos possíveis, devendo a classificação que distingue entre os sistemas do casamento civil obrigatório, facultativo e subsidiário ser substituída pela classificação que separa os modelos da proscrição civil, da irrelevância civil e da relevância civil do casamento católico, que é baseada nas três relações – de conflito, de indiferença e de reconhecimento – que podem estabelecer-se entre ordenamentos jurídicos diferenciados;

b) o modelo da proscrição civil consubstancia-se na proibição da realização do casamento católico como acto religioso ou do reconhecimento do respectivo estatuto, aliando-se normalmente a Estados totalitários de matriz soviética, Estados islâmicos ou Estados laicistas;

c) o modelo da irrelevância civil implica que o casamento católico, de realização livre, não tenha quaisquer efeitos civis, numa separação absoluta entre o Direito Civil e o Direito Canónico;

d) o modelo da relevância civil, que traduz a eficácia no Direito Civil do casamento católico com o respectivo título religioso, pode desdobrar-se nos submodelos da relevância formal – em que apenas se aceita o acto e não outros aspectos de regime – da relevância plena – pelo qual se reconhece a globalidade do instituto – e da relevância exclusiva – no qual o Direito Civil se subordina aos ditames do casamento católico quanto ao universo das pessoas que lhe estão submetidas.

A Relevância Civil do Casamento Católico no Direito Moçambicano da Família 101

16. Quanto à Parte III

a) a evolução histórica da relevância civil do casamento católico em Moçambique é susceptível de repartir-se por uma pré-história, que abrange os três primeiros períodos, de 1867 a 1910, de 1910 a 1940 e de 1940 a 1975, e uma história propriamente dita, de 1975 a 1990;

b) o primeiro período define-se pela vigência da versão inicial do Código Civil de 1867, que nas suas várias disposições, embora aparentemente se tivesse orientado por um sistema próximo do da relevância civil exclusiva, na realidade consagrou um sistema de relevância civil plena, na modalidade mitigada;

c) o segundo período é balizado pela elaboração da legislação republicana revolucionária de 1910 e pelo Código do Registo Civil de 1911, que introduziram um sistema da proscrição civil do casamento católico, pela obrigatoriedade da celebração prévia do casamento civil, apesar da doutrina considerar estar-se perante um sistema correspondente ao modelo da irrelevância civil;

d) o terceiro período é marcado pela feitura da Concordata entre Portugal e a Santa Sé, de 1940, e mais tarde, pelo novo Código Civil de 1966, que adoptaram, de novo, o sistema da relevância civil plena do casamento católico, na modalidade mitigada;

e) o quarto período, caracterizado já pela primeira Constituição Moçambicana e pelas alterações que se lhe seguiram no Código Civil e no Código de Registo Civil, fontes que introduziram, novamente, o sistema da proscrição civil do casamento católico.

17. Quanto à Parte IV

a) o Direito da Família Moçambicano que actualmente vigora, fundado numa pluralidade de fontes normativas, constitucionais, legais e internacionais, apresenta algumas alterações importantes em comparação com o período precedente, sobretudo no plano constitucional, ao reconhecer-se mais amplamente a instituição matrimonial, e no plano internacional, com a vigência em Moçambique do Pacto Internacional de Direitos Civis e Políticos, que contém alusões expressas à necessidade da protecção do casamento;

b) a posição que tem sido implicitamente defendida pelos vários intervenientes em matéria de relevância civil do casamento católico indicia a manutenção da qualificação conferida ao sistema anterior, mas do nosso ponto de vista aspectos há que exigem a sua revisão, a começar logo com a atitude laica, mas não laicista, do Estado relativamente às confissões religiosas;

c) essa nova postura do Estado, aliada à ampla e efectiva liberdade religiosa defendida, aponta para a adopção de um sistema correspondente ao modelo de relevância civil do casamento católico, na modalidade da relevância plena, embora seja necessária ainda uma intervenção do legislador infraconstitucional, ao nível do Direito Familiar, para executar essas imposições constitucionais.

D) REFLEXÕES SOBRE A PRÓXIMA REVISÃO DA CONSTI-TUIÇÃO MOÇAMBICANA DE 1990[1]

SUMÁRIO:

1. A primeira grande revisão da Constituição de 1990
2. Dos projectos partidários ao debate nacional, passando pelo anteprojecto de carácter global
3. Problemas procedimentais relativos ao esquema de aprovação das alterações constitucionais
4. Aspectos de sistematização legislativa
5. Preâmbulo
6. Princípios fundamentais
7. Nacionalidade
8. Direitos, deveres e liberdades fundamentais
9. Organização económica, social, financeira e fiscal
10. Organização do poder político – aspectos gerais, o estatuto da Assembleia da República e o sistema de governo
11. Tribunais
12. Revisão da Constituição

---

[1] Publicado na *Revista da Faculdade de Direito da Universidade de Lisboa*, XXXIX, n.º 2 de 1998, pp. 709 e ss.

1. A primeira grande revisão da Constituição de 1990

I. Com a realização das eleições livres de 1994, para o Presidente da República e para os Deputados à Assembleia da República, completou-se em Moçambique um processo árduo e complexo de democratização das instituições políticas.

O primeiro passo tivera sido dado com a aprovação, por processo de revisão constitucional, da nova Constituição de 1990, consagrando um Estado de Direito e colocando termo a um regime político de inspiração no modelo soviético[2]. O novo texto constitucional estabelece as fundamentais estruturas da democracia, da separação de poderes, da liberdade política e da consagração efectiva dos direitos fundamentais[3].

Depois disso, outro momento não menos significativo viria a ser a assinatura do Acordo Geral de Paz, em Roma, que permitiu cessar a guerra civil, lançando as bases da concretização da democracia através de eleições, pondo em prática as novas opções político-constitucionais, que assim puderam fazer parte da realidade constitucional do quotidiano dos moçambicanos[4]. As condições de paz propiciadas por este documento possibilitaram, por outro lado, a efectivação de importantes objectivos de política económica e social, bem como de institucionalização da administração no território nacional.

II. Mas o texto da Constituição de 1990, por entre estas diversas vicissitudes, não é hoje o que corresponde à sua versão primitiva, cum-

---

[2] Sobre os seus traços fundamentais, v., por todos, JOSÉ ÓSCAR MONTEIRO, *Power and Democracy*, Maputo, 1989, pp. 17 e ss.

[3] Relativamente às principais características do constitucionalismo moçambicano, numa análise comparatística igualmente englobando os sistemas constitucionais de língua portuguesa, v. JORGE BACELAR GOUVEIA, *As Constituições dos Estados Lusófonos*, Lisboa, 1993, pp. 5 e ss.; JORGE MIRANDA, *Os sistemas constitucionais do Brasil e dos Países Africanos de Língua Portuguesa*, in *Revista Luso-Africana de Direito*, I, Lisboa, 1997, pp. 153 e ss.

[4] Quanto a este texto, bem como outra legislação de incidência constitucional, consulte-se JORGE BACELAR GOUVEIA, *Legislação de Direito Constitucional*, Maputo, 1994, pp. 54 e ss.

Reflexões sobre a próxima Revisão da Constituição Moçambicana de 1990   105

prindo evidenciar as três revisões que já sofreu, nestes nove anos que tem de vida, de algum modo comprovando a sua ductilidade por alusão a esses vários momentos de construção da democracia.

As duas primeiras revisões, aprovadas, respectivamente, pelas Leis n.° 11/92, de 8 de Outubro, e n.° 12/92, de 9 de Outubro, surgiram na sequência da assinatura do Acordo Geral de Paz. As alterações que se fizeram circunscreveram-se ao regime de candidatura dos órgãos de soberania electivos, bem como ao sistema eleitoral a adoptar, ao mesmo tempo que se congelaria o poder revisão até à realização das primeiras eleições multipartidárias.

A terceira revisão teve lugar há bem pouco tempo, tendo sido aprovada pela Lei n.° 9/96, de 22 de Novembro. Desta feita, os esforços do legislador constitucional concentraram-se na clarificação do sistema de poder local já originariamente criado pela Constituição, com a concepção de dois tipos de autarquias locais, e claramente o diferenciando do sistema de administração estadual desconcentrada, no essencial protagonizado pelos governadores provinciais.

III. Só que o momento que agora se vive, ao contrário do que sucedeu anteriormente para cada uma destas três revisões constitucionais, todas elas a seu modo "revisões pontuais" da Constituição, aconselha a que se faça uma "revisão profunda" da Constituição, que possa abarcar os seus principais núcleos regulativos.

Surgida ainda num contexto político de monismo político-partidário, e não tendo sido depois substancialmente revista aquando da assinatura do Acordo Geral de Paz, o actual texto da Constituição não teve ainda a oportunidade de sofrer uma reflexão global, à luz da experiência já alcançada com cinco anos de regime democrático e pluralista.

Não sendo um período suficientemente longo para provar o funcionamento das instituições jurídico-constitucionais, é simultaneamente um tempo que se esgota se não se fizer a afinação dos instrumentos político-democráticos existentes.

É por isso que a próxima revisão da Constituição Moçambicana não só se afigura como necessariamente extensa como também se apresenta uma tarefa urgente, de acordo com os actuais circunstancialismos de Moçambique. Justifica-se dizer que a revisão constitucional que se aproxima é, no fim de contas, a primeira grande revisão da Constituição Moçambicana de 1990[5].

---

[5] Quanto a algumas das suas principais opções, v. JORGE BACELAR GOUVEIA, *A próxima revisão constitucional*, in *Notícias*, Maputo, de 5 de Abril de 1995, p. 2.

2. Dos projectos partidários ao debate nacional, passando pelo anteprojecto de carácter global

I. A importância que obviamente esta quarta revisão da Constituição Moçambicana possui não podia deixar de refranger-se no modo como se tem nela trabalhado, desde a abertura do respectivo procedimento até ao actual momento em que somos chamados a dar a nossa opinião.

Estamos em crer que alguns aspectos podem facilmente assinalar esse facto, todos eles se direccionando para o cuidado que se tem posto na discussão dos assuntos constitucionais:

a) a criação de uma comissão *ad hoc* para a revisão constitucional;
b) o teor dos projectos de revisão constitucional apresentados pelos partidos;
c) o esforço de compatibilização das propostas num anteprojecto global único;
d) o debate aberto à sociedade civil e a especialistas.

II. Em primeiro lugar, é de frisar a preocupação de, no Parlamento, com vista a conseguir-se uma sua elaboração mais cuidada, se ter constituído uma comissão parlamentar *ad hoc*, com o propósito de estudar a revisão da Constituição.

Todas as razões que justificam a criação de comissões especializadas se encontram também presentes na criação da comissão *ad hoc* da revisão constitucional, cumprindo salientar estas duas:

– um reduzido número de membros, para permitir um trabalho mais eficaz, resultado que é sempre difícil de atingir havendo um grande número de intervenientes;
– uma maior concentração de Deputados especializados nas matérias de natureza jurídico-constitucional, para facultar um trabalho de maior qualidade, sendo certo que se trata de uma questão de elevada coloração técnica.

III. Essa relevância é também testemunhada pelos diversos projectos que foram apresentados pelos partidos políticos com assento parlamentar:

– o projecto da Frente de Libertação de Moçambique;
– o projecto da Resistência Nacional Moçambicana;
– o projecto da União Democrática.

Da sua apreciação global, retira-se a opinião de que não se trata de um conjunto de propostas surgidas num momento ocasional da vida política destes partidos porque, em geral, correspondem a uma reflexão serena acerca da questão constitucional moçambicana. A extensão dos artigos a rever não é apenas numérica e exprime, em grande medida, propostas específicas de regulação do poder político.

É também perceptível que muitas dessas propostas se encontram bem cimentadas na consciência político-cívica de Moçambique, pouco devendo a soluções importadas, as quais, em muitos casos, não possibilitam resolver problemas concretos de cada realidade constitucional.

Para as soluções contidas nessas propostas, julga-se ainda vislumbrar que muito contribuiu a experiência de cada um dos proponentes, devidamente filtrada pelo distanciamento perante os acontecimentos, mas nem por isso deixando perder esta boa oportunidade de aproximar o sistema constitucional às preocupações da prática política.

IV. O elevado número de propostas efectuadas a respeito da revisão da Constituição não dificultou o trabalho, feito posteriormente, de elaboração de um anteprojecto de revisão constitucional, esse documento mostrando o grande empenho, por parte dos respectivos autores, de se atingir um acordo em muitas das respectivas matérias.

Em termos procedimentais, este foi um primeiro esforço de consensualização das divergências resultantes da comparação das propostas apresentadas, o qual permitiu admitir muitas delas – estamos em crer que, sem fazer um afirmação numericamente rigorosa, a sua larga maioria – em dois sentidos:

- por um lado, com a consagração de disposições de que o texto constitucional, do ponto de vista técnico, bem carecia, com isso se aperfeiçoando o respectivo articulado, como sucedeu em matéria de direitos fundamentais e em matéria do regime da revisão constitucional;
- por outro lado, com a consagração de novos institutos e novas soluções, porventura mais relevantes no plano das opções políticas, mas em que se registaram facilmente os necessários acordos, independentemente da autoria das propostas provir de determinada formação partidária, como sucedeu com o Conselho de Estado, o Provedor de Justiça ou o Tribunal Constitucional.

Evidentemente que no anteprojecto de revisão da Constituição não foi possível chegar a um acordo total de revisão constitucional e, no mesmo, foram assinalados os dissensos havidos, que depois de analisados são em pequeno número. Note-se, no entanto, que teria sido mais útil que a respectiva indicação fosse acompanhada da autoria de cada proposta divergente, incluindo a reprodução da disposição constitucional, em cada projecto, considerada dissonante.

V. No momento em que nos é solicitada esta opinião, vive-se um período de debate nacional a propósito das muitas soluções acordadas e de algumas propostas apresentadas no anteprojecto de revisão constitucional. Este é um debate que se assume pertinente em duas fases – numa primeira, centrado na cidade de Maputo e, mais tarde, estendendo-se às diversas províncias – e através do qual se pretende uma genérica auscultação da sociedade civil, colhendo os seus contributos no sentido da elaboração de uma lei de revisão constitucional.

Pode para alguns parecer estranho que, numa questão deste teor, se proceda a um debate de nível nacional, aberto a todas as pessoas, independentemente da sua qualidade profissional, a esmagadora maioria não sendo naturalmente jurista e muito menos constitucionalista. É que se duvidaria das vantagens de receber esses subsídios, sendo certo que se trata de uma questão acentuadamente técnica, reservada a poucos cultores do Direito.

É claro que esta visão "iniciática" do Direito Constitucional, nos dias de hoje, se encontra completamente ultrapassada e este debate nacional vem precisamente demonstrar que isso é mesmo verdade. Não se pode com certeza esperar que dele surjam soluções tecnicamente apuradas, nem foi para isso que ele foi pensado. O seu objectivo é antes perceber, da perspectiva dos redactores da lei de revisão, o sentir dos cidadãos acerca das questões nacionais que politicamente mais lhes dizem respeito.

Essa é a concepção que está de harmonia com a função que se deve atribuir às Constituições neste final de século XX: plataformas de entendimento colectivo, a respeito das grandes questões que unificam as sociedades políticas. E por aquilo que já se pôde ver, essa aposta já está ganha, com a elevada qualidade das intervenções que tiveram lugar na primeira fase do debate nacional.

3. Problemas procedimentais relativos ao esquema de aprovação das alterações constitucionais

I. O legislador constitucional, ao decidir elaborar, no fim do debate público, a lei de revisão constitucional, vai ser ainda confrontado com um último problema, acentuadamente complexo: o do regime de aprovação da revisão constitucional, de acordo com os parâmetros que, sobre esta matéria, se encontram traçados na versão da Constituição de 1990 que neste momento ainda vigora.

É que o texto constitucional moçambicano oferece dois diferentes regimes, um mais agravado do que o outro, para a aprovação de alterações à Constituição. São, em todo o caso, ambas modalidades de rigidez constitucional, na medida em que essas alterações se fazem de um modo menos fácil comparativamente ao regime aplicável para a aprovação das leis infra--constitucionais[6].

O regime menos rígido – que poderíamos designar por "revisão menor" da Constituição – assenta na escassa importância material dessas alterações, não pondo elas em causa a estrutura fundamental da Constituição. Assim sendo, permite-se que a sua aprovação seja feita apenas por intervenção da Assembleia da República, embora se exija uma deliberação por maioria de dois terços dos Deputados em efectividade de funções.

O regime mais rígido – que apelidaríamos de "revisão maior" da Constituição – implica que se pretenda inserir no texto constitucional alterações de teor substancial, quer no sistema de direitos fundamentais, quer no sistema político. A consequência prática dessas alterações é a necessidade de, após a intervenção parlamentar, a lei de revisão constitucional aprovada ser submetida a referendo nacional, com a participação de todos os cidadãos moçambicanos com capacidade eleitoral activa.

II. Perante a descrição destas duas possibilidades, quanto ao regime de revisão constitucional, logicamente se pergunta: em qual deles se insere a lei de revisão constitucional que será apresentada, tendo em conta o teor das alterações já conhecidas e que foram insertas no anteprojecto de revisão constitucional?

Ainda que na aparência esse projecto implique a revisão da esmagadora maioria dos preceitos constitucionais, não hesitamos em responder

---

6 Quanto à sua configuração mais desenvolvida, v. JORGE BACELAR GOUVEIA, *O princípio democrático no novo Direito Constitucional Moçambicano*, in *Revista da Faculdade de Direito da Universidade de Lisboa*, XXXVI, 1995, n.º 2, pp. 478 e 479.

que se trata de um conjunto de modificações ao texto constitucional que unicamente carece de uma intervenção parlamentar, não se sujeitando, por isso, à imposição da aprovação por referendo nacional. Tudo gira em torno da adequação das modificações propostas ao conceito de "alteração fundamental" que o texto constitucional utiliza no seu artigo 199, n.º 1.

Não cremos que qualquer um dos projectos constitucionais conduza a essa «alteração fundamental». Do que se trata é, as mais das vezes, de meras alterações na redacção dos artigos, na sistematização do texto constitucional ou no acrescento de disposições que se integram no espírito geral do texto constitucional originário, colmatando lacunas existentes, quer de nível técnico, quer de tom mais político. E quando estão em discussão opções políticas de maior envergadura, porque também as há, elas não bolem com a estruturação essencial do sistema constitucional.

III. Para que se tratasse de uma revisão constitucional submetida ao esquema mais agravado do referendo nacional, haveria necessidade de modificar os vectores fundamentais que caracterizam o Direito Constitucional Moçambicano, de que damos a seguinte exemplificação:

- na *forma institucional de governo*, mudar de república para monarquia;
- na *forma política de governo*, mudar de democracia para ditadura;
- na *forma de Estado*, mudar de Estado unitário para Estado composto;
- nos *direitos fundamentais*, mudar de uma concepção personalista, fundada na pessoa humana, para uma concepção fascista ou marxista.

Ora, como facilmente se percebe, nada disso está em causa em qualquer dos projectos partidários ou sequer no anteprojecto de revisão da Constituição Moçambicana. Mesmo nas intervenções ocorridas no debate aberto à sociedade civil, no qual, por natureza, as opiniões se apresentam sempre como sendo mais espontâneas, jamais foram postos em causa estes pilares da ideia de Direito que insufla a Constituição de Moçambique.

4. Aspectos de sistematização legislativa

I. A matéria da sistematização do texto constitucional, até por este ser a lei fundamental de qualquer ordem jurídica, atrai sempre uma atenção muito especial, evitando-se nela cometer lapsos que possam comprometer uma boa arrumação das matérias – dificultando a consulta de um texto que deve ser conhecido de todos – ou que impliquem negativos resultados no plano da interpretação jurídica – não facilitando, ou até comprometendo, a escorreita expressão da vontade do legislador.

De um modo geral, a apresentação das matérias, como tem sido tradição desde o século XIX, agrupa-se em torno de cinco grandes blocos, a saber:

(i) *princípios fundamentais* – em que se alude à caracterização do Estado, nos seus traços fundamentais, quanto ao território, população, poder político, forma institucional de governo, forma de governo e relação entre o Estado e as confissões religiosas;

(ii) *direitos fundamentais* – nele se reservando espaço à consagração dos diversos tipos de direitos fundamentais, repartidos pelas classes de direitos fundamentais de teor liberal e de teor social, bem como dos aspectos ligados ao respectivo regime jurídico, como sejam as restrições, a vinculação dos poderes à sua eficácia ou a sua suspensão em estado de excepção, sem esquecer ainda os mecanismos destinados à respectiva tutela;

(iii) *organização económica* – nesta se condensando os princípios que caracterizam o sistema económico adoptado, através dos sectores de propriedade que se admitem, incluindo ainda os aspectos financeiros e fiscais do Estado;

(iv) *organização do poder público* – aqui se dando atenção ao regime aplicável aos órgãos de soberania do Estado, o modo da sua designação, a sua composição, bem como as respectivas competências, igualmente não se olvidando as estruturas infra-estaduais, como o poder local e os órgãos administrativos desconcentrados;

(v) *garantia da Constituição* – em que se regista a adopção de mecanismos de defesa da Constituição, seja perante ocorrências extraordinárias – o estado de excepção – seja perante a vida quotidiana do Estado – a fiscalização da constitucionalidade – seja ainda perante o próprio desejo de rever a lei fundamental – as regras que disciplinam o poder de revisão.

II. O que observamos no anteprojecto de revisão da Constituição de Moçambique?

Observamos que, diferentemente dessa orientação, se admite uma acentuada dispersão das matérias, sendo a categoria mais elevada a do título, consagrando-se quinze, mas sem que entre eles haja qualquer categoria superior que faça a respectiva conexão. A arrumação sistemática que se propõe no anteprojecto merece o reparo de não utilizar a categoria das cinco partes que enunciámos, dando assim mais consistência ao articulado constitucional, permitindo a sua mais fácil localização e interpretação.

Por conseguinte, é de propor o englobamento desses títulos naquelas cinco grandes partes da Constituição. E, dentro de cada título, há também opções que se nos afiguram muito discutíveis, com quatro possibilidades: (i) matérias que não merecem a alusão em título; (ii) matérias que mereceriam estar noutro lugar; (iii) matérias que deveriam ter essa categoria e não têm; e (iv) matérias que deveriam ser cindidas ou fundidas.

No tocante aos princípios fundamentais, que podem integrar a Parte I, nela pacificamente se integram as matérias referentes à definição da República, bem como a matéria da política externa e da nacionalidade. Mas nela também deve ser integrada a matéria do proposto título XIV, atinente aos símbolos, moeda e capital da República.

Relativamente aos direitos fundamentais, que se candidata à Parte II, não nos merecem objecções especiais as matérias que se integram no proposto título III. O capítulo II e o capítulo III, respectivamente referentes aos "Direitos, deveres e liberdades" e aos "Direitos, liberdades e garantias individuais", acabam por versar, em larga medida, matérias que se sobrepõem – os direitos fundamentais de natureza pessoal – e, desse modo, é de propor a sua fusão numa mesma divisão, com essa mesma designação.

Em termos de distribuição dos preceitos que dizem respeito ao poder político, quer parecer-nos que todos títulos e capítulos que se seguem à organização económica e social devem integrar-se nesta eventual Parte IV da Constituição. Essa inserção numa parte da Constituição permitiria o «descongestionamento» do proposto título XI, que trata de quatro temas completamente distintos, sendo justo fazer essa diferenciação no plano sistemático.

Quanto à garantia da Constituição, sendo a Parte V da Constituição, nada se objecta no tocante à integração nessa categoria das matérias relativas ao estado de excepção e à revisão constitucional. Contudo, igualmente pensamos que aí tem um lugar, como título autónomo, o regime do Tribunal Constitucional, órgão por excelência de fiscalização da constitucionalidade.

As disposições finais e transitórias, pela sua natureza acessória, não valem uma divisão sistemática autónoma, situando-se apenas como um conjunto avulso de preceitos no fim do articulado constitucional.

Reflexões sobre a próxima Revisão da Constituição Moçambicana de 1990   113

III. A nova sistematização que propomos vem a ser a seguinte, num conjunto que toma por base a anterior sistematização, nela havendo partes, títulos e capítulos:

PARTE I – PRINCÍPIOS FUNDAMENTAIS
    Título I – A República de Moçambique
    Título II – Política externa e Direito Internacional

PARTE II – DIREITOS, DEVERES E LIBERDADES FUNDAMENTAIS
    Título I – Princípios gerais
    Título II – Provedor de Justiça
    Título III – Direitos, liberdades e garantias individuais
    Título IV – Direitos, liberdades e garantias de participação Política
    Título V – Direitos e deveres económicos, sociais e culturais

PARTE III – ORGANIZAÇÃO ECONÓMICA, FINANCEIRA E FISCAL
    Título I – Princípios gerais
    Título II – Organização económica
    Título III – Organização social
    Título IV – Sistema financeiro e fiscal

PARTE IV – ORGANIZAÇÃO DO PODER POLÍTICO
    Título I – Princípios gerais
    Título II – Presidente da República
        Capítulo I – Estatuto e eleição
        Capítulo II – Competências
        Capítulo III – Conselho de Estado
    Título III – Assembleia da República
        Capítulo I – Estatuto e eleição
        Capítulo II – Competências
        Capítulo III – Organização e funcionamento
    Título IV – Governo
        Capítulo I – Definição e composição
        Capítulo II – Competências e responsabilidade
    Título V – Tribunais
        Capítulo I – Princípios gerais
        Capítulo II – Estatuto dos juízes
        Capítulo III – Organização dos tribunais
        Capítulo IV – Ministério Público

Título VI – Administração Pública
Título VII – Polícia
Título VIII – Defesa Nacional
Título IX – Órgãos Locais do Estado
Título X – Poder Local

PARTE V – GARANTIA DA CONSTITUIÇÃO
Título I – Estado de sítio e estado de emergência
Título II – Tribunal Constitucional
Título III – Revisão da Constituição

DISPOSIÇÕES FINAIS E TRANSITÓRIAS

5. Preâmbulo

I. A Constituição Moçambicana de 1990 contém um extenso preâmbulo, com cerca de duas páginas. Trata-se, contudo, de um preâmbulo de índole heterogénea, no qual é possível encontrar diversos aspectos relativos ao Direito Constitucional Moçambicano:

1) o momento da proclamação da independência de Moçambique, em 25 de Junho de 1975;
2) o papel do partido político FRELIMO na condução da luta armada contra o país colonizador, com a interpretação de que teve um papel fundamental nesse desenlace;
3) a descrição do teor da primeira Constituição, endereçando àquele partido uma função típica dos regimes de inspiração soviética, em que o partido, sendo único, assume um papel dirigente do Estado e da Sociedade;
4) a vaga alusão aos acontecimentos que determinaram, em 1990, a mudança de Constituição, esta lançando os caboucos da liberdade, do pluralismo político e da democracia.

No anteprojecto de revisão constitucional apresentado, não se encontram quaisquer alusões confirmatórias ou revogatórias do preâmbulo da Constituição Moçambicana. É de supor, perante esse silêncio, a vontade de deixar o preâmbulo intocável, dado que, fazendo parte da Constituição, a omissão da lei de revisão a seu respeito significa a sua manutenção.

II. Não cremos que, no contexto histórico-político actual de Moçambique, o preâmbulo deva manter-se tal como está. Indiscutivelmente que somos os primeiros a reconhecer o papel histórico-narrativo do preâmbulo, que recorda os circunstancialismos em que determinado texto constitucional nasceu. O caso português é, a este propósito, paradigmático, tendo-se mantido inalterável desde a versão primitiva, a despeito das múltiplas tentativas que se fizeram para a sua revisão.

Só que, por acção da Constituição Moçambicana de 1990, a situação em Moçambique é diversa e aconselha, na verdade, à revisão do preâmbulo. Por ser uma segunda Constituição – e não uma Constituição inicial de um Estado que se torna independente – não são tão determinantes as razões que impeliram o surgimento do primeiro texto constitucional, que assim ficou a pertencer ao passado.

Por outro lado, afigura-se problemático que, num mesmo preâmbulo, se faça apelo a um período histórico radicalmente diverso daquele em que se vive, misturando-se, num mesmo arrazoado, considerações e juízos de natureza pouco harmónica.

Em resumo: o preâmbulo deve ser revisto, aliviando as referências históricas ao momento da independência e sobressaindo os acontecimentos que permitiram, em 1990, a implantação do Estado de Direito e, em 1994, a concretização prática do regime democrático, através das eleições e do pluralismo ideológico e partidário.

III. Se é verdade que é do consenso político-parlamentar que depende a plausibilidade de uma versão do preâmbulo da Constituição que lhe possa ser aposta, não é menos verdade que não há, em rigor, do ponto de vista técnico-constitucional, qualquer obrigatoriedade para a sua adopção. Há muitos textos constitucionais que não têm preâmbulo e não é por isso que deixam de ser boas Constituições.

Segundo o que a Teoria do Direito Constitucional tem mostrado, nos textos constitucionais articulados que começam a seguir aos preâmbulos, estes unicamente assumem um papel interpretativo auxiliar, como elemento de cariz histórico-sistemático. Isto porque neles se vertem as preocupações e os objectivos que o legislador constitucional teve em mente quando decidiu fazer o novo texto constitucional.

Em alguns casos, porém, aos preâmbulos constitucionais é conferida uma função normativa autónoma, através dos mesmos se consagrando normas formalmente constitucionais. O caso do preâmbulo da Constituição Francesa de 1958, que acolhe o preâmbulo da Constituição predecessora de 1946, é bem disso um exemplo. Depois de larga polémica, a doutrina e a jurisprudência do Conselho Constitucional aceitaram conferir-lhe uma força constitucional autónoma, na medida em que, falecendo ao articulado constitucional francês a protecção de direitos fundamentais, só através daquele – porque se referia aos direitos consagrados na Declaração dos Direitos do Homem e do Cidadão, bem como a um conjunto de princípios e direitos de carácter sócio-económico – se poderia consagrar, na ordem constitucional francesa, uma tipologia de direitos fundamentais. Simplesmente, esta função do preâmbulo constitucional francês não se apresenta como uma hipótese doutrinalmente generalizável, presa que está das características peculiares que o articulado da Constituição Francesa de 1958 ostenta, esquecendo por completo a positivação de direitos fundamentais.

Assim como não parece ser de aceitar outra solução extrema, qual seja a de não conferir ao preâmbulo constitucional qualquer importância jurídica, degradando-o a texto político ou meramente histórico, se narrativo de certos acontecimentos. Sendo seguro que o preâmbulo acaba sempre por ser uma expressão do mesmo poder constituinte que segrega o articulado constitucional, é natural que se lhe possa atribuir um qualquer papel jurídico, que pode muito bem ser a de contributo interpretativo auxiliar.

6. Princípios fundamentais

I. A matéria inicial dos princípios fundamentais, sendo o pórtico enquadrador de todo o texto constitucional, oferece uma extrema importância para traçar, num grande conspecto, a matriz do texto constitucional moçambicano.

Há, desde logo, um conjunto de importantes inovações inseridas que nos merecem o maior dos aplausos, com elas se melhorando, sensivelmente, a Constituição:

- a especificação das várias parcelas que integram o território marítimo do Estado;
- a previsão expressa de mecanismos de incorporação do Direito Internacional na ordem jurídica moçambicana;
- a determinação da prevalência do Direito Internacional sobre o Direito Interno de nível infra-constitucional;
- a definição de uma política preferencial de alianças externas de

Moçambique com os Estados vizinhos, de língua portuguesa e de acolhimento de emigrantes moçambicanos.

Dois temas há, no entanto, que exigem uma análise mais detida, pela importância que suscitam, o que, aliás, amplamente se comprovaria no debate público que neste momento se estabelece: o do poder tradicional e o da relação entre o Estado e as religiões.

II. Relativamente ao primeiro, só *in extremis* ele viria a assumir uma relevância no procedimento de feitura do anteprojecto da lei de revisão constitucional. Na verdade, olhando para os diversos projectos apresentados, em vão neles deparamos com qualquer elemento que permita expressar a vontade de constitucionalizar o poder tradicional.

Em contrapartida, ainda que só obtendo uma escassa referência final no anteprojecto de revisão constitucional apresentado, este tema viria a ser aquele que mais polarizaria as atenções na primeira fase do debate nacional aberto à sociedade civil. Muitas foram as propostas apresentadas, globalmente contra e a favor dessa constitucionalização.

Do ponto de vista sistemático, é evidente que o lugar para a sua discussão se situa neste primeiro título, atinente à definição geral da República de Moçambique, em que naturalmente tem de pontificar, como aspecto que lhe é indispensável, o tipo de relação que o poder político estabelece com outros poderes, neste caso, com o poder tradicional.

Só que a discussão que se tem travado em torno deste problema esquece muitas vezes os limitados termos em que o mesmo se coloca, porquanto não está em causa substituir globalmente o sistema democrático por um sistema de raiz tradicional. A democracia deve funcionar nos moldes que se conhecem e a admissão desse poder, seja qual for a modalidade que ostenta, não pode colocar em perigo a expressão do princípio democrático, tal como ele se tem afirmado nos dois últimos séculos.

A ponderação do poder tradicional só tem sentido – e pensamos que tem sido esse o posicionamento da maioria das pessoas que se têm pronunciado sobre este assunto – na perspectiva da sua colaboração com o poder político democrático, jamais o substituindo, e numa escala claramente limitada ao poder político autárquico, sobretudo o de natureza mais rural e não tanto de raiz urbana.

Do nosso ponto de vista, sem prejuízo de um maior estudo desta matéria, que se apresenta assaz delicada, estamos em crer que essa constitucionalização se afigura interessante e viável, concorrendo para suportar tal conclusão três razões que aparecem, neste contexto, com toda a pertinência:

- uma razão de ordem *política* – o enquadramento do poder tradicional no desempenho de funções públicas, enquanto específica manifestação de poder social, assume-se como um aprofundamento da própria democracia, ao aceitar-se que esta diferente expressão da vontade popular possa desempenhar um papel na organização político-social, sendo não apenas admitida como inclusivamente aproveitada;
- uma razão de ordem *cultural* – sendo o poder tradicional uma das especificidades étnico-culturais do continente africano, o seu não aproveitamento, no plano do texto constitucional, pode não espelhar convenientemente o esforço de construir uma democracia "à africana", que possa juntar aos elementos comuns e universais, sobretudo criados na Europa e na América, elementos singulares, deste modo traduzindo uma verdadeira preocupação por fazer dos textos constitucionais textos "culturalmente situados";
- uma razão de ordem *prática* – a admissão do poder tradicional nem sequer seria, no Moçambique Democrático e Independente de hoje, uma qualquer novidade absoluta, perante a admissão, feita recentemente pela lei das autarquias locais, da possibilidade de os municípios poderem contar com a colaboração das autoridades tradicionais, conforme se pode ler no artigo 28 da Lei n.º 2/97, de 18 de Fevereiro[7].

---

[7] Tendo a seu propósito, aliás, AGUIAR MAZULA (*Quadro Institucional dos Distritos Municipais – apresentação*, in AAVV, *As Autarquias Locais em Moçambique – antecedentes e regime jurídico*, Lisboa/Maputo, 1998, p. 64) afirmado o seguinte, na aceitação do reconhecimento jurídico das autoridades tradicionais: "O ponto de vista de que partimos no tratamento do tema é claro: o fenómeno municipal e o fenómeno das autoridades tradicionais têm a mesma raiz. Quer um, quer outro, são expressão da vontade comunitária de auto-organização e de auto-governo. Com uma diferença: a administração municipal, não obstante ser uma instituição mais antiga do que o próprio Estado, assume hoje uma configuração que foi negociada com o Estado moderno; em contrapartida, as autoridades tradicionais, igualmente antigas, mantêm uma natureza e lógica de funcionamento diferentes do Estado. A este nível, existe uma história específica, um conjunto de relações sociais informais, delimitadas num espaço de memória, de formação da identidade e de prática específica".

No mesmo sentido, VITALINO CANAS, *Autoridade tradicional e poder local*, in AAVV, *As Autarquias Locais em Moçambique – antecedentes e regime jurídico*, Lisboa/Maputo, 1998, pp. 103 e ss.

Esse reconhecimento constitucional, nesses limitados moldes, não pode, contudo, dispensar a intervenção do legislador ordinário, para cuja lei os diversos aspectos que procedessem à concretização dessa relevância – a identificação das autoridades tradicionais e as funções de que ficariam incumbidas – deveriam ser remetidos.

III. Quanto ao outro tema que foi evidenciado, verifica-se, no essencial, a compreensível manutenção do princípio da separação total entre as igrejas e o Estado. Uma das notas mais marcantes do Estado moderno é precisamente a abolição da confessionalidade do poder político. A conservação deste princípio insere-se bem dentro dessa lógica, que tem dado, de resto, muitos frutos em matéria de tolerância religiosa.

Essa separação total entre o Estado e as confissões religiosas não pode, porém, ser entendida em termos radicais, como se com esse princípio o Estado fosse forçado a perseguir toda e qualquer manifestação de religiosidade dos cidadãos. Bem pelo contrário: a separação total não impede, antes aconselha, que o Estado, não se aproveitando desse facto, possa apoiar e cooperar com as confissões religiosas existentes. Sendo a religião – qualquer religião que seja – uma natural dimensão da vida das pessoas, parece muito asisado permitir que o Estado apoie as respectivas iniciativas, sobretudo nos domínios sociais em cujo ambiente podem obviamente estabelecer-se esquemas profícuos de complementaridade.

No entanto, a separação total entre o Estado e as religiões, por outra parte, não o vincula a colaborar com todo e qualquer movimento que se reivindique de uma religião. É evidente que da liberdade religiosa deriva, como sua regra de oiro, a impossibilidade de ser o Estado a dizer o que é uma religião e o que não é uma religião. Todavia, também não deixa de ser evidente que o Estado tem a obrigação de especialmente cuidar das confissões religiosas que se apresentem inteiramente fidedignas, não somente através de um passado histórico como também por intermédio de uma conduta actual genuína, no sentido de contribuir para o bem-estar espiritual e material dos cidadãos.

É por isso que surge como importante a especificação constitucional, tal como consta do articulado proposto, de se estabelecer a colaboração do Estado com as confissões religiosas que se encontrem nestas circunstâncias.

IV. Ao nível da análise na especialidade, cumpre fazer as seguintes anotações, com vista à melhoria das soluções propostas no articulado da título I da Constituição:

- **artigo 4**: por causa da sugestão de desconstitucionalizar global-mente a matéria da nacionalidade, como veremos de seguida, seria importante que neste preceito, indo além do que se propõe, se fizesse referência aos critérios materiais de atribuição e perda da nacionalidade;

- **artigo 12**: dentro da economia do texto constitucional, este seria o preceito para a explicitação dos símbolos nacionais, havendo que abolir o título XIV, cujo conteúdo só reservado aos símbolos nacio-nais, para além de repetitivo em face deste artigo, não se justifica em termos da importância do seu conteúdo; isto naturalmente sem falar na própria hipótese de desconstitucionalizar aspectos relati-vos aos símbolos nacionais, já que não é forçoso optar pela sua indicação explícita no texto constitucional;

- **artigo 14**: sendo certo que no n.º 1 deste artigo se alude aos con-flitos armados em que Moçambique se envolveu, primeiro com a guerra de libertação e depois com a guerra civil de luta pela demo-cracia, não se justifica – porque violador do princípio da igualdade – que, no n.º 2 deste artigo, apenas se dê uma especial protecção aos deficientes da primeira guerra e não da segunda.

7. Nacionalidade

I. A nacionalidade, que ocupa o título II do anteprojecto, é um dos assuntos que suscita muitas preocupações. E a razão não podia ser mais simples: trata-se de definir os critérios para a atribuição e a perda do laço político que vincula as pessoas a determinado Estado, nos quais se joga, em larga medida, a caracterização político-social de cada comunidade.

Numa avaliação de carácter geral, as opções que se encontram feitas não nos merecem grandes comentários, mantendo-se, na sua essência, a regulação constitucional inaugurada com a Constituição de 1975.

Apenas foram feitos alguns ajustamentos em disposições que se consideravam ultrapassadas ou para corrigir algumas situações pontuais de discriminação.

II. Num plano meramente formal, a dúvida que levanta ponderação, em matéria da regulação constitucional da nacionalidade, respeita à opção

Reflexões sobre a próxima Revisão da Constituição Moçambicana de 1990   121

pela sua global constitucionalização, rigidificando-a segundo os termos concebidos para as normas formalmente constitucionais.

Essa é uma solução que não encontra paralelo nos textos constitucionais estrangeiros, sobretudo os textos que com a Constituição Moçambicana são mais comparáveis, ou seja, os textos constitucionais mais recentes. Normalmente se verifica – como acontece com as Constituições portuguesa, francesa, espanhola, italiana ou outras Constituições dos Estados de Língua Portuguesa – a mera enunciação de alguns critérios de ordem geral, remetendo-se para a lei ordinária a estipulação do núcleo do regime da nacionalidade.

São vários os motivos para que assim suceda:

- a mutabilidade das soluções normativas, de todo em todo compatível com a sua colocação no quadro da rigidez constitucional;
- o elevado grau de pormenorização técnica, que é normalmente inconciliável com as normas de nível constitucional, texto que se destina a regular as grandes orientações da ordem jurídica;
- a necessidade da institucionalização de organismos de verificação, concessão e controlo da nacionalidade, que não têm cabimento, tratando-se de matéria regulamentar, no texto constitucional;
- a crescente regulação internacional desta matéria, forçando muitas vezes a soluções contratualizadas no âmbito dos tratados internacionais, o que não se afigura admissível se as matérias estão situadas no texto constitucional, que em princípio prevalece sobre essas convenções internacionais.

III. Por conseguinte, achamos muito conveniente fazer excluir a matéria da nacionalidade do texto da Constituição e localizá-la numa lei de carácter ordinário.

Segundo esta possibilidade, o legislador infraconstitucional, dispondo de mais tempo e de maior capacitação técnica, poderia aprofundar a disciplina da nacionalidade. E, no futuro, não seria necessário proceder a qualquer revisão da Constituição para lhe introduzir as alterações que se achasse pertinentes.

Essa não deveria ser, no entanto, uma lei ordinária qualquer, mas uma lei que suscitasse um maior consenso parlamentar, porque nela se versaria a estruturação do regime de um dos componentes fundamentais do Estado – o seu elemento humano, com a definição de quem são os seus cidadãos.

Daí que plenamente se justificasse neste caso que essa lei ordinária fosse submetida a uma maioria de aprovação mais empenhativa da von-

122   *Estudos de Direito Público de Língua Portuguesa*

tade parlamentar, forçando a um maior consenso, como poderia ser a aprovação por maioria qualificada de 3/5 ou 2/3 dos votos dos Deputados.

IV. Quereria então isto dizer que a Constituição se demitiria por completo de proceder a qualquer regulação em matéria da nacionalidade? Claro que não.

Neste quadro, o texto constitucional, como lhe cumpre habitualmente noutros domínios, estabeleceria as grandes orientações políticas de fundo com relação à matéria da nacionalidade. De modo algum estaríamos em face de uma remissão em branco para a lei ordinária, mas antes de uma remissão orientada segundo os vectores que relevam de uma opção constitucional substancial.

E quais deveriam ser essas orientações de fundo? Pensamos que elas radicam essencialmente em cinco aspectos fundamentais:

1) os critérios da aquisição da nacionalidade originária e adquirida, através da conjugação dos *ius soli* e do *ius sanguinis*, limitando a margem de conformação do legislador ordinário, no limite, à necessidade de só admitir como nacionais aqueles que tivessem uma ligação especial a Moçambique, quer através do local de nascimento, quer através do facto de os pais serem moçambicanos;

2) a limitação dos casos de perda de nacionalidade, sobretudo impedindo que esta possa ser extinta por razões políticas;

3) a indicação de critérios objectivos pelos quais se possa aferir a possibilidade da naturalização de estrangeiros;

4) a garantia de que qualquer acto relativo à nacionalidade é necessariamente julgado por instâncias jurisdicionais, assim se controlando juridicamente o poder político, nos seus diversos actos de atribuição, perda, reaquisição e registo;

5) a possibilidade de se estabelecerem limitações ao exercício de funções públicas e privadas para estrangeiros e, em certos casos, para moçambicanos só com a nacionalidade adquirida, sobretudo nas actividades em que se saliente a feição política dos cargos a exercer, intimamente que estejam associados à soberania nacional.

V. Mesmo defendendo a passagem da maioria das normas constitucionais sobre a nacionalidade para a lei ordinária, algumas dessas disposições devem sofrer as rectificações que ousamos sugerir:

• **artigo 26**: havendo casamento, parece supérfluo que se exija o

Reflexões sobre a próxima Revisão da Constituição Moçambicana de 1990   123

requisito do estabelecimento do domicílio; não parece também que as situações de declaração de nulidade e de dissolução possam ser equiparadas, porque a primeira, ao contrário da segunda, não mostra a vontade de provocar uma ruptura no vínculo matrimonial, só para aquele se justificando a manutenção da nacionalidade adquirida;

- **artigo 27**: o requisito de dez anos de residência afigura-se excessivo; é difícil aceitar o alcance da alínea f) do n.º 1 depois de se estabelecer uma enumeração tão extensa; o n.º 2 deve ser mais pormenorizado, evitando-se dar tão larga margem de manobra ao decisor;

- **artigo 31**: nas restrições de funções, parece evidente a necessidade de alargar as que constam do n.º 1 também às carreiras de carácter policial, do serviço de informações e aos mais importantes cargos constitucionais, como já sucede com o Presidente da República;

- **artigo 34**: o artigo não é claro quanto ao papel que se quer atribuir à dupla nacionalidade, sendo importante esclarecer a relação da nacionalidade moçambicana com outras nacionalidades que eventualmente conflituem com ela.

8. Direitos, deveres e liberdades fundamentais

I. A matéria dos direitos fundamentais afigura-se com sendo a parte primordial da chamada Constituição material, através dela se consagrando as posições dos cidadãos membros da comunidade política, basicamente atinentes aos direitos fundamentais.

Numa apreciação no âmbito da generalidade, já a versão existente da Constituição se mostra satisfatória, quer na consagração do número de direitos fundamentais que hoje nos países mais avançados se positivam, quer também numa perspectiva adjectiva dos mesmos, com a preocupação clara de possibilitar aos cidadãos os convenientes e ajustados mecanismos de defesa.

Não obstante essa conclusão, no anteprojecto de revisão apresentado, sugerem-se notáveis avanços nesta matéria, dos quais nos permitimos qualificar como mais significativos os seguintes:

124 *Estudos de Direito Público de Língua Portuguesa*

– no âmbito das fontes, a alusão à possibilidade da sua abertura, bem como a sujeição da respectiva interpretação e integração a textos internacionais[8];
– quanto às intervenções limitativas de direitos fundamentais, a previsão de um conjunto de regras, materiais e formais, relativas aos fenómenos da restrição e da suspensão;
– em termos de mecanismos de protecção judicial, a consagração expressa e dilatada do princípio da tutela jurisdicional efectiva dos direitos fundamentais[9].

II. Com respeito ao conjunto das fontes dos direitos fundamentais, apesar das vantagens inerentes à tipificação dos mesmos, especificando-se bem o objecto de protecção, assim como o feixe de poderes que sobre ele impendem, regista-se por vezes a incompletude da respectiva formalização, considerando as mutações ocorridas em cada momento histórico e perante novas necessidades sociais de regulação normativa nesta sede.

É assim que se afigura muito enriquecedor que os sistemas constitucionais, permanentemente arejando as suas fontes aos novos tempos, que podem implicar mais e melhores direitos fundamentais, contenham cláusulas que facultam o aditamento, mediante o preenchimento de certos parâmetros, desses direitos fundamentais de cariz atípico. Nessa mesma linha se apresenta o anteprojecto, que faz agora expressa menção ao facto de os direitos fundamentais se não esgotarem naqueles que se encontram tipificados no respectivo catálogo constitucional.

Por outro lado, ainda no plano do Direito Constitucional dos Direitos Fundamentais, é também de louvar a indexação das operações da interpretação e da integração das respectivas fontes constitucionais a dois textos internacionais que são como que os grandes símbolos, tendo em conta a realidade universal e africana, dos progressos alcançados na protecção da pessoa através de direitos do homem: a Declaração Universal dos Direitos do Homem e a Carta Africana dos Direitos do Homem e dos Povos.

A alusão a estes textos, como obrigatórias pautas hermenêuticas em matéria de direitos fundamentais, pela respectiva "generosidade regulativa",

---

[8] Relativamente à invocação da Declaração Universal dos Direitos do Homem no sistema constitucional dos direitos fundamentais, v., por todos, JORGE BACELAR GOUVEIA, *A Declaração Universal dos Direitos do Homem e a Constituição Portuguesa*, in AAVV, *75 Anos da Coimbra Editora*, Coimbra, 1998, pp. 925 e ss.

[9] Já defendendo algumas dessas modificações, JORGE BACELAR GOUVEIA, *A próxima revisão...*, p. 2.

Reflexões sobre a próxima Revisão da Constituição Moçambicana de 1990   125

é penhor seguro de que essa tarefa, da perspectiva interna, jamais possa ser desfigurada contra a defesa da posição dos cidadãos. O intérprete-aplicador, mesmo que o quisesse, deixa de poder impor os seus critérios interpretativos e integrativos, vedando-se-lhe, por esta via, uma qualquer hipotética tentativa de desvirtuamento da consagração dos direitos fundamentais em favor das actuações agressivas do poder público.

III. No tocante ao regime das vicissitudes dos direitos fundamentais que neles produzem a sua limitação, claramente se prevê agora a existência de dois regimes para dois fenómenos distintos: a restrição, que assume as características de permanência e parcialidade, de cada direito fundamental; a suspensão, de cariz temporário, mas que põe em crise um maior número de direitos fundamentais e normalmente na sua totalidade.

As intervenções restritivas nos direitos fundamentais, que podem aparecer como necessárias para a protecção do sistema de direitos fundamentais em geral, como o caso da investigação criminal facilmente testemunha, são agora razoavelmente disciplinadas pelo texto constitucional proposto. Aí se diferenciam entre as regras materiais e as regras formais:

– *regras materiais*: a necessidade de as restrições serem justificadas pela (i) salvaguarda de outros direitos ou interesses constitucionalmente protegidos; o carácter (ii) geral, (iii) abstracto e (iv) irretroactivo dessas leis restritivas;
– *regras formais*: (i) a obrigatoriedade de o efeito restritivo ser imposto por um acto legislativo da Assembleia da República; (ii) a necessidade de ser o texto constitucional a autorizar expressamente os casos em que as restrições podem ter lugar.

Perante situações de maior dramatismo, como a agressão armada, a ofensa da ordem constitucional democrática ou a calamidade pública, aceita-se como seu efeito possível a suspensão de direitos fundamentais. Esse efeito suspensivo, só podendo produzir-se de acordo com estes pressupostos factuais, ancora-se depois num procedimento, no qual sobressai não apenas a obrigatoriedade da proclamação do estado de sítio ou de emergência como também o empenhamento, nesse acto, dos dois principais órgãos de soberania, com a característica de serem electivos – Presidente da República e Assembleia da República.

Aspecto que mostra também o elevado cuidado posto em torno deste regime da suspensão é a previsão de certos direitos fundamentais que

126   *Estudos de Direito Público de Língua Portuguesa*

nunca podem ser suspensos numa situação de excepção: os direitos à vida, à integridade pessoal, à capacidade civil, à cidadania, à não retroactividade da lei penal, o direito de defesa dos arguidos e a liberdade de consciência e de religião.

IV. A problemática da existência de mecanismos adjectivos que ofereçam uma efectiva defesa dos direitos fundamentais, em particular, e da constitucionalidade e da legalidade, em geral, é ainda outro factor determinante do êxito que se pretenda assacar ao subsistema constitucional de direitos fundamentais, numa Constituição que queira ser verdadeiramente normativa.

Para todos os cidadãos, oferece-se o acesso à justiça, possibilidade que se faculta sem que tal possa depender de qualquer circunstância económica, numa óbvia manifestação de democratização do respectivo acesso.

A criação, neste particular, do Provedor de Justiça, mesmo sem poderes decisórios, é extremamente importante porque lhe cabe uma função de investigação independente de situações de ilegalidade ou de injustiça. E o êxito da sua acção naturalmente que repousará sobretudo na sua capacidade de influenciação da opinião pública, com uma intervenção imparcial, mas intransigente, na defesa persuasiva dos direitos dos cidadãos.

É ainda de não esquecer a consagração do direito de resistência, última saída contra a actuação abusiva das autoridades públicas. Por intermédio deste direito, permite-se que a desobediência não seja qualificada como crime e que, em consequência, os actos praticados – se actos jurídicos – sejam considerados inexistentes.

V. Nem tudo, porém, são aplausos nas soluções que se propugnam no articulado do anteprojecto de revisão constitucional, pelo que o mesmo pode ser melhorado em alguns pontos:

- **artigo 36**: ao contrário do que anuncia a respectiva epígrafe, este artigo respeita antes ao princípio da igualdade – todos os direitos para todas as pessoas – e não tanto ao princípio da universalidade;

- **artigo 37**: em face do exposto, propõe-se que este artigo seja o n.º 2 do anterior e que contemple apenas o princípio da universalidade, com a indicação dos direitos fundamentais titulados não apenas por nacionais moçambicanos mas também por estrangeiros e por pessoas colectivas;

Reflexões sobre a próxima Revisão da Constituição Moçambicana de 1990 127

- **artigo 39**: a conveniência da explicitação do tipo de sanção a atribuir aos actos que desrespeitem a Constituição, propondo-se a invalidade dos actos jurídicos e a responsabilidade civil e criminal, nos casos apropriados;

- **artigo 40**: por se englobar no artigo anterior relativo à defesa da ordem constitucional, este artigo surge como uma sua mera especificação, devendo, simplesmente, desaparecer ou passar a seu n.º 2;

- **artigo 41**: a necessidade de completar a epígrafe com a indicação do outro direito fundamental consagrado, que é o direito à integridade pessoal; a consagração da delimitação da vida humana como começando com a concepção e terminando com a morte; a especificação da integridade também moral, e não apenas física, uma vez que a esfera psicológica da pessoa é também susceptível de violação na sua integridade;

- **artigo 42**: o acrescento a estes direitos de carácter pessoal – que são o equivalente, no plano constitucional, aos direitos da personalidade do Direito Civil – de outros tipos de direitos que não são consagrados, como o direito à identidade pessoal e o direito à capacidade civil;

- **artigo 43**: a consagração de uma cláusula de admissão de direitos fundamentais atípicos mais abrangente, ao também aceitar-se a admissibilidade de fontes internacionais, sendo certo que, nos dias de hoje, a multiplicação e defesa dos direitos fundamentais se tem ficado muito a dever ao movimento internacional de protecção dos direitos do homem, nos seus diversos e profusos esquemas; a eliminação da epígrafe do artigo da palavra "sentido", que se relaciona mais com a problemática do artigo seguinte;

- **artigo 44**: o acrescento, na epígrafe do artigo, do substantivo "integração", visto que se trata de operação hermenêutica diferente da da interpretação;

- **artigo 46**: a inclusão de uma referência ao dever geral de respeito, por parte dos cidadãos, dos direitos e liberdades dos outros concidadãos; a passagem do dever de pagar impostos e contribuições para o artigo seguinte, relativo aos deveres para com o Estado;

128   *Estudos de Direito Público de Língua Portuguesa*

- **artigo 50**: o aditamento à referência da proibição de reuniões e manifestações que assumam carácter violento; a especificação da impossibilidade de submeter o exercício destes direitos a qualquer tipo de intervenção autorizativa;

- **artigo 51**: a referência à diferença entre a liberdade positiva de associação – a faculdade de criar e de participar em associações – e a liberdade negativa de associação – não ser forçado, contra a sua vontade, a criar ou participar em associações;

- **artigo 53**: a indicação das diversas dimensões da liberdade religiosa, no sentido de a mesma se entender em sentido individual ou colectivo, tanto no plano pessoal como no plano institucional, numa projecção privada ou pública; não se justificam, por outro lado, os receios quanto à consagração do direito à objecção de consciência, o qual decorre da liberdade de consciência e não põe globalmente em causa o dever de defender a Pátria[10];

- **artigo 55**: a alusão ao princípio da proporcionalidade como critério aferidor da legitimidade constitucional da criação de restrições aos direitos fundamentais;

- **artigo 56**: a necessidade da conjugação deste artigo com a parte final do anterior, na medida em que a formulação do artigo 56, sendo mais ampla, inutiliza a do artigo 55;

- **artigo 57**: o pormenor de que a responsabilidade do Estado também pode derivar não apenas de actos ilegais, mas sobretudo de actos inconstitucionais;

- **artigo 70**: a inconveniente colocação da matéria deste preceito, que deveria figurar logo a seguir ao artigo atinente à liberdade de imprensa;

---

[10] Para mais pormenores a respeito do direito à objecção de consciência, bem como as respectivas complexidades, JORGE BACELAR GOUVEIA, *Objecção de consciência (direito fundamental à)*, in *Dicionário Jurídico da Administração Pública*, VI, Lisboa, 1994, pp. 8 e ss.

Reflexões sobre a próxima Revisão da Constituição Moçambicana de 1990 129

- **artigo 59**: em grande medida, este preceito repete o conteúdo do n.º 3 do artigo 58, pelo que importa dar-lhe um conteúdo mais específico ou, pura e simplesmente, eliminá-lo;

- **artigo 62**: a necessidade da alusão ao prazo máximo da detenção, sendo de diferenciar, neste preceito, entre a detenção e a prisão preventiva, esta já decretada pela autoridade judicial, não tendo aqui a sua sede regulativa;

- **artigo 65**: a ponderação da flexibilização do n.º 4, uma vez que, sendo o crime cada vez mais internacionalizado, pode ser necessário integrar esquemas de cooperação judiciária internacional, em que precisamente uma das questões mais candentes é a da extradição dentro de um mesmo espaço judiciário, o que a redacção proposta no anteprojecto não admite em caso algum, tratando-se de moçambicanos;

- **artigos 67 e 68**: por via da consagração, no artigo 61, do acesso aos tribunais, estes dois artigos estão, em grande parte, repetidos;

- **artigo 69**: a experiência tem mostrado a necessidade de rever os direitos relacionados com a informática em dois sentidos: permitir a informatização mesmo dos dados pessoalíssimos, havendo autorização do titular para esse efeito; alargar estas regras também aos ficheiros de carácter manual[11];

- **artigo 72**: a não correspondência da epígrafe do artigo com o seu conteúdo, porquanto este artigo trata não apenas do sufrágio – o direito de voto – como também da dimensão da democracia participativa – através da intervenção no exercício da liberdade política, com os direitos de reunião, manifestação e participação de partidos políticos;

- **artigo 78**: o conteúdo do n.º 2, ao consagrar o direito de resistência, não está conforme com o sentido do n.º 1 nem com o sentido da epígrafe, pelo que se justifica, só considerando a sua importância, a respectiva autonomização como preceito constitucional *a se*;

---

[11] Para mais desenvolvimentos sobre este assunto, v. JORGE BACELAR GOUVEIA, *Os direitos fundamentais à protecção dos dados pessoais informatizados*, in *Revista da Ordem dos Advogados*, ano 51, III, Lisboa, 1991, pp. 700 e ss.

- **artigo 80**: a complementação deste preceito não só pela característica de a indemnização ser contemporânea – ou seja, paga no momento em que se produz o efeito ablativo, de preferência antes – como também devendo ser enquadrada por lei da Assembleia da República, não esquecendo ainda o direito de reversão, no caso de a utilidade em nome da qual foi concedida a expropriação deixar de ser prosseguida, facultando-se a devolução do bem expropriado ao seu anterior dono; seria ainda importante consagrar outra importante forma de limitação da propriedade privada, esta de cariz temporário, que é a requisição temporária de bens, não referida no anteprojecto;

- **artigo 81**: o direito a herança não se apresenta como algo de sensivelmente diferente do direito de propriedade, devendo ser integrado no artigo anterior, perspectivando-se como uma das suas vertentes – a da transmissibilidade dos bens *mortis causa*;

- **artigo 82**: a exclusão da possibilidade do trabalho forçado, mesmo no quadro da legislação penal, porque atentatório da dignidade da pessoa humana, que se conserva para os presos, que não a perdem, não se podendo admitir que sejam obrigados a trabalhar contra a sua vontade;

- **artigo 87**: o dever de defender a saúde é repetitivo relativamente à cláusula anterior, na qual se estabelecem os deveres para com a sociedade;

- **artigo 88**: tal como no artigo anterior, também aqui se verifica a repetição do dever de defender o ambiente;

- **artigo 89**: a eliminação na epígrafe da palavra "urbanização", porque referente a realidade não contemplada no artigo, que é o modo de organização do espaço urbano dentro de uma cidade, não a perspectiva do direito à habitação de cada cidadão individualmente considerado;

- **artigo 90**: o aditamento de uma componente substantiva aos direitos dos consumidores, para além da legitimidade popular consignada, designadamente em matéria de responsabilidade civil, informação

Reflexões sobre a próxima Revisão da Constituição Moçambicana de 1990   131

e direito de reclamação; esses direitos devem incluir, como seu sector especial, a protecção dos consumidores contra certa actividade publicitária, vedando-se a publicidade enganosa, oculta ou comparativa, e restringindo-se ou proibindo-se a publicidade de certos produtos, como seja o tabaco e o álcool.

9. Organização económica, social, financeira e fiscal

I. Na matéria da organização económica, social, financeira e fiscal, comparativamente à matéria anterior atinente aos direitos fundamentais, verifica-se sobretudo uma intenção de complementar a respectiva regulação com normas que antes se encontravam ausentes, estas essencialmente respeitantes ao sistema fiscal e financeiro.

No tocante ao sistema fiscal, verifica-se que se pretende consagrar um conjunto muito importante de orientações sobre o modo como se procede, por parte do Estado, à tributação. Essas são normas simultaneamente de natureza material e formal: material, quanto se referem aos princípios orientadores dos objectivos do sistema fiscal, bem como pela consagração das garantias dos contribuintes e da proibição da lei fiscal retroactiva de carácter desvantajoso; formal, quando se referem aos aspectos relativos aos domínios que fazem parte da reserva de lei.

Quanto ao sistema financeiro, assume-se como extremamente importante a consagração de um princípio geral de intervenção do Parlamento, insigne representante da soberania, não só na autorização das despesas como também na fiscalização da respectiva execução. As novas disposições que se encontram têm a finalidade fundamental de estabelecer a disciplina da actividade financeira do Estado, a um tempo assim mais racional e mais democrática: mais racional porque, obrigando a uma orçamentação plena, segundo os vários princípios aplicáveis, força a que a utilização dos dinheiros públicos, concomitantemente com as receitas, possa ser devidamente ponderada; mais democrática porque, através da intervenção parlamentar, se possibilita o controlo da actuação governamental por parte dos titulares da soberania, em aplicação do célebre princípio *no taxation without representation*.

II. Mas sem dúvida que a magna questão que se levanta neste título da Constituição é alusiva ao problema da propriedade privada da terra, pois que, no respeitante a outras modalidades de propriedade, não se veri-

132   *Estudos de Direito Público de Língua Portuguesa*

ficam dúvidas porque é o anteprojecto a afirmar a proclamação dessa garantia.

Na sequência do processo de descolonização e de independência, reflectindo também o sistema económico colectivista implantado, a primeira Constituição de Moçambique, em 1975, decretou a nacionalização da terra.

Passados que estão 24 anos desse momento de independência de Moçambique, é altura de rever esta problemática da propriedade da terra, à luz de novos factores ideológico-políticos e de novos circunstancialismos económicos.

Segundo uma óptica de regime, a justificação para a colectivização da terra – na esteira de uma concepção económica de tipo colectivista – deixou de existir a partir do momento em que se optou por uma economia de mercado, ainda que com sérias e profundas preocupações de carácter social. Curiosamente, com a adopção da Constituição de 1990, este traço fundamental do regime anterior, bem contrastante com o actual, manteve-se até hoje.

À luz de considerações de carácter prático, também se percebe que a força das coisas acabou por forjar mecanismos substitutivos da impossibilidade de transacção privada da terra, a qual, efectivamente, não deixou de ser comercializada como se de uma propriedade privada se tratasse. Tudo isso se construiu na base de outros conceitos, ligados aos direitos de uso e aproveitamento da terra, que fazem exactamente as vezes do verdadeiro e próprio direito de propriedade privada, pelo menos na sua concepção romanista e germanista.

Somos favoráveis, por razões ideológicas e práticas, qualquer uma delas muito pertinente com a situação concreta de Moçambique, à garantia da propriedade privada da terra, tal como essa propriedade privada se mostra funcionar para os outros tipos de bens corpóreos, em que ela é já pacificamente aceite[12].

III. Numa apreciação de carácter mais particular, importa fazer as seguintes observações com vista a melhorar o articulado proposto no anteprojecto:

---

[12] Como dissemos noutro lugar (*A próxima revisão*..., p. 2), "...tal preceito demonstra uma filosofia que não se coaduna com a abertura inerente a uma verdadeira economia de mercado, com um de dois resultados possíveis que se desviam do objectivo constitucional: ou gera desconfiança e atrasa o desenvolvimento económico ou essa norma acaba sendo contornada pela iniciativa privada, perdendo todo o seu efeito moderador".

- **artigo 96**: o n.º 1 deste artigo, perante a tipologia exemplificativa do n.º 2, afigura-se repetitivo e, nalguns pontos, incompleto relativamente a esse número, como na matéria do espaço aéreo, ali esquecido e aqui mencionado;

- **artigo 98**: este artigo, só relativo aos impostos, é repetitivo se comparado com o artigo 124, que o desenvolve, consagrando outros aspectos, pelo que deve ser eliminado;

- **artigo 99**: o n.º 2 deste preceito, aludindo ao investimento estrangeiro, tem um conteúdo supérfluo relativamente ao do artigo 106, disposição em que o investimento estrangeiro tem o seu lugar próprio, sendo aí amplamente desenvolvido, sugerindo-se, portanto, a respectiva eliminação;

- **artigo 112**: com vista a uma maior democraticidade do ensino superior, propugna-se o estabelecimento de um sistema democrático de gestão do ensino superior público, com a participação de docentes, alunos e funcionários;

- **artigo 116**: nos seus n.ºs 2 e 3, como este artigo se refere ao casamento, propõe-se a palavra casamento para sua epígrafe;

- **artigo 117**: o n.º 1 do artigo anterior deve ser incluído neste artigo, todo ele dedicado à família, propondo-se esta palavra para sua epígrafe; o n.º 1, reservado à maternidade, deve constituir um artigo autónomo, em que também se deve fazer referência aos direitos das mães em termos de licença de parto;

- **artigo 119**: a especial referência ao papel da mulher na luta de libertação nacional não parece muito condizente com o princípio da igualdade, tendo sido a luta de libertação nacional da responsabilidade, pessoal e histórica, de pessoas de ambos os sexos;

- **artigo 124**: há a conveniência de se estabelecer a orientação na estruturação dos tipos de impostos sobre o rendimento, de acordo com o princípio da capacidade contributiva.

134 Estudos de Direito Público de Língua Portuguesa

10. Organização do poder político – aspectos gerais, o estatuto da Assembleia da República e o sistema de governo

I. A organização do poder político, de um modo geral, é outro sector nevrálgico da Constituição que regista, nas propostas efectuadas, importantes alterações, as quais sensivelmente melhoram o panorama constitucional vigente neste ponto.

No plano dos actos eleitorais, segundo o anteprojecto, conta-se com um acervo de regras constitucionais que formam o Direito Constitucional Eleitoral, assim se limitando, no bom sentido, muitas das opções que, até agora, incumbia à lei ordinária efectuar livremente.

Dessas regras, salientam-se as seguintes orientações: 1) a afirmação do sufrágio como sendo, genericamente, directo, igual, secreto, pessoal e periódico; 2) o sistema da representação proporcional como o esquema de conversão dos votos em mandatos; 3) a necessidade de a supervisão dos processos eleitorais incumbir a um órgão independente.

Se bem que já aceitasse a existência de dois tipos de referendo, como são o referendo constitucional e o referendo político-legislativo, as propostas que se fazem, acabando com o referendo constitucional, são marcadas por um grande bom senso, com o estabelecimento de importantes regras a respeito dos diversos aspectos do respectivo regime: (i) a definição das matérias em que é possível o referendo; (ii) a explanação do respectivo procedimento de decretação; (iii) a imposição de um quorum deliberativo mínimo; e (iv) a fixação de limites temporais à sua realização.

A consagração de normas constitucionais, finalmente, sobre aspectos relativos à qualificação e publicação dos actos jurídico-constitucionais é aspecto que não pode deixar de ser referido. Segundo a solução proposta no anteprojecto, fica-se a saber quais são os actos normativos que a Constituição admite, bem como a necessidade geral da sua publicação no *Boletim da República*.

II. Considerando o estatuto da Assembleia da República, em especial, verifica-se com facilidade que se encontram sugeridas importantes alterações, domínio que se apresentava menos rico, quer em termos de opções técnicas, quer em termos de opções políticas. A orientação geral que se verifica é, portanto, a da dignificação da instituição parlamentar, através do reforço dos respectivos poderes, tendo em conta a consagração de dois novos institutos: as autorizações legislativas e a ratificação dos decretos-leis.

A importante função das autorizações legislativas radica na possibilidade de o Parlamento, através deste instrumento, poder manter a direcção política da normação no domínio em apreço. É que a alternativa, quer em função da elevada tecnicidade da matéria em legiferação, quer em função da rapidez da sua elaboração, é normalmente a sua produção recair exclusivamente na esfera de competência legislativa do Governo. Assim sendo, mesmo não legislando directamente, porque lhe incumbe definir o programa mínimo da normação a ser feita pelo Governo, com as autorizações legislativas, o Parlamento conserva a orientação política desse processo, num claro sinal de predomínio da actividade parlamentar no âmbito da produção normativa do Estado.

A ratificação de decretos-leis, sendo estes os actos normativos do Governo produzidos ao abrigo de leis de autorização legislativa, é a contrapartida dessa autorização, permitindo ao Parlamento controlar, *a posteriori*, o uso que o Governo deu à autorização concedida.

Nem tudo o que diz respeito ao estatuto parlamentar se apresenta, porém, pacífico, uma vez que uma questão, devidamente referida no anteprojecto de revisão constitucional, polarizou grandes discussões na comissão *ad hoc*, não tendo havido sobre ela consenso: a da possibilidade de submeter a aprovação de certas questões a uma maioria qualificada de dois terços.

Ao nível do Direito Constitucional Comparado, esta não seria uma solução original. Recorrendo, por exemplo, ao caso português, através do instituto das leis reforçadas, verificamos que em muitos domínios se exige maiorias que se encontram acima da maioria geral de deliberação, que é a maioria relativa: ou maioria absoluta ou maioria de dois terços dos Deputados.

Para Moçambique, na fase actual do seu processo democrático, a sujeição das respectivas aprovações a uma maioria qualificada parece acertada, numa altura em que se procede, no plano legislativo, ao levantamento dos alicerces da ordem jurídica. Há um conjunto básico de diplomas em que é de toda a conveniência – devendo, por isso, ser a própria Constituição a impor essa solução – forçar-se um amplo consenso parlamentar, estando presentes no momento deliberativo, pelo menos, dois terços dos Deputados, maioria idêntica à da revisão da Constituição.

Mais difícil naturalmente que surge a explicação, cientificamente apoiada, de quais deverão ser os domínios em que essa maioria se aplicaria, não nos cabendo fazer qualquer comentário específico sobre os projectos partidários que foram apresentados. O critério tem de ser este: deve ser adoptada essa maioria qualificada em todas as matérias que, sendo de legislação ordinária, de algum modo completem ou desenvolvam as opções constitucionais, realçando-se como áreas fundamentais a cidadania, o regime do estado de excepção ou o enquadramento das eleições e dos partidos políticos.

III. Não já de um prisma meramente técnico, quanto de uma vertente marcadamente política, a questão central da discussão constitucional, no sistema político, prende-se com o sistema de governo adoptado na Constituição de 1990, o qual tem que ver com a distribuição das competências entre os três órgãos politicamente activos – o Presidente da República, a Assembleia da República e o Governo[13].

Em compensação, apesar de por vezes se levantarem vozes contrárias, os outros domínios de ordem geral tradicionalmente também tratados nesta parte alusiva ao sistema político – como o da forma de Estado, o da forma institucional de governo e o da forma política de governo – não merecem qualquer reflexão particular:

– quanto à forma de Estado, não há dúvidas acerca da manutenção da estrutura unitária do Estado Moçambicano, admitindo-se a descentralização territorial com a criação das autarquias locais, devidamente disciplinadas na revisão pontual que, a este propósito, foi realizada recentemente;

– quanto à forma institucional de governo, é ainda mais pacífico que o actual figurino da República, com a chefia do Estado entregue a um Presidente da República, se deve manter, não havendo qualquer tradição ou interesse em Moçambique que justificasse sequer equacionar a adopção de uma qualquer forma monárquica de governo;

– quanto à forma política de governo, a principal causa para a aprovação da actual Constituição de Moçambique, depois do período de regime ditatorial, foi precisamente a adopção da democracia representativa, com uma componente referendária, e não se vê que isso possa agora ser posto em causa, numa altura em que este modelo político se alarga progressivamente às regiões mais recônditas do Globo.

---

[13] A respeito da sua qualificação, precedida da sua atenta análise, v., de entre outros, JORGE BACELAR GOUVEIA, *A próxima revisão...*, p. 2, ou VITALINO CANAS, *O sistema de governo moçambicano na Constituição de 1990*, in *Revista Luso-Africana de Direito*, I, Lisboa, 1997, pp. 167 e ss.

Reflexões sobre a próxima Revisão da Constituição Moçambicana de 1990   137

A observação do actual sistema de governo revela a existência de algumas situações de pouca nitidez quanto ao papel de cada um daqueles três órgãos na vida institucional do Estado[14].

A principal dificuldade liga-se à efectivação dos mecanismos de responsabilidade política do Governo perante a Assembleia da República. Segundo o actual texto constitucional, essa responsabilidade, se existe, é meramente teórica e só funciona contra o próprio Parlamento. No caso de este rejeitar o programa do Governo, a consequência não é a demissão do Governo, como seria de esperar, mas a dissolução, ainda que limitada, do Parlamento.

Por outro lado, também se registam dificuldades a propósito do papel do Presidente da República nas tarefas executivas e governativas. Tem-se reconhecido que a sua intervenção é excessiva, menorizando o estatuto do cargo de Primeiro-Ministro, e aparecendo duplamente ora como Chefe de Estado ora como governante activo.

Não é por acaso que se sente a séria perplexidade de posicionar esse sistema de governo numa das qualificações que a Ciência Política tem sugerido: não é presidencial porque o Chefe de Estado goza do poder de dissolução, poder que não existe nestes sistemas; não é parlamentar porque o estatuto presidencial é bastante significativo, sendo eleito directamente pelo povo e dispondo de competências executivas; não é semi-presidencial porque o Governo é unicamente responsável perante o Presidente da República, não respondendo politicamente perante a Assembleia da República, que não pode demiti-lo através da aprovação de uma moção de censura.

O sistema de governo moçambicano, tal como está neste momento gizado, é um sistema misto, não correspondendo exactamente a nenhuma destas qualificações, combinando características do semi-presidencial e do presidencial. Perante este cenário, e estando bem ciente das incertezas que pairam acerca de algumas funções constitucionais destes órgãos, o ante-projecto de revisão constitucional pretende clarificar o sistema de governo, em várias direcções.

Por um lado, o poder presidencial de dissolução da Assembleia da República é substancialmente alargado, sendo um poder de intervenção política assinalável. As restrições a que se encontra submetido não são politicamente relevantes ao ponto de desvalorizar esse poder.

---

[14] Havendo quem, por isso mesmo, seja forçado a forjar uma qualificação atípica, como um sistema «presidencialista» – é o caso de VITALINO CANAS, *O sistema...*, p. 178.

Por outro lado, é agora inequívoca a responsabilidade política do Governo perante a Assembleia da República, que pode determinar – quer através da rejeição do programa de Governo, quer pela não aprovação de uma moção de confiança, quer através da aprovação de uma moção de censura – a sua demissão.

Finalmente, o Presidente da República deixa de normalmente presidir ao Conselho de Ministros, não exercendo funções executivas específicas. A sua intervenção é de natureza estabilizadora e fiscalizadora do sistema político.

Cremos que a opção por um sistema de governo semi-presidencial, nestes moldes, traduz uma solução equilibrada, comprometendo eficazmente todas as componentes do sistema de governo, ultrapassando as disfunções existentes no actual e permitindo uma mais escorreita expressão da vontade dos órgãos envolvidos. A sua escolha teria aqui a vantagem de tornar o sistema político mais dinâmico, pela acrescida intervenção que supõe protagonizada pelos diversos partidos, com vista a alcançar-se os necessários acordos[15].

IV. Uma avaliação de cada um dos artigos constantes dos títulos referentes aos órgãos do poder público politicamente activos suscita-nos as seguintes observações:

- **artigo 136**: os actos normativos não são apenas as leis e os decretos-leis, mas igualmente incluem os decretos presidenciais, como se pode ler no artigo 150; o desdobramento deste artigo num segundo artigo, só para a matéria da publicação dos actos do Estado, seria de acolher porque nem todos comungam de um mesmo conteúdo normativo;

- **artigo 151**: baseando-se a distinção entre a competência para a prática de actos próprios e o exercício de competências relativamente a outros órgãos, propõe-se que esse critério seja levado até ao fim, havendo algumas competências do n.º 1 – como a da alínea g) – que deveriam passar para o n.º 2;

- **artigo 155**: não se justifica que haja um regime autónomo de confirmação por parte do Governo, dada o seu carácter de órgão

---

[15] Cfr. JORGE BACELAR GOUVEIA, *A próxima revisão...*, p. 2.

colegial restrito, bem como o facto de a supremacia do Primeiro-
-Ministro naturalmente impedir a divulgação de opiniões diferen-
ciadas dentro do Conselho de Ministros;

- **artigo 165**: a epígrafe deve ser modificada no sentido de referir
  "inviolabilidade", uma vez que as imunidades se desdobram na
  inviolabilidade – a impossibilidade de o Deputado ser detido – e na
  irresponsabilidade – consagrada no artigo seguinte; a importância
  que se atribui à imunidade parlamentar, que tem por objectivo último proteger a própria instituição parlamentar no seu todo, justifica que a excepcional decisão de quebrar essa inviolabilidade só
  seja tomada pelo Plenário e não pela Comissão Permanente, ainda
  que seja seguro que esta represente, numa pequena escala, o espec-
  tro partidário daquele;

- **artigo 166**: não se afigura conveniente a excepção constante do n.º
  2 do artigo, porque põe em causa a utilidade da irresponsabilidade
  do Deputado, que traduz uma opção em que é preferível aceitar os
  riscos do cometimento de alguns delitos, não podendo ser res-
  ponsabilizado por isso, a admitir brechas nessa irresponsabilidade,
  podendo abrir a porta a práticas progressivamente mais amplas que
  redundem na pura e simples abolição deste princípio da irresponsabilidade, que também se destina a assegurar, em última instância,
  a própria instituição parlamentar;

- **artigo 172**: a especificação de um especial regime, quanto à sua
  duração, das autorizações legislativas que sejam dadas na lei do
  Orçamento do Estado, em conexão, naturalmente, com as necessárias alterações feitas ao sistema fiscal;

- **artigo 175**: não tendo o Presidente da República funções executivas, porque deixa de habitualmente presidir aos Conselhos de Ministros e deixa de ser o Chefe do Governo, perde também interesse
  a possibilidade de poder exercer o poder de iniciativa legislativa;

- **artigo 178**: a importância do órgão parlamentar em qualquer sistema democrático, bem como a necessidade de o seu funcionamento
  ser efectivo com vista ao exercício dos instrumentos de fiscalização política do Governo e da Administração Pública, aconselha a

que o seu funcionamento seja o mais amplo possível dentro de cada ano civil, considerando-se em sessão permanente, só se admitindo a sua interrupção para períodos de férias ou para trabalho dos seus Deputados nas respectivas províncias;

- **artigo 181**: não se justifica que, havendo dissolução, a nova Assembleia eleita apenas possa completar o tempo remanescente do mandato da anterior, porque isso multiplica, sem vantagens palpáveis, o número de actos eleitorais, havendo a contradição verbal de se dizer que se inicia nova legislatura, mas com o tempo restante da legislatura anterior;

- **artigo 182**: não se apresenta razoavelmente justificada a chefia da Assembleia da República por parte do Chefe de Estado, uma vez que aquele órgão nunca perde o seu Presidente, havendo a continuidade da função, o anterior só deixando de estar em funções com a tomada de posse do sucessor;

- **artigo 187**: não parece que haja inconveniente em que a Comissão Permanente, não estando o Plenário em funcionamento, possa criar comissões de inquérito, mas desde que a urgência para essa criação seja real;

- **artigo 189**: em muitos Parlamentos, é habitual que as funções não políticas – de carácter técnico – sejam atribuídas a outros órgãos, para não sobrecarregar o trabalho político, garantindo-se obviamente a mesma representatividade existente no Parlamento;

- **artigo 194**: a matéria referente ao Governo deve ser sempre assim apelidada, e não por Conselho de Ministros, que designa um dos seus órgãos, quando se dá a reunião plenária de todos os seus membros, assim se devendo alterar as restantes referências ao Conselho de Ministros quando se quer referir o Governo.

11. Tribunais

I. Dentro ainda da matéria atinente à organização do poder público, de uma óptica do poder público não interveniente na política activa, o título alusivo aos tribunais também sofreu, no anteprojecto proposto, acentuadas transformações que é mister aplaudir.

Pela sua maior importância, atendendo ao facto de outras alterações não suscitarem reparos de maior, frisa-se a criação de um Tribunal Constitucional, em substituição do Conselho Constitucional. É que a cada vez maior importância da efectividade da Constituição, nos dias de hoje, só pode ser devidamente garantida se os textos constitucionais consagrarem mecanismos que permitam a sua defesa. Os tribunais constitucionais, de entre os diversos instrumentos que se conhecem, estão na primeira linha desse combate.

Como a Teoria do Direito Constitucional o tem insistentemente demonstrado, são duas as mais candentes equações que se põem na respectiva estruturação, em Moçambique como em qualquer outro lugar do Mundo[16]:

– o modo de se efectuar a designação dos respectivos juízes;
– a inserção da sua competência fiscalizatória no seio dos diversos órgãos de jurisdição.

II. Quanto à designação dos juízes do Tribunal Constitucional, a primeira tentação que assalta o legislador constitucional, olhando à necessidade de dotar esse órgão de um estatuto jurisdicionalizado, é a de fazer o respectivo recrutamento nos exactos termos em que se faz o recrutamento dos magistrados dos outros tribunais superiores.

Mas não tem sido esse o esquema seguido por tribunais constitucionais estrangeiros, muito prestigiados na Europa. É que essa fórmula de designação anula por completo a especificidade do Tribunal Constitucional no seio dos órgãos jurisdicionais: não por ser um qualquer órgão político, que obviamente não é, mas por se tratar de um órgão que carece de uma maior proximidade com os assuntos do poder, na medida em que vai julgar a validade de actos legislativos e regulamentares, sendo forçado a analisar as opções constitucionais expressas no articulado de determinada Constituição, naturalmente também interpretadas pelo legislador ordinário quando decidiu legiferar de certa maneira. Isto quer dizer que se precisa de uma especial sensibilidade ao fenómeno constitucional, a qual os juízes designados no seio das carreiras comuns nem sempre são capazes de oferecer plenamente.

---

[16] Discutindo alguns desses problemas, JORGE MIRANDA, *Manual de Direito Constitucional*, II, 3ª ed., Coimbra, 1991, pp. 376 e ss.

Já dentro da aceitação de uma coloração política na designação dos juízes do Tribunal Constitucional, variam os sistemas que é possível propor, com maior ou menor apelo à imaginação. É evidente que a escolha no seio do Parlamento, através de uma maioria qualificada, é um dos modos de designação que melhor se assume como sendo representativo das diversas sensibilidades políticas existentes. Mas a intervenção de outros órgãos – o Chefe de Estado ou algum órgão da magistratura judicial – também pode ser equacionada como possível.

III. O outro magno problema respeita às competências que podem ser atribuídas ao Tribunal Constitucional. É claro que, por força da sua especialização funcional, a decisão do Tribunal Constitucional, no seu âmbito de competências, deve sempre prevalecer sobre as decisões de outros tribunais e, por maioria de razão, de outros órgãos não jurisdicionais.

Mais problemática vem a ser a opção pela fiscalização preventiva, ponto que fica em aberto no anteprojecto de revisão constitucional. Esta é uma modalidade de fiscalização em que se permite a intervenção do Tribunal Constitucional num momento em que um acto legislativo ainda não se encontra perfeito – entre a aprovação parlamentar ou governativa e a promulgação presidencial.

Esta especial modalidade de fiscalização da constitucionalidade, que existe em França e em Portugal, mas não existe na Itália ou na Alemanha, tem vantagens e desvantagens, as quais se anulam reciprocamente: o perigo da politicização da justiça constitucional, por intervir num momento em que o diploma não está perfeito, fazendo o Tribunal Constitucional resvalar para o contraditório político-partidário, é contrabalançado pela evitação da entrada em vigor de diplomas com inconstitucionalidades grosseiras, cujos danos nem sempre são facilmente elimináveis *a posteriori*.

A consideração das particulares características da justiça em Moçambique, por seu lado, leva-nos a pensar na utilidade de se consagrar a fiscalização preventiva. Lembramos sobretudo a lentidão das decisões jurisdicionais, que em grande medida se deve à falta de juízes: a simples adopção da fiscalização sucessiva poderia comprometer a eficácia do princípio da constitucionalidade, pelo que a introdução da fiscalização preventiva, porque temporalmente bem delimitada, tornaria essa defesa da constitucionalidade mais efectiva.

IV. Numa análise no âmbito da especialidade, a formulação de alguns

Reflexões sobre a próxima Revisão da Constituição Moçambicana de 1990 143

preceitos, tal como se mostram no anteprojecto de revisão da Constituição, merece-nos os seguintes comentários:

- **artigo 213**: substituição da expressão «leis» por normas ou disposições, na medida em que se afigura mais ampla para proteger o princípio da constitucionalidade;

- **artigo 216**: esta disposição, tratando do mesmo tema do n.° 1 do artigo anterior, afigura-se com uma relevância sistemática excessiva, devendo ser integrado naquele artigo como seus n.os 2 e 3;

- **artigo 221**: a independência da magistratura retira o sentido à obrigatoriedade, a cargo do Conselho Superior da Magistratura Judicial, de apresentar à Assembleia da República um relatório anual, pelo que esta obrigação, constante do n.° 2, deve ser suprimida;

- **artigo 225**: considera-se inconveniente, porque fere a independência do principal órgão jurisdicional na hierarquia dos tribunais comuns, que os juízes conselheiros do Supremo Tribunal de Justiça sejam designados pelo Presidente da República, devendo a sua escolha e posse competir ao Conselho Superior da Magistratura Judicial;

- **artigo 231**: entende-se que também fere a autonomia do Ministério Público o facto de o seu chefe máximo, o Procurador-Geral da República, responder perante o Chefe de Estado, que nem sequer possui competências executivas no tocante à justiça;

- **artigo 232**: daí que também se não justifique a possibilidade de o mesmo ser demitido no exercício das suas funções, só devendo elas cessar nos outros casos previstos neste artigo 232;

- **artigo 233**: do mesmo modo não parece compatível com o princípio da autonomia do Ministério Público o dever, a cargo do Procurador--Geral da República, de prestar uma informação anual à Assembleia da República;

- **artigo 235**: pela preocupação de escolher uma pessoa consensual, importa que a eleição do Provedor de Justiça, pela Assembleia da República, obedeça a uma maioria agravada de dois terços dos Deputados em efectividade de funções;

- **artigo 243**: a atribuição de legitimidade processual activa ao Provedor de Justiça, no âmbito da fiscalização da constitucionalidade e da legalidade, apresenta-se de grande importância, em face da escassez de poderes de que dispõe este órgão;

- **artigo 246**: o n.° 2 deste artigo é repetitivo relativamente ao dever geral de publicação dos acórdãos do Tribunal Constitucional, único modo de este órgão de jurisdição exercer o seu poder.

12. Revisão da Constituição

I. O regime da revisão da Constituição, tal como foi gizado a partir do texto de 1990, que tivemos, aliás, ocasião de sumariamente descrever, sofre uma profunda transformação. Com a aprovação do regime constante do anteprojecto, bastante longe vamos ficar do anterior regime aplicável.

O actual regime da revisão da Constituição assenta em três dificuldades fundamentais: a imprecisão dos seus preceitos, a inconveniência da realização do referendo constitucional e a escassa rigidez do respectivo procedimento.

A imprecisão do regime é bem visível na dificuldades de destrinçar entre a revisão maior e a revisão menor, à qual se associam assinaláveis diferenças práticas, ou seja, escolher entre a mera aprovação de dois terços e a sujeição a referendo nacional. A chave para a sua compreensão radica na alteração substancial da organização dos poderes públicos e dos direitos fundamentais, o que é dizer muito pouco.

A inconveniência da realização do referendo mostra-se nítida no facto de em Moçambique estarmos com uma democracia com poucos anos de exercício. Não haveria, desde logo, a suficiente cultura e prática democráticas para fazer do referendo um instrumento válido na tomada destas decisões[17]. Por outro lado, a nenhuma aplicação prática do instituto, também previsto para outras questões, jamais permitiria que se vislumbrasse, nos próximos tempos, a sua utilização.

A escassa rigidez da revisão da Constituição assinala-se no número e qualidade de limites que contêm o exercício do poder de revisão constitucional. Apenas se vislumbram limites de natureza formal e orgânica, mas já não outros limites de natureza material.

---

[17] Cfr. JORGE BACELAR GOUVEIA, *A próxima revisão...*, p. 2.

II. Com o proposto regime de revisão constitucional, há alguns aspectos do anterior regime que se mantêm. É o que se passa com o limite orgânico que respeita, simultaneamente, ao órgão que pode fazer a aprovação da Constituição, bem como da maioria que é preciso reunir para efectuar a sua aprovação – o Parlamento, com a maioria de dois terços dos Deputados.

Mas há outros limites que também são consagrados, num evidente e muito louvável aperfeiçoamento do texto constitucional:

- *materiais* – o conjunto de temas que não podem ser revistos, os quais espelham o núcleo central da Constituição, definindo a sua ideia de Direito;
- *temporais* – a revisão constitucional só pode fazer-se de cinco em cinco anos, a não ser a decretação, por deliberação parlamentar aprovada por quatro quintos dos Deputados, de uma revisão extraordinária, que pode ser feita em qualquer altura;
- *circunstanciais* – a impossibilidade de rever a Constituição na vigência do estado de excepção constitucional, não havendo a suficiente tranquilidade para ponderar as decisões a tomar nessa sede, assim como no exercício de funções do Presidente da República interino.

III. Desde que JAMES BRYCE inventou a distinção entre as Constituições flexíveis e as Constituições rígidas, não parou mais o estudo em torno da qualidade e importância dos limites que refreiam o exercício do poder de revisão constitucional[18].

Daí que tivesse ganho sentido a trilogia de diferenciar entre três espécies de rigidez constitucional:

- Constituições *flexíveis* – sem limites, porque a alteração se faz como nos casos do poder legislativo normal;
- Constituições *rígidas* – com a aposição dos limites formais, temporais e orgânicos;
- Constituições *hiper-rígidas* – com a aposição, para além destes, dos limites materiais e dos limites circunstanciais.

---

[18] Para um seu conspecto, JORGE MIRANDA, *Manual...*, II, pp. 143 e ss.

Ora, perante esta classificação, caso as alterações venham a ser aprovadas, a Constituição de Moçambique passará a ser uma Constituição hiper--rígida, o que é naturalmente de aplaudir.

Essa é uma conclusão que particularmente se nota observando os limites materiais, já que essa rigidez se afigura sobremaneira necessária num Estado que se encontra em processo de afirmação política democrática, como é ainda o caso de Moçambique, assim se impedindo tentações no sentido da sua desfiguração.

Maputo, 28 de Outubro de 1998.

E) LEGISLAÇÃO ELEITORAL EM MOÇAMBIQUE[1]

SUMÁRIO:

1. A ausência de legislação aplicável às eleições gerais de 1999
2. As escolhas constitucionais do Direito Eleitoral Moçambicano
3. As principais livres opções do legislador eleitoral
4. A necessidade de uma legislação eleitoral e a preferência por um Código Eleitoral
5. Breve descrição do Código Eleitoral

---

[1] Relatório elaborado no âmbito de uma consultoria à State University of New York, em Novembro de 1998, a pedido do Gabinete Técnico da Assembleia da República de Moçambique. Texto publicado na revista *Direito e Cidadania*, III, n.º 7, Praia, Julho--Outubro de 1999, pp. 261 e ss.

1. A ausência de legislação aplicável às eleições gerais de 1999

I. O ano de 1999 que se aproxima, no plano legislativo e político, apresenta-se crucial para a consolidação da jovem – mas bem sucedida – Democracia Moçambicana. Esse é o ano em que, segundo o estipulado na Constituição da República, cessam os mandatos dos órgãos de soberania electivos – o Presidente da República e a Assembleia da República – porque expira o período de cinco anos por que foram eleitos, exactamente em Outubro de 1994.

Em termos de legislação aplicável, a situação que Moçambique vive, neste momento, é paradoxal: em face do carácter transitório da Lei n.° 4/93, de 28 de Dezembro, porquanto apenas se destinou a regular as eleições gerais ocorridas no ano de 1994, não existe qualquer legislação eleitoral que possa disciplinar essas próximas eleições para o Presidente da República e para os Deputados à Assembleia da República.

A única legislação eleitoral que actualmente vigora na República de Moçambique é a Lei n.° 6/97, de 28 de Maio, diploma que enquadra as eleições autárquicas, cuja primeira experiência, aliás, teve lugar em 30 de Junho de 1998[2]. Mas, como se percebe, é uma lei que se relaciona com uma realidade bastante diferente, não só devido à dimensão própria das estruturas autárquicas como também por se tratar de eleições de órgãos que têm uma organização específica. Assim está fora de questão qualquer aplicação analógica desta legislação, processo que seria, de todo o modo, extremamente inseguro num domínio tão delicado.

II. Somos, pois, forçados a concluir que, não havendo normação directamente aplicável, se verifica uma grave situação de lacuna de regulamentação a respeito das eleições gerais.

---

[2] Para uma avaliação acerca da legislação eleitoral aplicável às eleições autárquicas, v., por todos, JORGE BACELAR GOUVEIA, *As autarquias locais e a respectiva legislação – um enquadramento geral*, in AAVV, *Autarquias Locais em Moçambique – antecedentes e regime jurídico*, Lisboa/Maputo, 1998, pp. 92 e ss.

E a gravidade dessa lacuna é tanto maior quanto mais candente se considera ser o domínio eleitoral, precisamente aquele que constitui o coração da Democracia, esta se expressando, de um modo privilegiado, no princípio democrático, pelo qual os cidadãos são chamados a escolher, livre e secretamente, os seus governantes.

A conclusão é, deste modo, a necessidade de o Parlamento Moçambicano elaborar uma nova legislação eleitoral, pelo menos, para fazer face às eleições gerais que se realizarão no ano de 1999. Essa é uma tarefa que, todavia, tem de ser executada num curtíssimo lapso de tempo, atendendo à respectiva complexidade técnica e à inconveniência do adiamento desses actos eleitorais.

2. As escolhas constitucionais do Direito Eleitoral Moçambicano

I. O esforço para a construção do novo regime eleitoral em Moçambique, com vista à regulamentação das eleições de 1999, naturalmente que começa pela indagação de quais são, no plano do texto constitucional, as respectivas linhas mestras.

Esta é até uma matéria que, no proposto anteprojecto da revisão da Constituição, se apresenta sensivelmente desenvolvida, dedicando-se um inteiro artigo ao Direito Eleitoral, com um carácter geral, nele avultando a novidade das regras referentes ao sistema eleitoral no seu conjunto, bem como aquelas que regulam as campanhas eleitorais.

Numa perspectiva de síntese, a leitura do articulado constitucional, na versão que ainda se conserva em vigor, possibilita avançar com dois grandes eixos que operam a arquitectura do Direito Constitucional Eleitoral em Moçambique:

– o princípio democrático, na sua vertente representativa; e
– o sistema da representação proporcional.

II. A escolha de um modelo de democracia representativa, a partir da II República, instaurada com a Constituição de 1990, apoia-se num conjunto de mudanças que se verificaram no sistema político moçambicano, num acentuado contraste com a prática anteriormente vivida[3].

---

[3] Para a sua caracterização, em termos de Constituição Eleitoral, v. JOÃO ANDRÉ UBISSE GUENHA, *Os sistemas eleitorais em Moçambique*, in *Revista Luso-Africana de Direito*, I, Lisboa, 1997, pp. 235 e ss.

Quer isso dizer que o princípio democrático, entendido na sua concepção mais ampla, passou a ser o vector fundamental do jogo político. As escolhas políticas de fundo, de acordo com este princípio, assentam então no reconhecimento de que deve ser deferido ao Povo Moçambicano a competente titularidade do poder. A próprio etimologia da palavra democracia – do grego *demo* (povo) e *kratos* (poder) – não o pode iludir. Ou, como disse ABRAHAM LINCOLN, no século XIX, num aforismo que ficaria muito célebre, a democracia é "o governo do povo, com o povo e para o povo".

Mostrando quão fundo se quis avançar na consagração deste princípio democrático, verificamos, paralelamente, que essa expressão da vontade popular é relevante em três dimensões distintas. Como se pode ler num dos preceitos da Constituição, "O povo moçambicano exerce o poder político através do sufrágio universal, directo, igual, secreto e periódico para escolha dos seus representantes, por referendo sobre as grandes questões nacionais e pela permanente participação democrática dos cidadãos na vida da Nação"[4].

São elas:

– uma dimensão *representativa* – através da possibilidade de eleger os governantes do país, se não todos, os dos órgãos mais importantes, direito de voto que tem de ser rodeado de certas características;
– uma dimensão *referendária* – através da possibilidade de os moçambicanos poderem exprimir a sua decisão, em referendo, acerca das questões que se assumam de grande relevo nacional;
– uma dimensão *participativa* – através da oportunidade difusa que se oferece no sentido de se veicular a opinião pública, por intermédio de vários direitos fundamentais de maior coloração política, como a liberdade de imprensa, a liberdade de associação ou a liberdade de reunião e de manifestação.

III. Cuidando apenas da primeira dimensão, importa observar que ela implica, na escolha dos órgãos mais importantes do Estado, a aplicação do direito de sufrágio como sendo a sua chave, inserindo-se na eleição como mecanismo de escolha dos governantes.

---

[4] Art. 30 da Constituição.

Ora, é precisamente isso o que acontece com os dois órgãos mais significativos no plano da acção política: o Presidente da República e a Assembleia da República[5]. E, mais recentemente, também se verifica o alargamento da acção desse princípio democrático a outra estrutura de poder, que são as autarquias locais.

Note-se, contudo, que não basta a realização de eleições para se obter um penhor seguro de efectivação do princípio democrático. Com certeza que a votação de cada cidadão moçambicano é extremamente relevante, mas não é a única condição. Cumpre ainda registar o preenchimento de outras condições:

– a completa e integral formação do colégio eleitoral, sem a existência de exclusões que não sejam impostas ou pela idade – a menoridade – ou por motivos de ordem psicológica – a incapacidade mental;
– a liberdade de apresentação de candidaturas, todos se sentindo livres para concorrer aos actos eleitorais, apenas se admitindo poucos condicionamentos, e desde que tenham o objectivo de fazer alcançar um mínimo de seriedade das candidaturas;
– as garantias de manifestação da verdade da vontade eleitoral, como sejam a confidencialidade do voto, bem como as respectivas presencialidade e imediatividade, porque através delas se protege a inviolabilidade dessa vontade eleitoral;
– as garantias de defesa da legalidade eleitoral, por órgãos independentes e imparciais, aos quais é pedida uma actuação com base em critérios jurídicos, não com base em critérios de oportunidade política.

IV. A consagração, em termos gerais e em termos eleitorais, quer no nível do Estado quer no nível das autarquias locais, do princípio democrático, sendo uma relevantíssima opção de fundo, não se afigura ainda uma escolha suficiente, pelas múltiplas possibilidades que depois se abrem na conformação específica desse princípio, se aplicado aos actos eleitorais[6]. É que interessa aquilatar acerca do método escolhido para se realizar a conversão dos votos em mandatos a atribuir por lista, em atenção à multiplicidade de esquemas que se estabelecem, em vista naturalmente dos órgãos de soberania electivos.

---

[5] Cfr. os arts. 118 e 134 da Constituição.
[6] Cfr. as explicações de João André Ubisse Guenha, *Os sistemas...*, pp. 238 e ss.

Com respeito ao Presidente da República, o seu carácter forçosamente unipessoal só admitiria a aplicação de um método maioritário. Daí que a verdadeira opção constitucional se situe na imposição de uma escolha feita por maioria absoluta dos votos, ao exigir-se sempre que haja uma segunda volta nas eleições presidenciais, em que participam os dois candidatos mais votados, caso no primeiro escrutínio nenhum dos candidatos tenha obtido mais de metade dos votos expressos[7].

Em relação à Assembleia da República, verifica-se a adopção de um método de natureza proporcional[8]. No plano da formação dos círculos eleitorais, escolheu-se o pluri-nominalismo das candidaturas[9], as quais se estruturam tendo por quadro as províncias.

V. Não se pode dizer que, dentro dos sistemas democráticos, estas concretas opções, pensando só na Assembleia da República, em termos de representação proporcional e em termos de pluri-nominalismo, sejam de teor universal, sendo possível encontrar outros diferentes esquemas, principalmente na Europa, conjugando esses dois factores – a repartição dos Deputados pelos círculos eleitorais e a conversão dos votos em mandatos.

Um deles é o sistema britânico, que assenta num sistema eleitoral maioritário, a uma volta, apenas se elegendo um único Deputado por cada círculo eleitoral. Outro é o sistema francês, que também repousa num sistema maioritário, mas em que os candidatos, com base em círculos pluri-nominais, apenas são eleitos à segunda volta[10].

Por razões várias, consideramos que a opção constitucional moçambicana, no tocante à eleição dos Deputados à Assembleia da República, se apresenta inteiramente acertada, pelo que deve ser mantida:

– a realização de um único acto eleitoral afigura-se extremamente importante em termos de gastos económicos e de organização,

---

[7] Cfr. o art. 119 da Constituição.

[8] Cfr. o art. 107, n.º 3, da Constituição.

[9] Este plurinominalismo, se bem que não seja explicitado na Constituição, que não define os círculos eleitorais, deriva implicitamente do facto de se permitir uma composição variável dos Deputados, conforme se pode ler no art. 134, n.º 2, do respectivo texto, entre 200 e 250.

[10] Para a sua explicitação, incluindo considerações acerca das suas vantagens e desvantagens, v. MARCELO REBELO DE SOUSA, *Ciência Política – conteúdos e métodos*, Coimbra, 1989, pp. 81 e 82; JORGE MIRANDA, *Ciência Política*, Lisboa, 1992, pp. 212 e ss., e pp. 216 e ss.; JORGE BACELAR GOUVEIA, *Legislação Eleitoral – introdução*, Lisboa, 1995, pp. 9 e ss.; JOÃO ANDRÉ UBISSE GUENHA, *Os sistemas...*, pp. 233 e ss.

limitando-se essa opção ao mínimo, que é a eleição presidencial poder ter uma segunda volta;

– a adopção de um método proporcional, em detrimento de um método maioritário, representa um acrescido factor pluralismo num sistema político que dá os seus primeiros passos na democracia, porque se faz corresponder mais fielmente a verdade parlamentar – quanto aos diversos partidos representados – com a verdade eleitoral dos votos que os cidadãos depositaram nas urnas;

– a escolha do pluri-nominalismo, em vez do uninominalismo, surge adequadamente responsabilizadora, uma vez que a extensão do território, a escassez das condições políticas e a inexperiência de alguns políticos tornaria impossível, na prática, que o sistema de um só Deputado responder perante o seu eleitorado pudesse verdadeiramente funcionar.

3. As principais livres opções do legislador eleitoral

I. O texto constitucional não esgota, porém, todas as opções que o Direito Eleitoral, em qualquer parte do mundo, necessariamente implica. Para além dos aspectos de cariz mais técnico, em que praticamente se observa um consenso geral, é ainda de realçar aspectos que carecem de uma ponderação autónoma, com vista a tomar-se uma decisão no momento da elaboração de uma lei eleitoral.

No nosso ponto de vista, essas são, no essencial, quatro questões:

- a imposição de uma cláusula-barreira para reconhecer a atribuição de mandatos parlamentares;
- a possibilidade do voto dos cidadãos residentes no estrangeiro;
- a escolha do método de concretização da representação proporcional;
- o tipo de controlo da legalidade eleitoral.

II. Destes quatro assuntos, sem dúvida que aquele que mais interesse político suscita respeita à consagração da cláusula-barreira, assim se impedindo a atribuição de mandatos parlamentares aos partidos que, no plano nacional, não tenham chegado a certa fasquia.

De acordo com o que se pode colher da experiência do Direito Constitucional Comparado, o exemplo mais conhecido de aplicação dessa disposição é o sistema alemão. Mas ela não é frequente noutros países europeus, sobretudo os do norte da Europa, em que a multiplicação partidária

154 Estudos de Direito Público de Língua Portuguesa

jamais suscitou a necessidade ou sequer a conveniência da respectiva aprovação.

Em Moçambique, aquando das primeiras eleições gerais, essa foi uma cláusula que se considerou por bem estabelecer. Ela, na altura, como chegámos a escrever[11], levantava sérios obstáculos de constitucionalidade, ao falecer-lhe por completo a devida autorização constitucional, sendo certo que funciona como um estrangulamento ao sistema da representação proporcional.

Passados que estão cinco anos sobre essa primeira experiência, sem que a Constituição tivesse sido alterada neste ponto, tais objecções de inconstitucionalidade mantêm-se. E note-se que nem sequer se prevê a adopção de qualquer modificação no anteprojecto que neste momento se discute.

Num plano de análise política, se alguma coisa pudesse ter justificado a sua adopção em 1994, nos tempos de hoje terão completamente desaparecido essas razões. A sua imposição, num primeiro momento democrático, tem sempre o efeito de facilitar a transição de um regime monopartidário para um regime pluripartidário, que não deve resvalar, deste modo, para a pulverização partidária[12].

Agora, com a instalação definitiva da democracia, na qual a convivência dos diversos partidos se tornou rotineira, não parece que esses receios sejam ponderosos, seja porque a prática política já pode gerar eficácia parlamentar com muitos partidos pequenos, seja porque alguns destes partidos deixaram de intervir com possibilidade de poderem chegar ao Parlamento, dado o seu total apagamento desde as primeiras eleições até hoje.

III. O voto dos cidadãos moçambicanos residentes no estrangeiro é também outro tema particularmente difícil, não tanto por razões políticas, quanto por razões técnicas.

Evidentemente que o princípio geral é o de que pode votar quem possui um vínculo de cidadania relativamente a determinado Estado. O

---

[11] Cfr. JORGE BACELAR GOUVEIA, *O princípio democrático no novo Direito Constitucional Moçambicano*, in *Revista da Faculdade de Direito da Universidade de Lisboa*, XXXVI, 1995, n.º 2, p. 477.

[12] Como esclarece JOÃO ANDRÉ UBISSE GUENHA (*Os sistemas...*, p. 243), "Esta exigência (da cláusula-barreira) visa evitar que a representação proporcional degenere na proliferação de pequenos partidos parlamentares sem qualquer expressão nacional, podendo até ser partidos meramente regionais. A cláusula-barreira compele os pequenos partidos a formarem coligações pré-eleitorais com vista a fortalecer a sua base no seio do corpo eleitoral".

facto de se residir no estrangeiro, por si só, não é bastante para determinar essa específica incapacidade eleitoral activa. E esta é uma posição que se vai reforçando à medida que, nas relações internacionais, se assiste a uma vertiginosa globalização, de pessoas, tecnologias, mercadorias, capitais e serviços, de todos em relação com todos, em que o elemento do território perde progressivamente a sua relevância.

Por outro lado, os dois velhos argumentos contra o voto dos cidadãos residentes no estrangeiro dificilmente hoje conseguem convencer: o da influência exercida pelos países com ditaduras sobre os eleitores neles residentes que eventualmente hostilizassem certas candidaturas dilui-se com o alastramento da democracia; o da falta de informação devido à distância física do território é cada vez menos convincente porque a globalização também está a chegar, em ritmo acelerado, à informação.

No entanto, isto não quer implicar que os cidadãos residentes no estrangeiro possam e devam sempre votar nas eleições para os órgãos de soberania. É que podem fazer-se sentir peculiares razões que afastem esse princípio geral, desaconselhando essa extensão extra-territorial do direito de voto: a ausência de mecanismos de garantia da veracidade do voto, quer no momento do recenseamento, quer no momento da expressão da vontade eleitoral.

IV. O tipo de sistema eleitoral a adoptar, dentro da família da representação proporcional, é ainda uma questão da maior candência. Não se pode dizer que Moçambique seja completamente virgem neste ponto, até porque, nos dois momentos eleitorais, se utilizou sempre o mesmo sistema – o da média mais alta, na versão inventada pelo belga Victor de Hondt.

Se olharmos ao conjunto de sistemas eleitorais que é possível praticar, num esforço de compreensão de alguns sistemas eleitorais estrangeiros, verificamos que existem outras possibilidades. Uma delas é a da utilização do método do número uniforme. Outra hipótese é a do divisor, estabelecendo-se uma média mais alta, com várias possibilidades de combinação no respeitante aos números escolhidos[13].

Mas não cremos que existam razões fortes que determinem a substituição do método de Victor de Hondt por qualquer outro destes métodos.

---

[13] V. a respectiva ilustração em JORGE MIRANDA, *Ciência...*, pp. 213 e ss.; JORGE BACELAR GOUVEIA, *Legislação...*, pp. 11 e ss.; JOÃO ANDRÉ UBISSE GUENHA, *Os sistemas...*, pp. 230 e ss.; RUDY F. LARUTA, *Sistemas eleitorais e responsabilidade em Democracia*, Maputo, 1998, pp. 26 e ss.

156   *Estudos de Direito Público de Língua Portuguesa*

Ele tem desde logo a vantagem de já ser sobejamente conhecido pelos acto-res políticos, tendo sido usado em eleições parlamentares e em eleições autárquicas. Por outro lado, este é um sistema que combina, com enorme felicidade, diríamos nós, a simplicidade dos correspondentes cálculos ma-temáticos, adoptando-se números naturais, com o melhor aproveitamento possível dos restos eleitorais, verdadeiro calcanhar de Aquiles de qualquer sistema eleitoral.

V. A matéria dos órgãos de controlo da legalidade eleitoral é finalmente domínio extremamente sensível, mas com uma feição acentuadamente téc-nica. Quase tão importante quanto a atribuição do direito de voto é a existên-cia de instituições credíveis e eficazes de controlo da legalidade eleitoral.

Segundo se pode colher da prática política trazida com as eleições gerais de 1994 e das eleições autárquicas de 1998, a entidade que procede a esta fiscalização não tem suscitado unanimidades, como devia suscitar. Importa é que a sua organização se possa fazer, dentro do seu estatuto de independência, com base num amplo consensualismo político, o qual pode radicar nos seguintes elementos:

— uma *composição politicamente heterogénea*, com possibilidade da representação das diversas forças político-partidárias, pluralismo político-parlamentar que também se deve estender aos órgãos de carácter técnico, através da escolha do seu director-geral pelo Par-lamento;
— uma *orientação de decisão estritamente jurídica*, sem que a lei eleitoral dê margens de discricionariedade às suas deliberações;
— uma *implantação condizente com a extensão do território nacio-nal*, podendo desdobrar-se por estruturas provinciais e distritais, de forma a acompanhar, mais de perto, as operações eleitorais;
— *o carácter não definitivo de todas as suas decisões*, com a possibi-lidade de recurso a outro órgão igualmente independente, de tipo jurisdicional.

4. A necessidade de uma legislação eleitoral e a preferência por um Código Eleitoral

I. O facto de ser necessário elaborar uma nova legislação eleitoral, tendo em mente as eleições gerais que se aproximam, não significa, de todo em todo, que se deva partir do zero. Pergunta-se: quais são então os elementos por que pode começar esse esforço do legislador parlamentar, ao redigir a lei eleitoral?

Há, em primeiro lugar, a experiência normativa e prática que as eleições de 1994 trouxeram ao regime político, pelo que importa analisá-la. Dela se devem retirar ensinamentos: repetir o que correu bem e corrigir ou evitar o que correu mal.

Noutra perspectiva, é de não esquecer as bem recentes eleições autárquicas, a aproveitar naquilo que tenham de comum como fenómeno eleitoral em termos gerais. A respectiva legislação, que está em vigor, também pode desempenhar um papel auxiliar importante, ao guiar o legislador na elaboração desta nova lei eleitoral.

Finalmente, interessa ainda não esquecer as experiências que seja possível obter de outros países, com os quais Moçambique, da óptica do seu sistema democrático, mantém afinidades linguísticas, culturais ou políticas. É aí possível buscar soluções que se afigurem válidas na definição das normas moçambicanas internas relacionadas com os vários aspectos eleitorais.

II. Em termos de opção legislativa para disciplinar a matéria das eleições gerais, em face do reconhecimento da respectiva ausência, são três os caminhos que se abrem ao legislador:

1ª solução – a elaboração de uma lei eleitoral para cada órgão de soberania;

2ª solução – a elaboração de uma lei conjunta para a eleição do Presidente da República e dos Deputados à Assembleia da República;

3ª solução – a elaboração de uma lei contendo todos os aspectos concernentes aos actos eleitorais, as eleições gerais e as eleições autárquicas.

A opção por qualquer uma destas soluções não se apresenta neutra. Daí que devam ser devidamente ponderadas as vantagens, em termos de regulação sistemática da matéria, da escolha por cada uma delas.

A primeira opção é, de certo modo, a solução que foi aplicada às eleições autárquicas. Perante a necessidade de legislativamente prever um acto eleitoral dotado de certas características e que se aproximava, intimamente associado que estava a uma nova estrutura administrativa descentralizada, o caminho mais fácil foi avaliar somente essa realidade e confinar o esforço legislativo a tal eleição.

A segunda solução foi a adoptada em 1994, para as eleições do Presidente da República e dos Deputados à Assembleia da República. A Lei

158   *Estudos de Direito Público de Língua Portuguesa*

n.° 4/93 tratava, ao mesmo tempo, da eleição para esses dois órgãos, o que se explicava essencialmente pelo momento político que se vivia, logo a seguir à assinatura do Acordo Geral de Paz.

A terceira solução, que até agora nunca foi utilizada em Moçambique, implica a junção, num único diploma, de todas as questões que digam respeito às eleições, não apenas os aspectos que sejam materialmente eleitorais – procedimento de votação e regime de eleição de cada órgão – mas também de outros que, não atingindo esse centro, estão muito próximos, como os relativos às estruturas do contencioso eleitoral e às estruturas do recenseamento eleitoral.

III. Tendo por base as circunstâncias político-normativas de Moçambique, quanto à tomada desta opção, não hesitamos em considerar como mais justificada a terceira solução – a da elaboração de um Código Eleitoral.

Várias são as razões que concorrem para essa conclusão, não apenas ligadas ao conceito de código jurídico como também particularmente salientes nesta temática da legislação eleitoral:

– *razões de ordem prática* – em face da facilidade que se verifica na consulta de todas as matérias relativas a determinado domínio, sem necessidade de dispersão por vários diplomas legais, o mesmo é dizer por várias fontes e lugares de publicação;

– *razões de ordem política* – na medida em que com essa unificação se permite um mesmo juízo global e contemporâneo sobre as principais opções regulativas, trata-se com mais igualdade as questões politicamente mais controversas, assim se evitando soluções discriminatórias, que a produção desfasada das respectivas fontes pode naturalmente agravar;

– *razões de ordem científica* – conseguindo-se, a partir de um esforço conjunto, a melhor harmonia entre as normas criadas, bem como se vedando a possibilidade da repetição de matérias, numa visão de conjunto sintética e melhor sistematizada.

IV. A maioria das normas que farão parte deste novo Código Eleitoral não se vai apresentar em qualquer posição de ruptura, quer com a experiência passada da Lei n.° 4/93, quer com a experiência das leis vigentes sobre o recenseamento eleitoral, sobre a Comissão Nacional de Eleições e sobre a eleição dos órgãos autárquicos.

É evidente que muito aproveitará desses regimes, mesmo em termos de se fazer a transcrição dos incisos nelas utilizados. Só quando motivos muitos fortes o imponham, é que vale a pena modificar a redacção adoptada, que já entrou na familiaridade dos juristas e políticos moçambicanos. Os núcleos de matérias em que mais se sente essa constância de soluções regulativas são os seguintes:

- recenseamento eleitoral;
- procedimento eleitoral;
- contencioso eleitoral; e
- ilícito eleitoral.

V. Em contrapartida, noutros domínios mais circunscritos, é necessário proceder a uma reavaliação das soluções que já foram experimentadas, aparecendo assim o respectivo tratamento normativo com novas formulações.

Um primeiro aspecto em que isso sucede é relativo à conveniência de introduzir melhoramentos na legislação eleitoral, que não é estática e vai evoluindo à medida que as exigências da Democracia Moçambicana também vão sendo maiores. E isso não tem forçosamente que ver com o aumento dos procedimentos e, pelo contrário, pode ter que ver precisamente com a respectiva simplificação, dado o clima de confiança democrática instalado e em face do maior conhecimento que os agentes políticos têm, hoje, das práticas eleitorais. Isso acontece com alguns formalismos concernentes à apresentação das candidaturas.

Outro motivo que também deve ser mencionado liga-se às paralelas alterações que tenham sido feitas em instituições políticas que, de um modo ou de outro, desempenham uma tarefa no âmbito eleitoral. Esta legislação obviamente que deve reflectir as alterações que nesta sede se registam, como seja o caso da criação, para breve, do Tribunal Constitucional.

Razão ainda marcante para modificar normas eleitorais prende-se, directamente, com a lógica que anima a elaboração de um código eleitoral, em que as matérias se apresentam de uma maneira diferente e em que certas normas de carácter formal já não fazem sentido. Essa verificação é evidente, por exemplo, no título relacionado com as normas finais – agora em conexão com todas as normas eleitorais – e transitórias – havendo que fazer a ponte da legislação existente para a novel e global legislação nascente.

5. Breve descrição do Código Eleitoral

I. O Código Eleitoral, conciliando matérias de natureza muito diversas – gerais e especiais, substantivas e processuais, permanentes e transitórias – pode ser sistematizado na base de dez títulos, com capítulos e, por vezes, secções, cada um deles referido aos seguintes domínios:

– recenseamento eleitoral;
– capacidade eleitoral;
– procedimento eleitoral;
– eleição do Presidente da República;
– eleição dos Deputados à Assembleia da República;
– eleição do Presidente do Conselho Municipal ou de Povoação;
– eleição dos Deputados à Assembleia Municipal ou de Povoação;
– contencioso eleitoral;
– ilícito eleitoral;
– disposições finais e transitórias.

II. O título I institui um recenseamento eleitoral sistemático para a realização de eleições e referendos, assentando nas diversas vantagens que um sistema de recenseamento oferece: dá a conhecer, antes de cada votação, o universo dos potenciais votantes, permitindo a fixação do número de mandatos em órgãos – como acontece frequentemente com os Parlamentos – que dependem da densidade populacional de cada círculo eleitoral; dificulta o surgimento de fraudes, pela obrigatoriedade de a inscrição ser feita num certo tempo que precede o acto de votação; favorece a consciencialização cívica dos votantes para a importância do voto por intermédio da solenidade de um acto preliminar de recenseamento.

No tocante a um primeiro capítulo sobre "Disposições gerais", enunciam-se várias características do recenseamento:

1) a *universalidade* implica que o recenseamento seja destinado aos cidadãos que possuam a titularidade do direito de voto, capacidade eleitoral activa que, de acordo com os termos constitucionais, exige a nacionalidade moçambicana e a maioridade eleitoral, a alcançar aos dezoito anos;

2) a *permanência* do recenseamento eleitoral compreende-se bem se nos lembrarmos do carácter periódico, em democracia política, dos actos eleitorais: não teria sentido que, para cada novo acto, se

fizesse um novo recenseamento, o qual, se uma vez feito, vale permanentemente;

3) a *actualidade* visa a necessidade de o registo constante dos cadernos eleitorais, sendo permanente, se mostrar fiel ao universo de cidadãos eleitores existente em cada momento ou, pelo menos, em cada acto eleitoral, devendo para o efeito ser anualmente actualizado, quer pelo cancelamento das inscrições dos falecidos e dos que mudaram de residência, quer pelo aditamento das inscrições dos que passaram a estar inscritos e dos que atingiram, pela primeira vez, a idade eleitoral;

4) a *obrigatoriedade* e a *oficiosidade* designam duas características do recenseamento que, embora apareçam juntas no mesmo preceito, têm significados distintos: com a obrigatoriedade, a lei impõe a todos os cidadãos, com capacidade eleitoral, o dever de se inscreverem no recenseamento, enquanto que com a oficiosidade a lei comete às autoridades recenseadoras o dever de fazer a inscrição dos cidadãos eleitores, especialmente para os casos daqueles que não tomaram a iniciativa de o fazer;

5) a *unicidade* do registo explica-se pela concomitante unicidade do direito de sufrágio de cada cidadão eleitor: se o cidadão moçambicano, individualmente considerado, só tem um único voto, que se esgota no exercício de cada votação, é também natural que só possa estar inscrito no recenseamento uma única vez.

Em matéria de organização do recenseamento eleitoral, distribuem-se responsabilidades por diversas entidades, sendo a respectiva direcção confiada ao Secretariado Técnico da Administração Eleitoral, este por sua vez subordinado à Comissão Nacional de Eleições. As entidades que, no terreno, se afiguram como os protagonistas do recenseamento são as entidades recenseadoras, as quais procedem à inscrição de cada eleitor: no território nacional, são participadas pelas administrações distritais e, no estrangeiro, são formadas pelas missões consulares e diplomáticas. Nas tarefas de recenseamento, as entidades recenseadoras podem ser fiscalizadas ou objecto de colaboração por parte dos partidos políticos.

As operações do recenseamento eleitoral incluem os diversos momentos lógicos que concorrem para esse mesmo resultado final:

1) *Determinação do período de inscrição* – é anual e deve ser fixado pelo Governo;

2) *Inscrição no recenseamento* – realiza-se mediante o preenchimento do respectivo boletim, com a indicação de um conjunto de elementos basilares de identificação, podendo também surgir situações de transferência e de cancelamento de inscrições;
3) *Elaboração dos cadernos eleitorais* – com cerca de mil eleitores, permanecem inalterados nos quinze dias que precedem cada acto eleitoral;
4) *Defesa da legalidade do recenseamento* – pode ocorrer ou através de reclamação para o órgão de recenseamento ou através de recurso, primeiro para a Comissão Nacional de Eleições e depois para o Tribunal Constitucional.

III. O título II, ainda numa óptica absolutamente comum a qualquer acto eleitoral, com pontualíssimas excepções, é reservado à definição da capacidade eleitoral.

A *capacidade eleitoral activa* preenche-se com a verificação de quatro condições, três positivas e uma negativa: a cidadania moçambicana, a maioridade de dezoito anos e a inscrição no recenseamento eleitoral; e a não verificação de qualquer uma das incapacidades eleitoral previstas – os interditos, os notoriamente reconhecidos como dementes, os condenados a pena de prisão por crime doloso de delito comum ou a privação dos direitos políticos e os presos preventivamente por decisão judicial.

A *capacidade eleitoral passiva* recorta-se, em grande medida, pela capacidade eleitoral activa, pois quem tem esta também normalmente terá aquela: isso só não acontece para os cidadãos que, não estando condenados, sejam declarados judicialmente como delinquentes de difícil correcção, bem como os que tiverem renunciado a mandato anterior.

Ainda se consagram algumas inelegibilidades, todas elas obedecendo à ideia de que não é prudente autorizar a eleição de certas pessoas na convicção de que, num grau de probabilidade superior ao normal, possam utilizar o seu poder de influência social sobre certa comunidade para capitalizar votos a seu favor (a despeito de, em alguns casos, até se admitir a respectiva candidatura, mas aí sendo necessário solicitar a suspensão do exercício das funções), ou casos em que, não havendo propriamente o exercício de um poder social, as pessoas se não afiguram idóneas, no plano cívico, para poderem ser candidatas:

– magistrados judiciais e do Ministério Público;

Legislação Eleitoral em Moçambique 163

– membros das forças militares ou militarizadas e das forças de segurança;
– falidos ou insolventes, os devedores em mora com pessoas colectivas de Direito Público, bem como os membros dos corpos sociais e os gerentes de sociedades, bem como os proprietários de empresas, que tenham contrato com as pessoas colectivas de Direito Público não cumprido.

IV. O título III está reservado ao acto eleitoral, em sentido amplo, o qual se compõe de diversas fases, que formam o procedimento eleitoral:

– *Marcação da data das eleições*: são simultâneas para os dois órgãos de soberania e para os dois órgãos autárquicos, em data a fixar, respectivamente, pelo Presidente da República e pelo Governo, realizando-se sempre antes do termo do mandato cessante a que se reportam;
– *Apresentação das candidaturas*: obedecem ao princípio geral da sua exclusividade, nenhum candidato podendo concorrer simultaneamente à eleição de dois ou mais órgãos ou integrar mais do que uma lista para o mesmo órgão;
– *Campanha eleitoral*: sujeita-se ao princípio da liberdade de propaganda, decorrendo num período de quinze dias, e o Estado proporciona o uso de meios e instalações, de acordo com o princípio da igualdade de oportunidades de todas as candidaturas, devendo todas as autoridades públicas pautar o seu comportamento pelos princípios da imparcialidade e da neutralidade;
– *Assembleias de voto*: organizam-se segundo o princípio da liberdade de participação das diversas candidaturas, funcionando no dia da eleição, cuja actividade pode ser, aliás, amplamente fiscalizada pelos delegados de lista;
– *Votação*: o sufrágio exerce-se de acordo com as características da pessoalidade, presencialidade, unicidade e confidencialidade;
– *Apuramento*: a contagem dos votos faz-se, em primeiro lugar, no nível de cada assembleia de voto, passando-se, depois, ao apuramento parcial, no plano provincial, culminando-se com a intervenção da Comissão Nacional de Eleições; o Tribunal Constitucional, ao nível nacional, valida e publicita os resultados das eleições no país.

V. O título IV trata do primeiro domínio eleitoral que se apresenta com um carácter específico porque relativo só a certa eleição, que é o do regime aplicável ao Presidente da República, ao qual se aproxima muito o título VI, atinente à eleição do Presidente do Conselho Municipal ou de Povoação.

Relativamente ao regime de apresentação das candidaturas, são dois os esquemas que se adoptam, na medida em que, neste ponto, é a Constituição muito clara nas directrizes que define, no caso particular do Presidente da República: ou se trata de candidatura pessoal, assumindo o próprio candidato esse encargo de se apresentar; ou se trata de uma candidatura protagonizada por partidos políticos ou coligações de partidos. Seja como for, em qualquer destes casos, carece-se de um apoio por um mínimo de 10 000 cidadãos eleitores, para o Presidente da República, ou de um apoio popular mínimo de 1% dos cidadãos eleitores residentes, se se tratar da eleição do Presidente do Conselho Municipal ou de Povoação.

Quanto ao regime da eleição, adoptando-se necessariamente o método maioritário, porque se trata de um órgão de feição uninominal, a escolha funda-se na maioria absoluta dos votos expressos. A importância do cargo justifica que se seja exigente ao ponto de se requerer este tipo de maioria. É por isso que, caso essa maioria não seja obtida na primeira votação, se realiza uma segunda votação, na qual apenas concorrem os dois candidatos ali mais votados.

Em termos de capacidade eleitoral passiva, verifica-se um importante desvio ao princípio geral segundo o qual quem tem capacidade eleitoral activa também tem capacidade eleitoral passiva. É que para a candidatura a Presidente da República se impõe a idade de 35 anos. Noutra perspectiva, em atenção à dignidade do cargo, compreende-se a imposição de algumas inelegibilidades especiais.

VI. O segundo núcleo eleitoral de natureza singular refere-se ao regime da eleição para os Deputados à Assembleia da República e para os deputados às Assembleias Municipais ou de Povoação, estes sendo, diferentemente dos primeiros, órgãos de natureza colegial ampla, cujos regimes se podem distribuir, respectivamente, pelos títulos V e VII.

No plano da apresentação das candidaturas, vê-se que os partidos políticos ou coligações de partidos mantêm um monopólio na respectiva apresentação. Os cidadãos eleitores, de per si, não têm essa possibilidade, senão através dos canais partidários.

Quanto ao regime de eleição, a adopção do sistema de Victor de Hondt exclui qualquer necessidade de maioria absoluta. É um sistema eleitoral de tipo proporcional, em que se compatibilizam os vários problemas que se levantam, a começar logo com o destino dos votos restantes que não possam eleger qualquer deputado.

VII. A matéria do contencioso eleitoral ocupa o título VIII, que tem essa epígrafe, no qual se analisam as questões relativas às vias processuais que se abrem aos cidadãos no sentido de se defender a legalidade eleitoral.

O princípio geral é o de que há sempre a possibilidade de impugnar as decisões tomadas pelas assembleias de voto, com recurso para a Comissão Nacional de Eleições. Essas são normas que se concentram num primeiro capítulo deste título dedicado ao contencioso eleitoral.

Numa perspectiva organizatória, lugar à parte tem de ser concedido à Comissão Nacional de Eleições, cuja criação se funda no desejo de se estabelecer um organismo, especializado em questões eleitorais, que eficazmente possa responder às dificuldades que o processo eleitoral, pela sua complexidade técnica, sempre levanta.

Não é, contudo, um órgão jurisdicional com a última palavra e todas as suas decisões estão submetidas ao controlo final do Tribunal Constitucional, que decide em última instância, cujo estatuto não tem de se apresentar especificamente regulado neste Código Eleitoral. Mas isso não faz da Comissão Nacional de Eleições um órgão politicamente activo, que entre na controvérsia política.

Em termos gerais, assegura-se um *estatuto de autonomia e independência* da Comissão Nacional de Eleições. A sua composição reflecte um amplo pluralismo político-parlamentar, devendo os seus membros ser designados pela Assembleia da República, respeitando a proporcionalidade da representação partidária parlamentar.

As *competências* da Comissão Nacional de Eleições têm que ver, de um modo geral, com a direcção dos processos eleitorais e, especificamente, incluem matérias como a formalização de candidaturas, a publicitação dos actos e candidaturas eleitorais e o julgamento dos recursos que sejam apresentados, em primeira instância.

Relativamente a *estatuto dos membros*, fixa-se o período de cinco anos como prazo geral de duração dos mandatos. As garantias de inamovibilidade consolidam a faceta independente do tipo do exercício das suas funções. O número de incompatibilidades deve também ser vasto: Presidente da República, membro do Governo, Deputado à Assembleia da República, magistrado judicial e do Ministério Público, candidato em eleições nacionais ou autárquicas, membro das forças militares ou de segurança, membro do Conselho Superior da Comunicação Social e do Tribunal Constitucional e diplomatas no serviço.

Quanto ao *funcionamento*, a Comissão Nacional de Eleições, sendo embora um órgão permanente, exerce intermitentemente as suas funções e apenas nos períodos eleitorais, podendo desdobrar-se em estruturas provinciais e distritais. Do ponto de vista técnico, conta com o apoio do Secretariado Técnico da Administração Eleitoral, órgão em que deve ser relevante a vontade do Parlamento, pelo menos na escolha do seu director-geral.

VIII. O título IX respeita à matéria da defesa da legalidade eleitoral, que é um título que, como se compreende, não podia deixar de constar, nele se versando as regras que cuidam das sanções aplicáveis no caso de violação daquele acervo normativo. E desta óptica são relevantes simultaneamente as responsabilidades de cariz *penal, civil e disciplinar*.

Não obstante, é para a responsabilidade penal que se dirigem as maiores preocupações. No que a esta respeita, tanto a tentativa/frustração como a consumação são igualmente puníveis, sendo circunstâncias agravantes especiais o facto de a infracção cometida poder influenciar o resultado da votação e o facto de os agentes serem membros das entidades recenseadoras, candidatos ou delegados partidários.

Os tipos de crime que se encontram consagrados arrumam-se em quatro grupos de infracções:

– as infracções relativas ao recenseamento eleitoral;
– as infracções relativas à apresentação de candidaturas;
– as infracções relativas à campanha eleitoral; e
– as infracções relativas ao acto eleitoral.

No primeiro grupo, são previstos os seguintes crimes: a promoção dolosa de inscrição, a obstrução à inscrição, a obstrução à detecção de duplas inscrições, a apresentação de falso documento comprovativo, a violação dos deveres relativos à inscrição no recenseamento eleitoral, a violação de deveres relativos aos cadernos eleitorais, a falsificação do cartão de eleitor, a falsificação dos cadernos de recenseamento eleitoral, o impedimento à verificação de inscrição no recenseamento eleitoral e a não correcção de cadernos eleitorais.

No segundo grupo, que é o mais reduzido nos tipos de crimes enunciados, cumpre apenas mencionar os crimes da candidatura de cidadão inelegível e da candidatura plúrima.

No terceiro grupo, mencione-se vários tipos de crimes: a violação do dever de neutralidade e imparcialidade, a utilização indevida de denominação, sigla ou símbolo, a violação da liberdade de reunião eleitoral, a realização de reuniões, comícios, desfiles ou cortejos ilegais, o desvio de material de propaganda eleitoral, a propaganda feita após o encerramento da campanha eleitoral e a revelação ou divulgação de resultados de sondagens.

No quarto grupo, que é o mais extenso de todos, importa elencar estes tipos de crimes: a violação da capacidade eleitoral activa, a admissão ou exclusão abusiva do voto, o impedimento de exercício do sufrágio, o voto plúrimo, o mandatário infiel, a violação do segredo de voto, a coacção e artifício fraudulento sobre o eleitor, o despedimento ou ameaça de despedimento, a corrupção eleitoral, a não exibição da urna, a introdução de boletins de voto na urna e desvio desta ou dos boletins de voto, o prática de fraudes nos boletins de voto, a oposição ao exercício dos direitos dos delegados das candidaturas, a recusa de receber reclamações, protestos e contra-protestos, a perturbação das assembleias de voto, a obstrução dos candidatos, mandatários e representantes das candidaturas, o não cumprimento do dever de participação no processo eleitoral, a falsificação dos documentos relativos à eleição, a reclamação e recurso de má-fé e a não comparência da força policial, quando a isso solicitada.

Maputo, 28 de Outubro de 1998.

F) AS AUTARQUIAS LOCAIS MOÇAMBICANAS E A RESPECTIVA LEGISLAÇÃO – UM ENQUADRAMENTO GERAL[1]

SUMÁRIO:

1. A constelação legislativa do regime jurídico das autarquias locais
2. Conceito e fundamento
3. Espécies; a cidade de Maputo em especial
4. Atribuições, poderes e criação
5. Aspectos eleitorais
6. Aspectos orgânicos de ordem geral; a estrutura e o sistema de governo autárquico

---

[1] Texto da comunicação apresentada em Maputo, a 14 de Fevereiro de 1995, no âmbito de um Seminário promovido pelo PROL sobre a legislação autárquica e publicado na obra colectiva *Autarquias locais em Moçambique – antecedentes e regime jurídico*, Lisboa-Maputo, 1998, pp. 81 e ss.

1. A constelação legislativa do regime jurídico das autarquias locais

I. Com as eleições autárquicas que dentro em breve terão lugar, culmina em Moçambique um percurso legislativo de vários anos, feito de consensos, de dificuldades e de muitas esperanças.

Depois da consecução da democracia política ao nível dos órgãos nacionais, é chegada a hora de se proceder à implantação de uma democracia de raiz local, através de governos locais escolhidos livremente pelas populações.

O ponto de partida na construção desse edifício legislativo era adverso a dois títulos:

- por um lado, havia a experiência colonial, que naturalmente se pretendia esconjurar, sobretudo naquilo em que na mesma se tivesse identificado com os intuitos dirigistas da "Metrópole", num cenário todo ele desfasado dos novos tempos;
- por outro lado, era impossível esquecer a experiência de administração local trazida pelo regime de democracia popular que Moçambique viveu até 1990, data em que, com a aprovação de uma nova Constituição (CRM), se abriu o processo da democratização, que atingiria o seu zénite na eleições de 1994 para o Presidente da República e para os Deputados à Assembleia da República.

A estratégia que foi seguida começou por concentrar os esforços em torno da elaboração de um diploma básico do regime das autarquias locais. Este funcionaria como o esqueleto fundamental de sustentação da constelação legislativa a criar, o que veio a suceder com a Lei n.º 3/94, de 13 de Setembro, que estabeleceria o quadro institucional dos distritos municipais.

II. A vigência deste diploma não seria, no entanto, muito longa, porquanto, após a instalação da Assembleia da República pluralisticamente eleita, várias dúvidas surgiram quanto à constitucionalidade do esquema consagrado de Administração Autónoma Local fundado nos distritos municipais.

O debate que na opinião pública se gerou teve o mérito de despertar na consciência cívica moçambicana a importância da supremacia da Constituição, não de uma supremacia formal qualquer, mas de uma supremacia justificada na bondade dos princípios fundamentais de que era – e é – portadora.

Os principais argumentos que animaram as diversas opiniões que foram expendidas no sentido da inconstitucionalidade dos distritos municipais relacionavam-se com a circunstância de para a Constituição qualquer administração local dever conter um liame ao Estado-Administração, numa concepção clara de sua Administração Periférica.

Para não arrastar essas dúvidas a ponto de fazer perigar a serenidade jurídico-constitucional conveniente a esta reforma, decidiu a Assembleia da República fazer uma revisão pontual da Constituição no tocante à matéria da Administração Local, nela claramente distinguindo entre o que deveria pertencer à Administração Periférica do Estado e o que incumbiria à Administração Autárquica Autónoma.

Essa foi a tarefa da Lei n.º 9/96, de 22 de Novembro, que – ao introduzir um título na Constituição dedicado ao Poder Local – trouxe as seguintes modificações no estatuto constitucional da Administração Autárquica:

- o esclarecimento, no capítulo já anteriormente dedicado aos órgãos locais do Estado, da prossecução exclusiva, por parte destes, dos interesses estaduais, sem qualquer intervenção local de tipo representativo (arts. 185 e 186 da CRM);
- a autonomização no texto constitucional de um novo capítulo, totalmente reservado ao "Poder Local", este com o objectivo de prosseguir uma política administrativamente diversa da do Estado e politicamente fundada em opções livres dos cidadãos residentes nas respectivas circunscrições (art. 188 da CRM);
- a distinção das autarquias locais, entidades que concretizam a descentralização que se pretende no seio do "Poder Local", entre os municípios e as povoações, os primeiros correspondentes às cidades e vilas e os segundos correspondentes aos postos administrativos, de acordo com classificação anteriormente vigente (art. 190 da CRM);
- a previsão da existência de um conjunto de matérias a regular por

lei ordinária, tais como eleições dos titulares dos órgãos autárquicos, finanças e património, tutela administrativa, quadros de pessoal e poder regulamentar (arts. 192 e seguintes da CRM).

III. No plano da legislação ordinária reguladora da estrutura fundamental da Administração Local Autónoma, até então protagonizada pela Lei n.º 3/94, impôs-se a introdução de substanciais modificações, dando cumprimento às novas exigências do texto fundamental.

Consequentemente, foi aquela lei substituída pela Lei n.º 2/97, de 18 de Fevereiro, a nova Lei das Autarquias Locais (LAL), que não só pôs em prática as inovações constitucionais referidas como também, na ocasião, reviu vários aspectos do respectivo regime, dos quais cumpre mencionar os seguintes:

– sistematização diversa, consagrando-se disposições comuns e específicas a cada uma das espécies de autarquia local – município ou povoação – por referência a uma nova classificação autárquica;
– eliminação da categoria dos distritos municipais rurais, caracterizados por um menor peso burocrático, quer ao nível dos dirigentes, quer ao nível das competências;
– diminuição das atribuições e competências dos municípios e povoações, com elencos menos ambiciosos do que os anteriores;
– correcções no sistema de governo autárquico, através da maior independência política do conselho autárquico, cujos membros já não se encontram submetidos a qualquer moção de censura a aprovar pelo parlamento autárquico.

IV. Ainda que preparadas paralelamente, só com a consolidação dessa legislação central, corporizada neste momento pela LAL, é que seria possível avançar com a aprovação da legislação complementar.

Esta não se apresentava, pelo seu lado, com natureza uniforme, havendo que destrinçar entre quatro núcleos regulativos, cada um deles cuidando de um aspecto específico da reforma dos órgãos locais:

– a *legislação eleitoral*, relacionada com o exercício do direito de sufrágio na eleição dos respectivos titulares, repartida pelas matérias da Comissão Nacional de Eleições (Lei n.º 4/97, de 28 de Maio), do recenseamento eleitoral (Lei n.º 5/97, de 28 de Maio) e da eleição dos órgãos autárquicos propriamente dita (Lei n.º 6/97, de 28 de Maio);

As Autarquias Locais Moçambicanas e a respectiva Legislação

– a *legislação organizatória*, prevendo-se, por um lado, a estrutura especial da cidade de Maputo (Lei n.º 8/97, de 31 de Maio), que a importância e a tradição faria vingar, ao mesmo tempo que se consagra a criação formal e concreta das autarquias locais apenas previstas abstractamente na LAL (Lei n.º 10/97, de 31 de Maio), não sendo ainda de esquecer o estatuto dos titulares dos respectivos órgãos (Lei n.º 9/97, de 31 de Maio);

– a *legislação sobre a tutela administrativa*, quanto ao controlo a exercer pelo Estado sobre a actividade autárquica, traçando os limites dessa actuação e estipulando os mecanismos de defesa da legalidade administrativa (Lei n.º 7/97, de 31 de Maio);

– a *legislação financeira*, determinando os recursos financeiros das autarquias, simultaneamente com a determinação do respectivo património, vertente fundamental da reforma para a tornar realisticamente operativa (Lei n.º 11/97, de 31 de Maio).

V. Na parcela de responsabilidade que nos cabe neste enquadramento, de ordem geral, que se pretende dar à legislação autárquica moçambicana, referiremos sucessivamente estes pontos do regime jurídico das autarquias locais:

a) conceito e fundamento;
b) espécies, com realce para a situação da cidade de Maputo;
c) atribuições, poderes e criação;
d) aspectos eleitorais;
e) aspectos orgânicos, com alusão ao sistema de governo autárquico;

Outros escritos também integrados nesta publicação tratarão de problemas que, neste ensejo, nos abstivemos de equacionar: é o que acontecerá com a matéria da tutela administrativa, das finanças locais ou do aprofundamento das opções tomadas em sede de sistema de governo autárquico.

2. Conceito e fundamento

I. Seguindo a técnica normativa das definições legais, a LAL apresenta a definição das autarquias locais nos seguintes termos: "As autarquias locais são pessoas colectivas públicas dotadas de órgãos representativos próprios que visam a prossecução dos interesses das populações respectivas, sem prejuízo dos interesses nacionais e da participação do Estado (art. 1, n.º 2, da LAL). Nela encontramos, portanto, quatro elementos estruturadores: um elemento organizacional, um elemento humano, um elemento territorial e um elemento orgânico.

O *elemento organizacional* elucida-nos acerca da natureza de pessoa colectiva de que necessariamente as autarquias locais se revestem, deste modo permitindo compreender a sua estrutura interna enquanto entidades autónomas e a sua localização na Administração Pública que se rege pelo Direito Administrativo. A personalidade jurídica que lhes subjaz torna-as entidades que podem prosseguir, através dos seus órgãos, uma actividade própria e que produzem, por isso, actos jurídicos que se lhes imputam. O carácter público dessa personalidade jurídica impõe a aplicação – quer no que toca à sua organização, quer no respeitante à sua actividade, quer ainda no concernente à sua relação com os particulares – do Direito Público em geral e do Direito Administrativo em especial, uma vez que é este o sector daquele que disciplina, a título principal, a Administração Pública.

O *elemento humano* contextualiza a actuação das autarquias locais em razão dos interesses das populações que residem na sua área de jurisdição, pessoas a quem são dirigidas, no fim de contas, os méritos dessa actividade. O critério que serve para delimitar a população beneficiária dessa actividade é o da residência no território compreendido pelos seus limites territoriais.

O *elemento territorial* implica que na consideração das autarquias locais exista um âmbito geográfico que lhes sirva de suporte material. A sua relevância no seu seio surge, pelo menos, a propósito de duas questões: é, em primeiro lugar, através desse espaço que as competências ficam delimitadas no conjunto do território do Estado, particularmente no confronto com outras unidades administrativas equivalentes; o território autárquico, de outra perspectiva, pode contribuir – e em certos casos decisivamente – para a definição dos interesses que se apresentam como suas atribuições, intimamente ligados às singularidades que se extraem da contextura geográfica do respectivo território.

O *elemento orgânico* torna patente a mais valia específica da arquitectura dos órgãos autárquicos. O facto de estes serem representativos significa que os respectivos titulares são escolhidos com base numa eleição em que participam os cidadãos residentes no respectivo território. A actuação destes órgãos respeita assim a um elemento de politicidade decorrente do sufrágio, possibilitando também a cabal realização dos interesses específicos das populações.

II. A apreciação do modo como se apresentam concebidas as autarquias locais em Moçambique leva à conclusão de que se depara com aquilo a que se chama, na terminologia administrativista, *Administração Autárquica Autónoma*, bem diversa da Administração do Estado. Os interesses que essas entidades visam prosseguir são determinados no plano concreto de cada uma delas e em função da manifestação de vontade dos respectivos órgãos, moldada tendo em conta a escolha popular feita aquando da designação dos seus titulares. Esta Administração Autárquica Autónoma traduz assim o *princípio da descentralização administrativa*, o qual faz incumbir ao Estado-Legislador a concessão de poderes na ordem administrativa a outras entidades jurídicas menores, que os exercerão segundo os interesses dos respectivos substractos. A concretização desse princípio no caso das autarquias locais apresenta-se na sua vertente da descentralização administrativa *territorial*, ao lado das outras modalidades da descentralização administrativa *funcional* ou *associativa*.

E essa está longe de ser uma opção neutra, pois que possibilita, desde logo, *um visível aprofundamento da democracia política* que constitucionalmente se concebe à escala nacional para os órgãos de soberania. As autarquias locais, com órgãos representativos, facultam às respectivas populações influenciar, de um modo imediato, as decisões que lhes dizem respeito. Nesse sentido depõe o texto da CRM, que salienta a importância da instituição dos órgãos autárquicos: "O Poder Local tem como objectivos organizar a participação dos cidadãos na solução dos problemas próprios da sua comunidade, promover o desenvolvimento local, o aprofundamento e a consolidação da democracia, no quadro da unidade do Estado moçambicano" (art. 188, n.º 1, da CRM). O texto da LAL, por seu turno, reitera o entendimento constitucional, quando diz que "Na organização democrática do Estado, o poder local compreende a existência de autarquias locais" (art. 1, n.º 1, da LAL). Num evidente rasgo de modernidade, a LAL quis conferir ao novo sistema de administração autónoma uma tonalidade política acentuada, impondo como aspecto fundamental o carácter democrático da gestão através da eleição dos seus titulares. A reforma da criação de autarquias é também uma reforma política, que visa alargar o âmbito da democracia que se vive no país. Os cidadãos são, deste modo, chamados a participar na vida política uma segunda vez, desta feita ao nível local, exercendo o seu sagrado direito de voto, com possibilidade de também poderem ser eleitos para os cargos autárquicos.

Mas é de não olvidar também a relevância da Administração Autárquica Autónoma na *valorização da eficiência da actividade administra-*

tiva. A proximidade dos órgãos decisores relativamente aos problemas locais que devem merecer solução acelera o processo decisório, potenciando um conhecimento mais completo e pormenorizado da realidade. Dela se retira uma maior eficácia nas decisões, pela sua entrega a entidades com carácter especializado, o que normalmente lhes oferece um acrescido amadurecimento político e técnico. Além disso, o desdobramento do sector administrativo público por várias entidades, por aperfeiçoar o processo decisório, contribui para diminuir o peso do aparelho burocrático estadual.

III. As autarquias locais, pondo em prática o princípio da descentralização administrativa de tipo territorial, devem ser cuidadosamente compreendidas e também devidamente apartadas da Administração Periférica do Estado.

Em abstracto, o Estado pode exercer as suas funções concentradamente – a partir de órgãos e serviços que se localizem no centro político do respectivo território e com eficácia para qualquer uma das suas parcelas – como também pode desempenhar os seus poderes por órgãos ou agentes dispersos pelas várias regiões ou localidades – delimitando-se automaticamente a sua actividade em razão das fronteiras espaciais fixadas. No que respeita às funções política e legislativa, frequentemente elas são objecto de decisão por órgãos centrais, em atenção, aliás, à sua repercussão no todo nacional, descontando por agora o fenómeno peculiar da regionalização político-legislativa. Diferentemente se passam as coisas na função administrativa, matéria em que, graças aos particularismos e às especificidades em que se consubstancia, muitas vezes acontece que o Estado, através dos seus órgãos e serviços centrais, não desenvolve cabalmente as actividades que nela se compreendem. É assim usual que nesta função do Estado se criem órgãos com vocação regional ou local, os quais, nos limites do espaço reservado, melhor decidem em nome do Estado.

O conjunto destes órgãos do Estado, que ao invés do que acontece com os órgãos centrais vêem a sua acção limitada a uma parcela do território nacional, integram aquilo a que se chama a *Administração Periférica do Estado*. E esse tipo de Administração Estadual tanto pode ser interna – por parcelas dentro do território nacional – como pode ser externa – quando os órgãos se localizem no estrangeiro, exercendo a actividade internacional do Estado, como a diplomática. A Administração Periférica do Estado expressa o *princípio da desconcentração administrativa*, vector do Direito Administrativo que aponta para a criação, sempre de acordo com as necessidades, de órgãos locais e/ou externos do Estado.

É nessa linha para que aponta a CRM, ao afirmar num dos seus preceitos que a "...República de Moçambique organiza-se territorialmente em províncias, distritos, postos administrativos e localidades" (art. 4, n.º 1, da CRM). E quanto à primeira circunscrição enunciada – a província – a Constituição vai mais longe e explicita que o órgão que aí se assume de Administração Periférica do Estado, representante deste em cada província, é o Governo Provincial, dirigido por um Governador Provincial, que tem por tarefa "garantir a execução, ao nível provincial, da política governamental centralmente definida" (art. 114, n.º 1, da CRM). Por aqui se vê que o Estado Moçambicano, no que respeita aos órgãos que actuam no âmbito da sua função administrativa, não age só a partir do centro, unicamente valendo-se de estruturas de vocação espacial geral, antes também utilizando outras estruturas espacialmente menores comparativamente ao território estadual.

Mas não há qualquer confusão possível entre a Administração Periférica do Estado e a Administração Autárquica Autónoma, na medida em que se está em face de modalidades distintas de Administração Pública. Na Administração Periférica do Estado, ainda nos encontramos dentro da pessoa colectiva Estado, na sua veste de administrador, e todos os actos produzidos ao seu abrigo são sempre actos do próprio Estado, apesar de territorialmente limitados a certa circunscrição. Já na Administração Autárquica Autónoma, estamos em face de pessoas colectivas diferentes do Estado – as autarquias locais – e que tomam decisões em nome próprio, defendendo os interesses das populações locais, que podem até entrar em conflito com os interesses nacionais.

Certo é que a própria LAL prevê mecanismos de representação do Estado-Administração em cada autarquia local, num claro exercício de Administração Periférica. É o que se percebe do respectivo articulado quando se estabelece que "A Administração do Estado poderá manter a sua representação e serviços na circunscrição territorial cuja área de jurisdição coincida total ou parcialmente com a da autarquia local" (art. 8, n.º 1, da LAL).

3. Espécies; a cidade de Maputo em especial

I. A análise conceptual das autarquias locais supõe também a sua observação segundo o novo critério classificatório que foi adoptado, numa outra importante alteração trazida com a aprovação da LAL: tem ela que ver com a distinção, dentro da categoria geral das autarquias locais, entre os municípios e as povoações.

Não é esta, porém, a única classificação possível das autarquias locais, pois é a própria LAL a permitir que se estabeleçam outras: quer de nível *supra* e *infra*-autárquico, quer com base noutros critérios (art. 2, n.° 4, da LAL). Isso só pode acontecer, não obstante, mediante diploma próprio, que até ao momento ainda não surgiu.

II. Mas sem dúvida que a principal classificação radica na diferença entre os municípios e as povoações, dicotomia, aliás, que anima os capítulos II – "Do município" – e III – "Da povoação". A densificação dessa classificação obriga à apreciação geral de todo o articulado da LAL. É no entanto enganoso pensar que só aí se encontram as diferenças, já que da análise dos respectivos preceitos se vislumbram distinções bastante escassas, sendo de perguntar se não deveria ter sido concebida uma sistematização comum.

Sem intenção de esgotar a matéria, são os seguintes os domínios que nos parecem mais importantes na enunciação desta diferença:

a) *unidades administrativas*: para os municípios, ao contrário das povoações, prevê-se a faculdade de instalação de unidades administrativas em escalões territoriais inferiores (art. 33 da LAL);

b) *número de membros dos órgãos colegiais*: 13-39 e 11-19, respectivamente, para as assembleias municipais e para as assembleias de povoação; 11-5 e 5-3, respectivamente, para os conselhos municipais e de povoação (arts. 36, 50, 68 e 82 da LAL);

c) *competências*: o leque ligeiramente mais largo de competências das assembleias municipais, por comparação com as competências atribuídas às assembleias de povoação, designadamente em matéria financeira (art. 45 da CRM).

A conclusão a que podemos assim chegar, a partir destes índices dispersos, confere a essa distinção escassa importância funcional, podendo dizer-se que os municípios – inversamente do que acontece com as povoações – são mais estruturados em termos de número de membros dos órgãos, de recursos financeiros de que podem dispor e do exercício de algumas competências economicamente mais relevantes.

III. Lugar à parte na diferenciação das autarquias locais entre si é ocupado pela autarquia local da cidade de Maputo. É logo a própria LAL

As Autarquias Locais Moçambicanas e a respectiva Legislação 179

a estabelecer a especificidade dessa autarquia, dizendo que o "...Estatuto Municipal da cidade capital do país é definido por Lei" (art. 4 da LAL). E disso se incumbiu a Lei n.º 8/97, definindo as normas especiais que regem a organização e o funcionamento do Município da Cidade Capital. As particularidadades a salientar, por referência ao tronco organizatório comum estabelecido na LAL, ligam-se a estas quatro questões:

- *atribuições* – admite-se que ao município de Maputo sejam conferidas atribuições que vão para além daquelas que se encontram estabelecidas na LAL, disposição que carece todavia de concretização por outro diploma específico (art. 3 da Lei n.º 8/97);
- *tutela administrativa* – é sempre responsável o órgão máximo que em geral exerce os poderes tutelares: respectivamente, consoante as matérias em causa, os ministros da função pública e de administração estatal e das finanças e do plano (art. 4 da Lei n.º 8/97);
- *composição dos órgãos municipais* – verifica-se um número mais elevado de membros: até 71 para a assembleia municipal e entre 13 de 17 para o conselho municipal, sendo ainda de registar um maior número de secretários – três – da mesa da assembleia municipal (arts. 5, 6 e 7 da Lei n.º 8/97);
- *estatuto remuneratório* – prevê-se uma generalizada promoção do mesmo, nos seguintes termos: acrescidas regalias para o Presidente do Conselho Municipal da Cidade do Maputo, com um vencimento que pode atingir três vezes o correspondente à letra A1 do funcionalismo público; remuneração dos vereadores a tempo inteiro até ao limite da letra A-3, sendo de 50 % a remuneração dos vereadores a tempo parcial; senhas de presença até ao valor da letra H-1 para o Presidente da Assembleia Municipal, sendo as do Vice-Presidente, secretários e restantes membros, respectivamente, de 80%, 70% e 60% da mesma letra; ajudas de custo correspondentes à letra A-3 para o presidente da assembleia municipal e à letra H-1 para os vice-presidente, secretário e outros membros da assembleia municipal (arts. 9, 10, 11 e 12 da Lei n.º 8/97).

4. Atribuições, poderes e criação

I. As atribuições das autarquias locais são os interesses ou fins que estas entidades administrativas devem prosseguir e que demarcam, em concreto, os domínios de actividade que lhes respeitam. A LAL entendeu explicitar em preceito próprio as atribuições que reconhece às autarquias locais e fê-lo combinando duas diferentes técnicas normativas – a da sua enunciação generalizante e a da sua tipificação exemplificativa.

A cláusula geral que é empregue afirma que "As atribuições das autarquias locais respeitam os interesses próprios, comuns e específicos, das populações respectivas..." (art. 6, n.º 1, proémio, da LAL). As matérias em que as autarquias locais podem desenvolver a sua actividade têm, portanto, de possuir uma ligação com os seus interesses específicos, ou seja, devem suscitar em cada uma delas uma intervenção localizada do poder público. No entanto, esses interesses não têm de ser exclusivos, o que permite que possam coexistir com campos de actuação que só sejam concernentes a uma autarquia local outros campos que sejam comuns a mais de uma autarquia local ou mesmo à Administração Estadual.

A regulação das atribuições municipais é auxiliada pela enunciação de um conjunto de atribuições que a LAL considera adequarem-se a interesses específicos, numa qualificação *a priori* vinculativa. São eles: desenvolvimento económico e social local; meio ambiente, saneamento básico e qualidade de vida; abastecimento público; saúde; educação; cultura, tempos livres e desporto; polícia da autarquia; e urbanização, construção e habitação (art. 6, n.º 1, als. a) a h), da LAL).

O conjunto das matérias incluídas nessa tipologia não se apresenta fechado, podendo haver outras que igualmente sejam consideradas atribuições autárquicas. É o que se retira do advérbio *designadamente* constante do proémio deste número do artigo em questão, num entendimento claramente exemplificativo da tipologia. Tal como as atribuições típicas, estas outras atribuições – que podemos considerar *atípicas* – devem forçosamente relacionar-se com os interesses específicos das autarquias locais, expressando zonas de actuação administrativa que coloquem questões de solução particular e diferenciada. Sem pretender esgotar o elenco das atribuições que não foram tipificadas na LAL, é de referir a da utilização do domínio público ou a da actividade publicitária.

O desempenho autárquico destas atribuições considera-se, todavia, sujeito a duas limitações de princípio, que contribuem para uma sensível diminuição do seu alcance: há, por um lado, a indexação da respectiva prossecução a uma dimensão financeira, dependente que está da existência de recursos suficientes, nos termos a estabelecer por lei; há, por outro lado, a necessidade da sua compatibilização com a distribuição de competência relativamente a outros órgãos e entidades de Direito Público, principalmente o Estado.

II. Em relação às competências de que as autarquias locais dispõem, cumpre dizer que a respectiva concepção legal se assume bastante ampla no seio das opções abstractamente possíveis de descentralização administrativa: a autonomia é, a um tempo, administrativa, financeira, patrimonial e regulamentar (arts. 7 e 11 da LAL).

a) *administrativa* – faculdade da prática de actos administrativos próprios, bem como de criar e estruturar serviços de desempenho das respectivas atribuições;
b) *financeira* – faculdade de gerir os assuntos de índole financeira, incluindo os aspectos relacionados com a determinação das receitas e despesas orçamentais, livremente aprovando-as e afectando-as em orçamento próprio;
c) *patrimonial* – faculdade de possuir bens patrimoniais próprios, bem como de fazer a sua gestão, adquirindo, onerando e alienando;
d) *regulamentar* – faculdade de promanar normas administrativas, nomeadamente no tocante à utilização dos respectivos serviços ou ao desenvolvimento das suas actividades de administração e gestão.

III. As autarquias locais, de acordo com o regime geral constante da LAL, devem depois obedecer a um regime específico, a estabelecer por lei, relativamente aos termos da sua criação, modificação e extinção concreta. Até ao momento, porém, esse regime específico ainda não foi aprovado, apenas se deparando com alguns aspectos particulares constantes da LAL.

Do ponto de vista substancial, essa é uma decisão – e isto independentemente de ser de criação, modificação e extinção – que está longe de ser inteiramente livre, já que o regime geral da LAL elenca um conjunto de pressupostos que condicionam qualquer decisão positiva que se pretenda. Cumpre mencioná-los: factores geográficos, demográficos, económicos, sociais, culturais e administrativos; interesses de ordem nacional ou local em causa; razões de ordem histórica e cultural; avaliação da capacidade financeira para a prossecução das atribuições que lhe estiverem cometidas (art. 5, n.º 2, da LAL).

Do ponto de vista procedimental, a decisão de criação, modificação e extinção das autarquias locais é sempre da competência da Assembleia da República. No tocante à modificação, exige-se ainda que seja precedida

182 *Estudos de Direito Público de Língua Portuguesa*

da consulta aos órgãos das autarquias locais territorialmente objecto de alteração (art. 5, n.º 1, da LAL).

A aprovação da LAL, ao substituir a Lei n.º 3/94, nunca poderia fazer tábua rasa dos distritos municipais que esta criara, convertendo para o efeito tais entidades em municípios, mantendo-se a respectiva existência jurídica (art. 116 da LAL). Mas a LAL aceita que se possa avançar com a criação de outras autarquias locais, devendo para tanto o Conselho de Ministros submeter à Assembleia da República uma proposta nesse sentido. Esse foi o escopo da Lei n.º 10/97, que instituiu – para além dos municípios de Maputo e das cidades capitais de provinciais já existentes – mais os seguintes municípios, correspondentes a cidades e vilas:

a) *Cidades*: Montepuez (Cabo Delgado), Cuamba (Niassa), Angoche, Ilha de Moçambique e Nacala (Nampula), Gúruè e Mocuba (Zambézia), Manica (Manica), Dondo (Sofala), Maxixe (Inhambane) e Chibuto e Chókwè (Maputo) (art. 1 da Lei n.º 10/97);

b) *Vilas*: Mocímboa da Praia (Cabo Delgado), Metangula (Niassa), Monapo (Nampula), Milange (Zambézia), Moatize (Tete), Catandica (Manica), Marromeu (Sofala), Vilankulo (Inhambane), Mandlakazi (Gaza) e Manhiça (Maputo) (art. 2 da Lei n.º 10/97).

5. Aspectos eleitorais

I. A apresentação dos vários diplomas legislativos relativos às autarquias locais careceria ainda de uma alusão específica à matéria de índole eleitoral.

É que, por força da caducidade da legislação elaborada para as eleições gerais de 1994, o ordenamento jurídico moçambicano encontrava-se desprovido de qualquer regulamentação aplicável.

Ainda que se pudesse caminhar para um "código eleitoral", a opção foi a da aprovação de três lei distintas: a lei do recenseamento eleitoral (Lei n.º 5/97), a lei da Comissão Nacional de Eleições (Lei n.º 4/97) e a lei das eleições autárquicas (Lei n.º 6/97).

As duas primeiras não oferecem uma "peculiaridade autárquica", pois são leis de carácter geral, que também irão reger outros actos eleitorais. Já a lei sobre as eleições autárquicas condensa, em si mesma, as singularidades eleitorais da realidade autárquica. Quer isto dizer que a edificação legislativa do regime das autarquias locais motivou paralelamente a preparação de um quadro jurídico-eleitoral, de natureza estável, que no futuro poderá conservar-se, num sinal de saudável rotina democrática.

II. A Lei n.º 5/97, que procede à institucionalização de um recenseamento eleitoral sistemático para a realização de eleições e referendos, assenta nas diversas vantagens que um sistema de recenseamento oferece: dá a conhecer, antes de cada votação, o universo dos potenciais votantes, permitindo a fixação do número de mandatos em órgãos – como acontece frequentemente com os parlamentos – que dependem da densidade dos cidadãos de cada círculo eleitoral; dificulta o surgimento de fraudes, pela obrigatoriedade de a inscrição ser feita num certo tempo que precede o acto de votação; favorece a consciencialização cívica dos votantes para a importância do voto por intermédio da solenidade de um acto preliminar de recenseamento.

No tocante às "Disposições gerais", enunciam-se como características do recenseamento a universalidade, a permanência e actualidade, a obrigatoriedade e oficiosidade, e a unicidade. A *universalidade* implica que o recenseamento seja destinado aos cidadãos que possuam a titularidade do direito de voto, capacidade eleitoral activa que, de acordo com os termos constitucionais, exige a nacionalidade moçambicana e a maioridade eleitoral, a alcançar aos dezoito anos (art. 2 da Lei n.º 5/97). A *permanência* do recenseamento eleitoral compreende-se bem se nos lembrarmos do carácter periódico, em democracia política, dos actos eleitorais: não teria sentido que para cada novo acto se fizesse um novo recenseamento, o qual, se uma vez feito, vale permanentemente. A *actualidade* visa a necessidade de o registo constante dos cadernos eleitorais, sendo permanente, se mostrar fiel ao universo de cidadãos eleitores existente em cada momento ou, pelo menos, em cada acto eleitoral, devendo para o efeito ser anualmente actualizado, quer pelo cancelamento das inscrições dos falecidos e dos que mudaram de residência, quer pelo aditamento das inscrições dos que passaram a estar inscritos e dos que atingiram, pela primeira vez, a idade eleitoral (art. 4 da Lei n.º 5/97). A *obrigatoriedade* e a *oficiosidade* designam duas características do recenseamento que, embora apareçam juntas no mesmo preceito, têm significados distintos: com a obrigatoriedade, a lei impôs a todos os cidadãos, com capacidade eleitoral, o dever de se inscreverem no recenseamento, enquanto que com a oficiosidade a lei comete às autoridades recenseadoras o dever de fazer a inscrição dos cidadãos eleitores, especialmente para os casos daqueles que não tomaram a iniciativa de o fazer (art. 4 da Lei n.º 5/97). A *unici-*

184   *Estudos de Direito Público de Língua Portuguesa*

dade do registo explica-se pela concomitante unicidade do direito de sufrágio de cada cidadão eleitor: se o cidadão moçambicano, individualmente considerado, só tem um único voto, que se esgota no exercício de cada votação, é também natural que só possa estar inscrito no recenseamento uma única vez (art. 5 da Lei n.º 5/97).

Em matéria de organização do recenseamento eleitoral, a Lei n.º 5/97 distribui responsabilidades por diversas entidades, sendo a respectiva direcção confiada ao Secretariado Técnico da Administração Eleitoral, este por sua vez subordinado à Comissão Nacional de Eleições (art. 10 da Lei n.º 5/97).

As entidades que, no terreno, se afiguram como os protagonistas do recenseamento são as entidades recenseadoras, que procedem à inscrição de cada eleitor: no território nacional, são participadas pelas administrações distritais e, no estrangeiro, são formadas pelas missões consulares e diplomáticas (art. 11 da Lei n.º 5/97). Nas tarefas de recenseamento, as entidades recenseadoras podem ser fiscalizadas ou objecto de colaboração por parte dos partidos políticos (arts. 12 e 13 da Lei n.º 5/97).

As operações do recenseamento eleitoral incluem diversos momentos lógicos que concorrem para esse mesmo resultado final (arts. 16 e seguintes da Lei n.º 5/97):

1.º) *Determinação do período de inscrição* – é anual e é fixado pelo Conselho de Ministros;
2.º) *Inscrição no recenseamento* – realiza-se mediante o preenchimento do respectivo boletim, com a indicação de um conjunto de elementos basilares de identificação, podendo também surgir situações de transferência de inscrições e de cancelamento de inscrições;
3.º) *Elaboração dos cadernos eleitorais* – com cerca de mil eleitores, permanecem inalterados nos quinze dias que precedem cada acto eleitoral;
4.º) *Defesa da legalidade do recenseamento* – pode ocorrer ou através de reclamação para o órgão de recenseamento ou através de recurso, primeiro para a Comissão Nacional de Eleições e depois para o Conselho Constitucional.

A regulação substantiva do recenseamento ficaria incompleta se não aludíssemos à matéria da responsabilidade decorrente da violação das respectivas normas, de cariz *penal, civil e disciplinar*. No que àquela res-

As Autarquias Locais Moçambicanas e a respectiva Legislação   185

ponsabilidade respeita, tanto a tentativa/frustração como a consumação são igualmente puníveis, sendo circunstâncias agravantes especiais o facto de a infracção cometida poder influenciar o resultado da votação e o facto de os agentes serem membros das entidades recenseadoras ou candidatos ou delegados partidários (arts. 42 e 43 da Lei n.° 5/97). Os tipos de crime previstos são os seguintes: a promoção dolosa de inscrição, a obstrução à inscrição, a obstrução à detecção de duplas inscrições, a apresentação de falso documento comprovativo, a violação dos deveres relativos à inscrição no recenseamento eleitoral, a violação de deveres relativos aos cadernos eleitorais, a falsificação do cartão de eleitor, a falsificação dos cadernos de recenseamento eleitoral, o impedimento à verificação de inscrição no recenseamento eleitoral e a não correcção de cadernos eleitorais (arts. 48 e seguintes da Lei n.° 5/97).

Em sede de disposições transitórias, houve que tomar algumas decisões fundamentais, das quais se evidenciam, por um lado, a imediata entrada em vigor da lei, ao mesmo tempo que se fez o aproveitamento do recenseamento realizado ao abrigo da Lei n.° 4/93, ainda que com as necessárias actualizações (arts. 58 e 62 da Lei n.° 5/97).

III. Identicamente ao que aconteceria com a matéria de recenseamento eleitoral, outra estrutura eleitoral permanente de que se carecia era a da Comissão Nacional de Eleições, aprovada pela Lei n.° 4/97. A respectiva instituição fundou-se na necessidade de se estabelecer um organismo, especializado em questões eleitorais, que eficazmente pudesse responder às dificuldades que o processo eleitoral, pela sua complexidade técnica, sempre levanta. Não é, contudo, um órgão estritamente jurisdicional e todas as suas decisões estão submetidas ao controlo final do Conselho Constitucional, que decide em última instância. Mas isso não faz da Comissão Nacional de Eleições um órgão politicamente activo, que entre na controvérsia política.

Em termos gerais, assegura-se um *estatuto de autonomia e independência* da Comissão Nacional de Eleições. É composta por nove membros, segundo especiais requisitos de elegibilidade: maiores de 25 anos, reconhecido mérito moral e profissional para exercer as funções com idoneidade, independência, objectividade, competência e zelo (art. 4 da Lei n.° 4/97). O modo de designação é tripartido: o Presidente é nomeado pelo Presidente da República; um vogal é nomeado pelo Conselho de Ministros; os restantes sete vogais são eleitos pela Assembleia da República, respeitando a proporcionalidade da representação partidária parlamentar (art. 5 da Lei n.° 4/97).

186   *Estudos de Direito Público de Língua Portuguesa*

As *competências* da Comissão Nacional de Eleições têm que ver, de um modo geral, com a direcção dos processos eleitorais (art. 2 da Lei n.º 4/97) e, especificamente, incluem matérias como a formalização de candidaturas, a publicitação dos actos e candidaturas eleitorais, o julgamento dos recursos que sejam apresentados, em primeiro instância (arts. 6 e 7 da Lei n.º 4/97).

Relativamente a *estatuto dos membros*, fixa-se o período de cinco anos como prazo geral de duração dos mandatos (art. 8 da Lei n.º 4/97). As garantias de inamovibilidade consolidam a faceta independente do tipo do exercício das suas funções (art. 12 da Lei n.º 4/97). O número de incompatibilidades é também vasto: Presidente da República, membro do Governo, Deputado à Assembleia da República, magistrado judicial e do Ministério Público, candidato em eleições nacionais ou autárquicas, membro das forças militares ou de segurança, membro do Conselho Superior da Comunicação Social e do Conselho Constitucional e diplomatas no serviço (art. 11 da Lei n.º 4/97).

Quanto ao *funcionamento*, a Comissão Nacional de Eleições, sendo embora um órgão permanente, exerce intermitentemente as suas funções e apenas nos períodos eleitorais (art. 14 da Lei n.º 4/97). Do ponto de vista técnico, conta com o apoio do Secretariado Técnico da Administração Eleitoral (art. 17 da Lei n.º 4/97).

IV. O diploma de índole eleitoral que assume um cariz específico é a Lei n.º 6/97, que estabelece o quadro jurídico-legal para a realização das eleições dos órgãos das autarquias locais.

O diploma começa com a definição da capacidade eleitoral. A *capacidade eleitoral activa* preenche-se com a verificação de quatro condições, três positivas e uma negativa: a cidadania moçambicana, a maioridade de dezoito anos e a inscrição no recenseamento eleitoral; e a não verificação de qualquer uma das incapacidades eleitoral previstas – os interditos, os notoriamente reconhecidos como dementes, os condenados a pena de prisão por crime doloso de delito comum ou a privação dos direitos políticos e os presos preventivamente por decisão judicial (arts. 1 e 2 da Lei n.º 6/97). A *capacidade eleitoral passiva* recorta-se, em grande medida, pela capacidade eleitoral activa, pois quem tem esta também normalmente terá aquela: isso só não acontece para os cidadãos que, não estando condenados, sejam declarados judicialmente como delinquentes de difícil correcção, bem como os que tiverem renunciado a mandato anterior (art. 3 da Lei n.º 6/97). Ainda se consagram algumas inelegibilidades, todas elas obede-

As Autarquias Locais Moçambicanas e a respectiva Legislação 187

cendo à ideia de que não é prudente autorizar a eleição de certas pessoas na convicção de que, num grau de probabilidade superior ao normal, possam utilizar o seu poder de influência social sobre certa comunidade para capitalizar votos a seu favor (a despeito de em alguns casos até se admitir a respectiva candidatura, mas aí sendo necessário solicitar a suspensão do exercício das funções): magistrados judiciais e do Ministério Público, membros das forças militares ou militarizadas e das forças de segurança, falidos ou insolventes, os devedores em mora com a autarquia local em questão e os membros dos corpos sociais e os gerentes de sociedade, bem como os proprietários de empresas, que tenham contrato com a autarquia local não cumprido ou de execução continuada (art. 4 da Lei n.º 6/97).

O acto eleitoral, em sentido amplo, decompõe-se de diversas fases, as quais integram o procedimento eleitoral:

a) *Marcação da data das eleições*: são simultâneas para os dois órgãos autárquicos electivos, em data a fixar pelo Conselho de Ministros, realizando-se nos trinta dias anteriores ao termo do mandato cessante (arts. 7, 8 e 9 da Lei n.º 6/97);

b) *Apresentação das candidaturas*: obedecem ao princípio geral da sua exclusividade, nenhum candidato podendo concorrer simultaneamente à eleição de dois ou mais órgãos de diferentes autarquias ou integrar mais do que uma lista para o mesmo órgão (art. 11 da Lei n.º 6/97);

c) *Campanha eleitoral*: sujeita-se ao princípio da liberdade de propaganda, decorrendo num período de quinze dias, e o Estado proporciona o uso de meios e instalações, de acordo com o princípio da igualdade de oportunidades de todas as candidaturas (arts. 23 e seguintes da Lei n.º 6/97);

d) *Assembleias de voto*: organizam-se segundo o princípio da liberdade de participação das diversas candidaturas, funcionando no dia da eleição, cuja actividade pode ser, aliás, fiscalizada pelos delegados de lista (arts. 37 e seguintes da Lei n.º 6/97);

e) *Votação*: o sufrágio exerce-se de acordo com as características da pessoalidade, presencialidade, unicidade e confidencialidade (arts. 53 de seguintes da Lei n.º 6/97);

f) *Apuramento*: a contagem dos votos faz-se, em primeiro lugar, no nível de cada assembleia de voto, passando-se depois, dentro do nível autárquico, ao apuramento geral com a intervenção da Comissão Nacional de Eleições, que proclama os candidatos eleitos; o

Conselho Constitucional, ao nível nacional, valida e publicita os resultados das eleições no país (arts. 75 e seguintes da Lei n.° 6/97).

Do ponto de vista patológico, importa destrinçar entre *o contencioso eleitoral e o ilícito eleitoral*, aquele para defender a legalidade eleitoral e este para reprimir os abusos que se cometam contra ela. Quanto ao contencioso eleitoral, há sempre a possibilidade de impugnar as decisões tomadas pelas assembleias de voto, com recurso primeiro para a Comissão Nacional de Eleições e, se esta não decidir favoravelmente, depois para o Conselho Constitucional (arts. 122 e 123 da Lei n.° 6/97). Quanto ao ilícito eleitoral, o conjunto dos tipos de crime que se encontram consagrados respeitam globalmente a três grupos de infracções: as infracções relativas à apresentação de candidaturas, as infracções relativas à campanha eleitoral e as infracções relativas ao acto eleitoral (arts. 132 e seguintes da Lei n.° 6/97).

6. **Aspectos orgânicos de ordem geral; a estrutura e o sistema de governo autárquico**

I. No atinente aos aspectos orgânicos, finalmente, a LAL contém disposições comuns sobre a organização e o funcionamento dos órgãos autárquicos, a maior parte delas localizadas em capítulo que vem a seguir àqueles em que se positivam normas específicas em obediência à destrinça entre município e povoação.

A síntese desses pontos de regime abrange o seguinte:

1.°) *Fundamentação* – necessidade de fundamentação dos actos administrativos que afectem direitos ou interesses legalmente protegidos, imponham ou agravem deveres, encargos ou sanções (art. 12 da LAL);

2.°) *Publicidade das decisões* – dever de publicitação das deliberações autárquicas, no prazo máximo de trinta dias a contar da sua decretação, pela sua afixação pública (art. 13 da LAL);

3.°) *Duração do mandato* – cinco anos (art. 17 da LAL);

4.°) *Quorum de deliberação*, dependendo de se tratar do órgão parlamentar ou de órgão executivo – mais de metade tratando-se do órgão parlamentar e dois terços tratando-se de órgão executivo (art. 102 da LAL);

5.°) *Maioria deliberativa* – maioria relativa, com voto de qualidade para o Presidente do órgão, não contando as abstenções para o apuramento (art. 103, n.° 1, da LAL);

6.°) *Modo de votação* – regra geral da votação nominal, salvo outra modalidade de votação imposta por regulamento ou regimento, sendo obrigatoriamente a votação secreta no caso de haver juízos de valor sobre pessoas ou de se tratar de eleições (art. 103, n.os 2 e 3, da LAL);

7.°) *Invalidade das deliberações* – aplicação do regime geral da anulabilidade das deliberações antijurídicas, sendo unicamente nulas as deliberações que se inscrevam nos seguintes casos: estranhas às atribuições da autarquia local, tomadas sem *quorum* deliberativo, transgridam as disposições legais referentes ao lançamento de impostos, careçam absolutamente de forma legal, nomeiem funcionários a quem faltem os requisitos legalmente exigidos, preterição de formalidades ou de preferências legalmente estabelecidas e que violem direitos fundamentais dos cidadãos (arts. 106 e 107 da LAL).

II. O *estatuto dos membros dos órgãos autárquicos* é um outro domínio de extrema sensibilidade, tendo que ver com o complexo de situações, activas e passivas, dos que se encontram à frente dos destinos das autarquias locais e que, em cada momento, melhor interpretam os interesses autárquicos. Aqui se verifica, de novo, o enquadramento geral a partir da LAL, que é depois complementado pela Lei n.° 9/97.

As disposições da LAL referentes ao estatuto dos membros dos órgãos autárquicos dizem respeito aos deveres e direitos funcionais dos mesmos (art. 96 da LAL):

– *deveres*: prestar regularmente contas perante os eleitores, desempenhar activa e assiduamente as funções em que ficam investidos, contactar as populações respectivas e votar nos assuntos submetidos à consideração dos respectivos órgãos;

– *direitos*: elaborar e submeter à consideração do órgão a que pertencem projectos e propostas de deliberação, solicitar e obter de quaisquer autoridades informações a respeito dos assuntos de interesse autárquico, participar nas reuniões dos órgãos autárquicos nos termos legais e regimentais.

190 *Estudos de Direito Público de Língua Portuguesa*

O conjunto das normas estatutárias a respeito dos membros dos órgãos das autarquias locais, nos termos estabelecidos nesta Lei n.° 9/97, abrange uma tríade de aspectos que contemplam as incompatibilidades e impedimentos, os deveres e os direitos.

As *incompatibilidades* dizem respeito à impossibilidade de haver acumulação da função autárquica com o exercício de certos outros cargos, ao passo que os *impedimentos* se referem aos casos em que se afigura ilegítimo o exercício das funções autárquicas, por colisão de interesses inconciliáveis (arts. 6 e seguintes da Lei n.° 9/97).

Os *deveres* dos titulares de órgãos municipais abrangem simultaneamente os deveres em matéria de legalidade e de direitos dos cidadãos, os deveres em matéria da prossecução do interesse público e os deveres de funcionamento dos órgãos de que sejam membros (arts. 10 e seguintes da Lei n.° 9/97).

Os *direitos* compreendem o feixe de benefícios materiais relativos às remunerações, a ajudas de custo ou senhas de presença, a assistência médica e medicamentosa e a férias anuais (arts. 15 e seguintes da Lei n.° 9/97).

III. A estrutura orgânica da autarquia local assenta na *tricotomia assembleia autárquica, presidente do conselho autárquico e conselho autárquico*, cada um deles com um regime específico e funcionalmente autónomo. É de referir que o presidente do conselho autárquico – de município ou de povoação – se apresenta num papel simultâneo de órgão autárquico *a se* e de elemento integrante de outro órgão autárquico, o próprio conselho municipal ou de povoação. Estes dois são os órgãos de natureza executiva e a assembleia de município ou de povoação esteia-se numa estrutura de tipo parlamentar.

Os dois principais órgãos autárquicos – a assembleia municipal ou de povoação e o presidente do conselho municipal ou de povoação – têm em comum o elemento da respectiva *representatividade*. A realidade autárquica é uma realidade não apenas descentralizada por razões de ordem administrativa – imposta por considerações oriundas da Ciência da Administração – mas igualmente por razões de ordem política – com a pertinência de considerações da Ciência Política e do Direito Constitucional. Em ambos os casos, a designação dos titulares dá-se por *eleição*, em que participa o universo dos cidadãos eleitores recenseados na respectiva área de circunscrição, ao contrário do que sucede com os vereadores – os membros do conselho municipal ou de povoação –, que são designados livremente pelo presidente autárquico, embora metade deles, pelo menos, devam ser recrutados no seio dos deputados autárquicos (art. 51 da LAL). A apresentação das candidaturas pode ser feita tanto por partidos e coligações como por grupos de cidadãos eleitores, de qualquer modo sempre representativos, no mínimo, de 1% do universo dos cidadãos eleitores (art. 97 da Lei n.° 6/97).

Os esquemas de transformação dos votos em mandatos são diferentes conforme se trate da assembleia ou do presidente: os mandatos dos deputados autárquicos são apurados em acordância com o sistema da representação proporcional, na variante de Victor de Hondt (art. 121 da Lei n.° 6/97); o presidente é escolhido, por força da natureza da coisas, segundo o método de representação maioritária, que é a duas voltas – há uma segunda votação no caso de nenhum candidato obtiver na primeira a maioria absoluta dos votos validamente expressos (arts. 100 e seguintes da Lei n.° 6/97).

A *assembleia municipal ou de povoação* exerce funções de tipo deliberativo, as quais se apresentam como as mais marcantes para a vida autárquica. As competências mais importantes são: as relativas à aprovação do orçamento e plano de actividades, bem como a aprovação das contas e relatórios das actividades efectuadas, as relativas à aprovação de normas regulamentares, as relativas à orientação política geral da actividade da autarquia local e as relativas ao endividamento e contracção de empréstimos, sem esquecer ainda os poderes específicos em matéria ambiental (arts. 45, 46, 77 e 78 da LAL).

O *conselho municipal ou de povoação*, quanto às suas competências, encontra-se a meio caminho no compromisso entre decisões que devam ser tomadas em qualquer altura com cariz de continuidade, mas que também careçam de uma maior solenidade, devendo portanto ser ponderadas num órgão colegial e não num órgão singular. É de realçar as competências de execução das deliberações do parlamento autárquico, bem como as tarefas de estudo e de proposta (arts. 56 e 88 da LAL).

O *presidente do conselho da autarquia* é, para efeitos de representação externa, o presidente da edilidade autárquica e desempenha funções como membro de um órgão colegial enquanto seu dirigente, mas também exerce funções próprias. De entre estas se evidenciam as seguintes tarefas: direcção dos serviços de protecção civil e de pessoal, representação política do conselho perante o parlamento autárquico, e outras instâncias externas, e tomada de medidas de carácter urgente que se afigurem necessárias (arts. 62 e 94 da LAL).

IV. A exposição das principais linhas de organização e funcionamento dos órgãos autárquicos habilita-nos a proceder a uma qualificação segura do sistema de governação especificamente adoptado. Este vem a ser um raciocínio largamente tributário das experiências constitucionais de diversos países, em cujos articulados constitucionais e práticas políticas se têm desenhado tendências diversas, frisando ora a componente singular presidencial, ora a componente colegial parlamentar.

Decididamente que os elementos colhidos levam à rejeição, de forma peremptória, de qualquer assimilação desse sistema de governo aos conhecidos modelos de parlamentarismo e de semi-presidencialismo: não o *parlamentarismo* porque faltam os instrumentos fundamentais da dissolução presidencial e da demissão, por moção de censura, do órgão de tipo executivo; não o *semi-presidencialismo* porque o órgão executivo também não responde perante um órgão de tipo presidencial, que nem sequer existe autonomamente, por não haver diarquia no executivo.

A qualificação que se julga mais apropriada para o sistema de governo autárquico é a do *sistema de governo presidencial*, segundo estes três traços definidores:

1.º) *Designação por sufrágio secreto e universal do órgão executivo* – o presidente do conselho municipal ou de povoação é escolhido pelo conjunto dos cidadãos eleitores residentes na área da autarquia local em questão;

2.º) *Unicidade na chefia do órgão executivo*: o presidente do conselho municipal ou de povoação é, ao mesmo tempo, o representante político máximo da autarquia e detém também funções executivas que vão assim para além das suas funções políticas meramente representativas;

3.º) *Independência política recíproca dos órgãos parlamentar e presidencial*: nem o presidente do conselho municipal ou de povoação pode dissolver, por razões políticas, a assembleia municipal ou de povoação, nem esta pode, por razões políticas, demitir aquele ou qualquer um dos membros que façam parte do órgão colegial restrito a que preside.

Não se trata, porém, de um sistema de governo presidencial *puro*, tal como o mesmo foi gizado, pela primeira vez, no espaço constitucional norte-americano. A verdade é que a componente presidencial que se assinala no órgão colegial restrito, com funções executivas, torna-o um presidencialismo *impuro, atenuado ou imperfeito*, repartindo-se deste modo as funções executivas por um órgão presidencial e por um órgão colegial, ainda que os respectivos membros devam uma total confiança política àquele.

De outro prisma, o facto de, no mínimo, metade dos vereadores serem seleccionados no seio do parlamento autárquico é também um sinal evidente de mitigação de um eventual presidencialismo puro que se pensasse ajustado ao sistema de governo autárquico moçambicano.

G) **O ESTATUTO DOS GOVERNANTES MUNICIPAIS EM MOÇAMBIQUE**[1]

SUMÁRIO:

1. Introdução
2. Os governantes municipais
3. Conteúdo do estatuto em geral
4. Regime transitório
5. Direitos
6. Incompatibilidades
7. Deveres

---

[1] Texto da comunicação apresentada em Maputo, a 15 de Fevereiro de 1995, no âmbito de um Seminário promovido pelo PROL sobre a legislação autárquica e publicado na obra colectiva *Autarquias locais em Moçambique – antecedentes e regime jurídico*, Lisboa-Maputo, 1998, pp. 119 e ss.

1. Introdução

Aspecto essencial em qualquer reforma administrativa é o da sua componente humana, sem a qual fracassam muitas das que se pensava de êxito inevitável à partida. O mesmo também sucede com a reforma que em Moçambique se está a levar a cabo em matéria de órgãos locais, cujo primeiro passo foi dado pela Lei n.º 3/94, lei que instituiu o quadro institucional dos distritos municipais. Boa parte do seu sucesso dependerá da adequação que for conseguida na elaboração do estatuto dos titulares dos órgãos municipais, a quem irá caber, nesta fase de arranque do novo sistema, a vivificação no quotidiano das transformações reais que o mesmo virá trazer ao país.

Do ponto de vista legislativo, tal estatuto será definido num diploma legal específico, com isso dando-se mais um passo no sentido de se completar o edifício normativo já semi-construído da reforma dos órgãos locais. Na disposição que a Lei n.º 3/94 tem sobre a matéria, que é o artigo 41.º, diz-se que "Diploma especial determinará quais as prerrogativas, distinções e benefícios materiais de que gozam os titulares dos órgãos deliberativos e executivos dos distritos municipais uma vez no exercício dos seus cargos, bem como os deveres e obrigações a cujo cumprimento ficam vinculados".

Dado que neste preciso momento esse estatuto ainda não existe – estando a questão a ser discutida com vista a poderem ser produzidas algumas propostas que deverão corporizar um anteprojecto na matéria –, as nossas reflexões serão de mera Política Legislativa, apoiadas naturalmente nos elementos normativos que estão disponíveis, reflexões feitas, como é evidente, a título pessoal.

2. Os governantes municipais

Mas antes de verificarmos qual a configuração do futuro estatuto dos governantes municipais, *importará determinar os sujeitos desse estatuto, ou seja, quais os cargos que irão dele beneficiar.* A Lei n.° 3/94 reserva o capítulo V aos "Membros dos órgãos dos distritos municipais", capítulo em que se integra o artigo 41.° e que não contém qualquer regulamentação material, limitando-se a remetê-la para legislação especial. Indícios de solução desta dúvida só poderão ser encontrados, portanto, no capítulo II, atinente aos "Órgãos dos distritos municipais", em cujas várias secções deparamos com a regulamentação dos três órgãos municipais que se concebem: a assembleia municipal, o conselho municipal e o presidente do distrito municipal ou o administrador municipal (conforme se trate de distrito municipal urbano ou rural).

Da leitura desses vários preceitos, *ficamos a saber que os titulares de órgãos municipais a quem se aplicará este estatuto integram estes três diferentes órgãos, o primeiro de tipo deliberativo e os segundo e terceiro de tipo executivo, e que são:*

– *os deputados municipais – membros da assembleia municipal;*
– *os vereadores municipais – membros do conselho municipal;*
– *o presidente do distrito municipal ou administrador municipal.*

À luz da Lei n.° 3/94, não são apenas estes os cargos que são mencionados em matéria de organização administrativa municipal, pelo que poderia perguntar-se da extensão do âmbito subjectivo deste estatuto a outros intervenientes na governação municipal. É o caso do representante, no plano municipal, da Administração Central, a que se refere o artigo 36.°, e dos funcionários municipais, a cujo quadro se reporta o artigo 66.° Mas em nenhum destes casos estaremos em face de sujeitos do estatuto a que fazemos alusão nesta comunicação ou para que o artigo 41.° aponta. O primeiro, ao integrar-se na Administração Central de Estado, usufruirá do respectivo estatuto, diverso do que será estabelecido para os titulares dos órgãos municipais. Os segundos não se subsumem na categoria de membros dos órgãos municipais, mas fazem parte da função pública, que constitui o elemento humano da máquina burocrática municipal.

3. Conteúdo do estatuto em geral

Do conteúdo do estatuto dos titulares dos órgãos municipais fazem obviamente parte as situações jurídicas funcionais desses titulares de órgãos de poder, posições jurídicas pertencentes a essas pessoas e que lhes são atribuídas enquanto executoras de uma actividade pública. Estas situações funcionais não se confundem com direitos nem com deveres fundamentais de que gozam os cidadãos e as pessoas em geral relativamente ao poder político instituído em certo Estado. São situações subjectivas que inerem à função pública e que podem inclusivamente ser cumuladas com direitos ou deveres fundamentais, assim como, do mesmo modo, os governantes, pelo facto de o serem, não se despem da qualidade de governados.

Cumpre agora determinar que espécies de situações funcionais devem integrar esse estatuto a ser definido muito brevemente. O artigo 41.º da Lei n.º 3/94, apesar da fórmula remissiva e algo vaga do n.º 1, contém em si algumas pistas que devem ser observadas: fala-se aí expressamente em "prerrogativas", "distinções", "benefícios materiais", "deveres" e "obrigações". O seu n.º 2 refere o caso particular dos "impedimentos" e das "incompatibilidades". Por aqui se vê que tal estatuto deverá compreender, em primeiro lugar, uma importante *summa divisio* entre as situações jurídicas activas, que se traduzem em vantagens para os titulares dos órgãos municipais, e as situações jurídicas passivas, que respeitam às posições de desvantagem a que esses mesmos titulares ficam vinculados.

Dentro de cada um destes dois grupos, é depois possível introduzir distinções, consoante a natureza das situações funcionais em causa. Nas situações jurídicas activas, podemos encontrar, ao mesmo tempo, direitos de natureza patrimonial – *v. g.*, direito a remuneração mensal – e direitos de natureza pessoal – *v. g.*, o direito a cartão especial de identificação. Nas situações jurídicas passivas, podemos diferenciar entre incompatibilidades – *v. g.*, proibição da acumulação dos cargos municipais com outros cargos públicos – e deveres *proprio sensu* – *v. g.*, dever de participar nas reuniões do órgão de que faz parte.

Quererá isto dizer então que a regulamentação que for feita, afora estas contraposições que obrigam o legislador, trabalhará totalmente numa livre margem de opção? Entendemos que não. A aplicação destas diferentes categorias aos vários cargos municipais e a sua comparação com alguns aspectos que decorrem da estruturação dos distritos municipais impõem alguns critérios, dos quais cumpre salientar estes quatro:

a) o exercício contínuo ou intermitente das funções municipais;
b) a estrutura singular ou colegial do órgão municipal;
c) a designação, electiva ou não, do titular do cargo municipal;
d) a dignidade e o simbolismo do cargo a exercer.

A uma última questão, pela importância de que se reveste, deve ser conferida maior detença, embora possa não ter interesse imediato pelo

O *Estatuto dos Governantes Municipais em Moçambique* 199

facto de a Lei n.° 3/94 não estar neste momento completamente em vigor. Trata-se de saber se na elaboração do estatuto dos titulares dos órgãos municipais se deverá estabelecer alguma diferenciação de tratamento entre os distritos municipais urbanos e os distritos municipais rurais, diferenciação mencionada no artigo 2, n.° 1, e que assenta nos desníveis socio-económicos que se registam entre a vida na cidade e a vida no campo. A resposta a essa questão depende, desde logo, do relevo que a Lei n.° 3/94 quis conceder a tal distinção no que respeita à estruturação jurídica de cada uma dessas espécies de distritos municipais. E aí verificamos que, com excepção das atribuições de exercício mínimo obrigatório e da designação do órgão municipal unipessoal, a sua relevância prática é bastante diminuta.

Serão estas diferenças suficientes para justificar a sua introdução na feitura do estatuto dos titulares dos órgãos municipais? É à lei que compete dar uma solução definitiva nesta matéria. Diremos apenas que o texto legal consente tanto uma ligeira diferenciação que beneficie os titulares dos órgãos de distritos municipais urbanos como um igual tratamento entre eles. Em contrapartida, já não autorizará um qualquer tratamento que seja acentuadamente avantajador para os distritos urbanos.

4. Regime transitório

A aplicação no tempo do estatuto dos titulares dos órgãos municipais deve merecer, antes de se entrar na discussão da sua configuração concreta, alguma análise, quer pelo facto de a Lei n.° 3/94 não ter entrado em vigor ao mesmo tempo para todos os distritos municipais, quer porque o período transitório de progressiva "instalação" dos aparelhos municipais poder requerer algum regime de direito transitório material. A Lei n.° 3/94, no seu capítulo IX, atinente às "Disposições finais e transitórias", contém algumas normas de Direito transitório material – as do artigo 73.° – e de Direito transitório formal – as dos artigos 71.° e 72.°. No entanto, esse capítulo do diploma é omisso no que respeita à matéria do estatuto dos titulares dos órgãos municipais.

Em abstracto, são possíveis três diferentes hipóteses no que se refere à aplicação no tempo do futuro regime das situações funcionais dos titulares dos órgãos municipais:

- *a vigência imediata e total;*
- *a vigência apenas aquando da tomada de posse dos titulares escolhidos segundo o critério da nova lei;*

– a entrada parcial em vigor da parcela das situações funcionais activas.

O princípio geral que rege a aplicação no tempo das leis é o da sua aplicação imediata e global, porquanto se se pretende legislar de novo é para fazer face a necessidades actuais, não tendo sentido diferir a aplicação da lei para momento ulterior. Há, porém, certos casos que aconselham regimes de Direito transitório material e formal, mas neles não cabe o do estatuto dos titulares de órgãos municipais. *A principal razão reside na novidade de todo este sistema; só normalmente perante uma experiência que vem de trás se costuma justificar um regime de transição.* As outras duas hipóteses mencionadas, por seu turno, não encontram a sua devida fundamentação. A divisão abissal do estatuto quanto às suas vertentes activa e passiva seria extremamente perigosa e revelar-se-ía artificial, pois é evidente que é tão conatural ao estatuto dos titulares dos órgãos municipais os direitos e benefícios de que gozam como os deveres e incompatibilidades a que se sujeitam. A entrada em vigor para momento posterior não acautelaria devidamente a situação em que se encontram os membros dos órgãos municipais, que, recebendo agora o novo sistema, têm a nobre missão de fazer, por dentro, a sua urgente implantação.

5. Direitos

Fazendo parte do conjunto das situações funcionais, os direitos consubstanciam-se em posições de vantagem, de índole pessoal ou patrimonial, que constituem ou a contrapartida do trabalho prestado pelo titular do órgão municipal – *v. g.*, remuneração – ou se destinam a facilitar o exercício das suas funções – *v. g.*, regalias.

A configuração concreta destes direitos pode variar, no entanto, ao sabor de *três modelos possíveis e que nós chamaríamos de modelo restrito, modelo médio e modelo amplo.* O primeiro resumir-se-ia à remuneração mensal ou compensação periódica a auferir pelos titulares dos órgãos municipais como contrapartida directa do seu trabalho. O segundo, incluindo a remuneração mensal ou compensação periódica mencionada, abrangeria também vantagens pecuniárias acessórias estritamente ligadas ao desempenho das funções públicas. O terceiro permitiria a atribuição não só dos tipos de direitos mencionados como ainda de outras vantagens pecuniárias e não pecuniárias de tipo social e familiar.

O *Estatuto dos Governantes Municipais em Moçambique*   201

Qual o modelo a adoptar na regulamentação do estatuto dos titulares dos órgãos municipais?

A nossa opinião vai no sentido da preferência pelo modelo médio, uma vez que se localiza no ponto de equilíbrio entre duas tendências opostas.

A adopção do modelo restrito teria o inconveniente de não conferir à carreira política municipal – pelo menos quanto aos titulares municipais que são eleitos – um estatuto minimamente atraente que pudesse motivar candidaturas numerosas e qualitativamente apreciáveis.

A escolha do modelo amplo conduziria a um dispêndio excessivo de recursos financeiros, ao mesmo tempo que daria uma importância exagerada, em termos de dignidade, a cargos de interesse meramente local.

É o modelo médio, disso estamos certos, que melhor acolhe as vantagens de cada um dos modelos e melhor desvaloriza as respectivas desvantagens: sem grandes gastos financeiros, consegue-se que o exercício dos cargos municipais seja suficientemente digno para atrair candidatos com algum peso político.

Levando ao concreto a implantação desse sistema médio de direitos dos titulares dos órgãos municipais, encontramos os seguintes tipos, cuja configuração poderá variar, não obstante, em razão da diversidade da natureza das funções exercidas ou do tempo de dedicação que as mesmas requerem:

a) remuneração mensal ou senhas de presença;
b) ajudas de custo;
c) segurança social;
d) férias;
e) livre trânsito;
f) cartão especial de identificação;
g) contagem do tempo de serviço ou subsídio de reintegração;
h) apoio nos processos judiciais que tenham como causa o exercício de funções municipais.

6. Incompatibilidades

As incompatibilidades, juntamente com os deveres, representam o lado passivo de qualquer estatuto de titulares dos órgãos dos poder público. As incompatibilidades são uma das categorias possíveis das situações

202 *Estudos de Direito Público de Língua Portuguesa*

funcionais passivas e traduzem-se na imposição de restrições ao exercício dos cargos públicos por associação ao exercício de outros cargos, tendo por efeito a impossibilidade do seu exercício simultâneo.

No que aos distritos municipais diz respeito, a sua criação surge relacionada com a consecução de dois princípios extremamente relevantes: o princípio da defesa dos interesses municipais e o princípio da eficiência administrativa. O primeiro explica que a imposição de incompatibilidades preservará os governantes municipais da interferência de outros interesses conflituantes, mormente do Estado. O outro possibilitará aos governantes municipais um maior empenho nas funções em que ficam investidos, por não terem de repartir o seu tempo com outras tarefas públicas.

Tendo subjacente a necessidade de concretizar estes princípios, eis que surge o momento de se fixar a panóplia de incompatibilidades melhor ajustada à realidade dos distritos municipais. Vistas as coisas abstractamente, são quatro as hipóteses mais prováveis no estabelecimento do quadro das incompatibilidades dos titulares dos órgãos municipais com outros cargos públicos, numa ordem de crescente exigência:

– *com órgãos de soberania apenas;*
– *com órgãos do Estado, o que inclui como parcela os órgãos de soberania;*
– *com órgãos do Estado e da Administração Pública;*
– *com órgãos públicos e actividade privada.*

Julgamos preferível a opção por um quadro de incompatibilidades acentuadamente abrangente, diminuindo o mais possível a possibilidade da acumulação de funções. Numa altura em que o país assiste à implantação de um novo sistema de administração municipal, é aconselhável que os autarcas exerçam as respectivas funções com o máximo de dedicação. Só assim se conseguirá da parte dos actores políticos deste novo sistema uma maior disponibilidade, factor que reputamos decisivo na boa e rápida execução desta profunda reforma. A criação da Administração Municipal Autónoma a partir de uma estrutura estadual centralizada, embora desconcentrada pela existência de diversos escalões territoriais de administração, implicará, por seu turno, naturais conflitos e fricções com as estruturas estaduais, conflitos e fricções que serão evitados ou facilmente ultrapassados se os respectivos protagonistas, por parte dos distritos municipais, não ocuparem qualquer lugar no Estado ou especificamente na sua Administração.

Na concretização das incompatibilidades a que se sujeitarão os titulares dos órgãos municipais, achamos pertinentes os seguintes três critérios:

– *o quadro de incompatibilidades constante do artigo 192 da Constituição, que, apesar de atinente a outros diferentes cargos públicos, terá aqui um interesse analógico;*
– *a diversidade da natureza das funções desempenhadas, no que respeita particularmente à responsabilidade da decisão; e*
– *a medida do tempo que o exercício de cada cargo municipal exige ao respectivo titular.*

Assim sendo, propomos um quadro geral de incompatibilidades, aplicável a todos sem excepção, ao que acrescerá um quadro privativo de incompatibilidades, somente para os titulares dos órgãos municipais que se dediquem a tempo inteiro e que tenham maiores responsabilidades.

Serão assim incompatíveis com todos os cargos municipais as seguintes funções:

– *Presidente da República;*
– *Presidente da Assembleia da República e Deputado;*
– *Primeiro-Ministro e membro do Governo;*
– *Governador provincial e membro do governo provincial;*
– *Magistrado judicial e do Ministério Público;*
– *Membro do Conselho Constitucional;*
– *Membro do Conselho Nacional de Defesa e Segurança;*
– *Membro do Conselho Superior da Comunicação Social;*
– *Director Nacional;*
– *Membro de órgão dirigente de empresa pública, nacionalizada ou de capitais maioritariamente públicos.*

Será ainda incompatível com os cargos municipais desempenhados a tempo inteiro o exercício de qualquer actividade pública ou privada remunerada.

7. Deveres

Os deveres dos titulares dos órgãos municipais – o outro aspecto das situações funcionais passivas – constituem o conjunto de adstrições a cujo cumprimento ficam vinculados, decorrendo directa ou indirectamente das funções em que ficam investidos.

204   *Estudos de Direito Público de Língua Portuguesa*

Não será difícil perceber o seu alcance e importância, que vai muito para além do lado meramente negativo das situações funcionais activas. Estando em causa funções públicas, no exercício das quais se definem opções de interesse da colectividade, ainda que só tenham âmbito local, estes deveres que impendem sobre os titulares dos órgãos municipais funcionam como mais uma garantia para uma proficiente gestão municipal dos assuntos públicos.

Se a aceitação da existência de deveres por parte dos titulares dos órgãos municipais se apresenta pacífica, o mesmo já não poderá dizer-se da determinação do seu âmbito e circunstâncias. Os deveres de que aqui curamos podem ser de três espécies:

– *deveres estritamente funcionais;*
– *também deveres políticos;*
– *ainda deveres na esfera privada.*

Na definição do conjunto de deveres que se estabelecerão quanto ao exercício das actividades municipais, *tendemos a considerar como unicamente admissíveis os deveres estritamente funcionais.* Tanto os deveres políticos como os deveres na esfera privada, além de poderem suscitar dúvidas de constitucionalidade, não se justificam em face da importância secundária dos cargos municipais se comparados com os cargos do Estado, em que encontram o seu lugar próprio.

Na concretização desses deveres funcionais dos titulares dos órgãos municipais, mais uma vez se atenderá ao tempo exigido pelo exercício concreto de cada cargo, bem como às responsabilidades que deles advêm.

Propomos então o seguinte conjunto de deveres de cada titular de órgão municipal, repartidos por três espécies:

1) *Deveres em matéria de legalidade e direitos dos cidadãos*:

a) observar escrupulosamente as normas constitucionais, legais e regulamentares aplicáveis aos actos por si praticados ou pelos órgãos a que pertençam;
b) cumprir e fazer cumprir as normas constitucionais e legais relativas à defesa dos interesses e direitos dos cidadãos no âmbito das suas competências;
c) actuar com justiça e imparcialidade;
d) respeitar os direitos dos administrados, nomeadamente no âmbito do procedimento administrativo.

O Estatuto dos Governantes Municipais em Moçambique

2) *Deveres em matéria de prossecução do interesse público*:

a) salvaguardar e defender os interesses públicos do Estado e do respectivo município;

b) respeitar o fim público dos deveres em que se encontram investidos;

c) não patrocinar interesses particulares, próprios ou alheios, de qualquer natureza, quer no exercício das suas funções quer invocando a qualidade de titular de órgão municipal;

d) não celebrar com o município qualquer contrato, salvo de adesão;

e) não usar, para fins de interesse próprio ou de terceiros, informações a que tenha acesso no exercício das suas funções;

f) não utilizar, para benefício próprio ou alheio, equipamentos ou instalações a que tenha acesso em virtude do exercício das suas funções;

g) denunciar junto das autoridades competentes as infracções de que tenha conhecimento;

h) guardar sigilosamente os documentos ou informações confidenciais a que tenha acesso.

3) *Deveres em matéria de funcionamento dos órgãos de que sejam titulares*:

a) participar nas reuniões ordinárias e extraordinárias dos órgãos municipais;

b) votar as deliberações dos órgãos municipais, sem prejuízo do seu direito a abstenção;

c) pertencer às comissões e organismos legalmente criados pelos órgãos municipais para estudo de problemas específicos;

d) apresentar propostas destinadas a aumentar a eficácia e rapidez dos serviços prestados pelo distrito municipal.

H) A LEI BÁSICA DA REGIÃO ADMINISTRATIVA ESPECIAL DE MACAU[1]

> "Aproveita até o mais ínfimo instante: um pedaço de tempo é uma pepita de ouro."
>
> Provérbio chinês

SUMÁRIO:

I – INTRODUÇÃO

1. O tema destas reflexões
2. A elaboração da Lei Básica de Macau

II – A LEI BÁSICA DE MACAU COMO ACTO JURÍDICO-PÚBLICO DE NATUREZA CONSTITUCIONAL

3. A questão da qualificação jurídico-pública da Lei Básica de Macau
4. A Lei Básica de Macau na sua relação com o sistema jurídico chinês – a ideia de "sub-Constituição"
5. A Lei Básica de Macau na sua inserção no sistema jurídico macaense – a ideia de "Constituição limitada"
6. Excurso (i): a protecção dos direitos fundamentais
7. Excurso (ii): a organização do sistema de governo

---

[1] Palestra proferida em Macau, no âmbito do Seminário Comemorativo do 20.º Aniversário da Universidade de Macau, subordinado ao tema geral "O Direito de Macau no contexto da Lei Básica – evolução recente e perspectivas de futuro", que teve lugar nos dias 18 e 19 de Fevereiro de 2002, no Auditório STDM da Biblioteca Internacional da Universidade de Macau. Texto publicado no *Boletim da Faculdade de Direito da Universidade de Macau*, ano VI, 2002, n.º 13, pp. 173 e ss.

III – A REGIÃO ADMINISTRATIVA ESPECIAL DE MACAU COMO ENTIDADE JURÍDICO-PÚBLICA *SUI GENERIS* PRÓ-ESTADUAL

8. A questão da qualificação jurídico-pública da Região de Macau
9. Macau como "região administrativa"
10. Macau como "região especial"
11. Macau como região político-administrativa ou Estado federado
12. A Região Administrativa Especial de Macau como entidade de Direito Público *sui generis*, de feição pró-estadual

I – INTRODUÇÃO

1. O tema destas reflexões

I. Antes de referir ao tema das minhas reflexões, permitam-me fazer, a título preliminar, algumas saudações, desse jeito testemunhando o valor e a importância do momento que estamos vivendo, que é o das Comemorações do 20.º Aniversário da Universidade de Macau.

Naturalmente que quero exprimir o prazer de aqui estar, agradecendo aos organizadores deste colóquio, em geral, e ao Dr. Manuel Trigo, Director da Faculdade de Direito da Universidade de Macau, em especial, o simpático convite que me endereçaram, possibilitando-me conhecer uma realidade que me diz muito como português e como professor de Direito.

Do mesmo modo gostaria de partilhar esta ocasião de discussão científica com os restantes colegas deste Seminário, todos tão ilustres académicos, oriundos de diversas instituições universitárias de grande prestígio no Direito.

Ainda desejaria augurar o melhor futuro à Faculdade de Direito da Universidade de Macau, depois destas duas décadas de vida que agora se completam, na certeza de que se projecta um contínuo alargamento de horizontes, em relação ao qual a minha Faculdade – a Faculdade de Direito da Universidade Nova de Lisboa – estará sempre empenhada, como, aliás, já tem acontecido no passado.

II. O tema da presente comunicação, como não poderia deixar de ser, insere-se no tema geral deste Seminário, que tem o fito de estudar "O Direito de Macau no contexto da Lei Básica".

Dentro das várias problemáticas possíveis, escolhemos uma eminentemente tributária do Direito Constitucional, na tentativa de bem conhecer a Lei Básica à luz dos instrumentos dogmáticos de que se pode dispor neste ramo da Ciência Jurídica.

Claro que a Lei Básica de Macau não absorve a totalidade do Direito de Macau, embora seja forçoso reconhecer-lhe a função enraizadora de um

210   *Estudos de Direito Público de Língua Portuguesa*

conjunto diversificado de opções quanto à estruturação do seu sistema jurídico, nos seus diferentes cambiantes.

Mas cremos ser na Lei Básica de Macau que se localizam, para aquela perspectiva científica, os principais aspectos que depois nos levam a alguns resultados quanto ao sentido mais profundo de Macau enquanto entidade colectiva e comunidade de Direito, integrada na República Popular da China.

III. Segundo essa tónica de Direito Constitucional, a Lei Básica de Macau merece-nos uma análise polarizada em dois tópicos que se mostram ser nucleares:

— *o sentido essencial da Lei Básica de Macau como acto jurídico-público*, quer na sua relação com o sistema jurídico chinês, quer na sua integração no sistema jurídico macaense, nela se plasmando as grandes opções de estruturação do território de Macau;

— *a relevância da Região Administrativa Especial de Macau como entidade jurídico-pública*, sendo certo que as categorias formais hoje idealizadas não lhe são inteiramente ajustáveis.

2. A elaboração da Lei Básica de Macau

I. A presença portuguesa em Macau terminou em 19 de Dezembro de 1999, mercê de um conjunto de passos que, sendo gradualmente dados e com articulação entre si, desembocaram na adopção da Lei Básica de Macau, que precisamente no momento seguinte entraria em vigor[2].

A verdade, porém, é que ainda muito antes do início da sua vigência, haveria a ocasião de redigir a Lei Básica de Macau, a qual seria aprovada em 31 de Março de 1993, pela 1ª sessão da 8ª Legislatura da Assembleia Popular da República Popular da China, e posteriormente promulgada pelo Decreto n.º 3 do Presidente da República daquele mesmo Estado.

Segundo o texto da Constituição da República Popular da China, este diploma foi promanado pelo seu Parlamento Nacional, ao abrigo de disposição que prevê que "O Estado pode criar regiões administrativas especiais

---

[2] O mesmo aconteceria antes com Hong Kong, cujo estatuto se aproxima bastante da Lei Básica de Macau. Para um importante conspecto geral acerca da situação jurídico-pública de Hong Kong, v., por todos, YASH GHAI, *Hong Kong's New Constitutional Order*, 2ª ed., Hong Kong, 1999, pp. 137 e ss.

A *Lei Básica da Região Administrativa Especial de Macau*   211

sempre que necessário", ainda se acrescentando que "Os regimes a instituir nas regiões administrativas especiais deverão ser definidos por lei a decretar pelo Congresso Nacional Popular à luz das condições específicas existentes"[3].

A afirmação das opções incluídas na Lei Básica de Macau, decretada ao abrigo desta competência do Congresso Nacional Popular, tal como também se escreveu no respectivo preâmbulo, conformou-se ainda ao princípio constitucional "um país, dois sistemas".

II. Esta não foi, porém, uma etapa única na construção do actual ordenamento jurídico de Macau, uma vez que foram múltiplos os instrumentos jurídico-normativos que também contribuíram para esse mesmo fim, de que cumpre evidenciar dois.

O primeiro deles foi a Declaração Conjunta sobre a Questão de Macau de 1987, um tratado internacional celebrado entre a República Popular da China e a República Portuguesa no sentido de estabelecer as condições da translação da administração de Macau de Portugal para a China.

A outra modificação relevante foi a da revisão da Constituição Portuguesa de 1989[4], já que este acto legislativo retirou Macau do território português, permitindo o desfecho futuro da sua transferência para a soberania chinesa[5].

III. A sistematização interna da Lei Básica da Região Administrativa Especial de Macau compreende a sua distribuição por capítulos e, nalguns casos, ainda por secções, sendo aqueles sucessivamente dedicados aos seguintes temas:

– Capítulo I – *Princípios gerais*
– Capítulo II – *Relacionamento entre as Autoridades Centrais e a Região Administrativa Especial de Macau*
– Capítulo III – *Direitos e deveres fundamentais dos residentes*

---

[3] Art. 31.º da Constituição da República Popular da China, de 4 de Dezembro de 1982. Cfr. também o art. 62.º, parágrafo 13.º, da Constituição da República Popular da China.

[4] Cfr. o então novo art. 292.º da Constituição da República Portuguesa, depois da revisão de 1989. Sobre o actual texto da Constituição Portuguesa, v., por todos, JORGE BACELAR GOUVEIA, *Constituição da República Portuguesa e legislação complementar*, Lisboa, 2001.

[5] Cfr. JORGE MIRANDA, *Manual de Direito Constitucional*, III, 4ª ed., Coimbra, 1998, pp. 272 e 273.

– Capítulo IV – *Estrutura política*
– Capítulo V – *Economia*
– Capítulo VI – *Cultura e assuntos sociais*
– Capítulo VII – *Assuntos externos*
– Capítulo VIII – *Interpretação e revisão da lei*
– Capítulo IX – *Disposições complementares*

O texto da Lei Básica de Macau é antecedido de um preâmbulo e contém vários anexos.

II – A LEI BÁSICA DE MACAU COMO ACTO JURÍDICO-
-PÚBLICO DE NATUREZA CONSTITUCIONAL

3. A questão da qualificação jurídico-pública da Lei Básica de Macau

I. A primeira vertente que nos incumbe analisar neste momento é a da qualificação da Lei Básica de Macau no contexto do sistema normativo tanto da República Popular da China como da Região de Macau, pelo que até se justifica que ambas as perspectivas sejam vistas separadamente:

– primeiro, em relação ao sistema chinês; e
– a seguir, em relação ao sistema macaense.

Este dualismo na análise justifica-se por estarmos em face de um texto bifronte, mantendo relações normativas e funções específicas de cunho essencialmente diverso, conforme se pense na sua relação com o ordenamento chinês ou com o ordenamento macaense.

II. Para essa finalidade, interessa recordar que a Lei Básica de Macau é um diploma da autoria da República Popular da China, criado no âmbito das suas atribuições legislativas.

Trata-se de uma lei de natureza estatutária, que se destina à estruturação jurídico-pública de uma nova entidade – a Região Administrativa Especial de Macau – e que nela estabelece um conjunto de orientações normativas gerais.

No seio das suas diversas características, cumpre salientar estas mais relevantes:

– é uma *lei temporária*, porque cessa a sua vigência 50 anos depois;
– é uma *lei local*, pois que se aplica apenas à região geográfica de Macau; e
– é uma *lei ordinária*, dimanada do Congresso Nacional Popular da China.

III. O pressuposto fundamental de que se parte é o da suspeita de que o sentido da Lei Básica de Macau deve verdadeiramente ser algo mais do que uma mera lei comum, nos traços que ficaram assinalados.

Essa é, porém, uma conclusão que não pode ser obtida univocamente, antes convoca a necessidade de relacionar a Lei Básica de Macau no contexto da sua articulação com a Constituição da China e a sua função dentro dos limites territoriais de Macau.

Como quer que seja, afigurar-se-á possível conceber a Lei Básica de Macau como uma realidade normativa mais intensa do que um texto normativo ordinário, oferecendo, ao invés, óbvias implicações constitucionais.

Indicando já o sentido da nossa investigação, parece ser indiscutível que se possa atribuir-lhe uma natureza jurídico-constitucional, assumindo-se com evidente repercussão nas normas constitucionais pertinentes em cada um daqueles dois sistemas normativos[6].

4. A Lei Básica de Macau na sua relação com o sistema jurídico chinês – a ideia de "sub-Constituição"

I. Nas suas relações com o sistema jurídico chinês, a Lei Básica de Macau é da autoria da República Popular da China, sendo, por isso, um diploma legislativo chinês, produzido pelo seu órgão legislativo máximo, que é o Congresso Nacional Popular[7].

À primeira vista, tal facto nada teria de extraordinário, posicionando-se, dentro da categoria de actos legislativos do Direito Constitucional Chinês, como uma lei ordinária, brotando bem da competência legislativa que a Constituição atribui a este alto órgão legislativo parlamentar.

Só que, perscrutando um pouco mais a realidade das coisas, o resultado deverá ser diferente, pois que o sentido normativo deste diploma transcende a função que se atribui às leis ordinárias constitucionalmente previstas, mesmo daquelas que se encarregam da disciplina específica das denominadas regiões especiais.

---

[6] À mesma dúvida se refere YASH GHAI, escrevendo que o sistema estabelecido para Hong Kong igualmente pode ser entendido no âmbito do Direito Constitucional, possuindo um valor jurídico-constitucional. Cfr. YASH GHAI, *Hong Kong's New Constitutional...*, p. 137.

[7] Cfr. o art. 62.º, parágrafo 13.º, da Constituição da República Popular da China.

A *Lei Básica da Região Administrativa Especial de Macau* 215

É que inere à essência da própria Lei Básica de Macau, tal como ela está elaborada e tal como ela está constitucionalmente prevista, uma forte projecção constitucional, que na sua essência galga os apertados limites de uma lei ordinária, ainda que de cunho estatutário.

Isso fica bastante nítido em três dos aspectos nevrálgicos da Constituição da República Popular da China, nos quais se adoptaram regimes distintos, para não dizer radicalmente opostos:

– no *sistema social*;
– no *sistema económico*; e
– no *sistema político*[8].

II. Quanto ao *sistema social*, logo verificamos que a concepção vigente em Macau derroga a concepção dominante na República Popular da China, pelo que aí representa a sua quebra e, no seu lugar, a afirmação de um projecto de Direito diferenciado.

No âmbito da Constituição da República Popular da China, percebe-se que prevalece uma concepção de matriz socialista, em que os direitos fundamentais são sobretudo olhados como posições de libertação material de condições económicas desfavoráveis, em claro detrimento dos direitos fundamentais civis e políticos[9].

No sistema de direitos fundamentais consagrado na Lei Básica de Macau, adopta-se uma concepção de natureza ocidental, de acordo com uma composição equilibrada entre direitos fundamentais civis e políticos, de um lado, e direitos fundamentais económicos e sociais, do outro lado[10].

III. Do ponto de vista da *organização social*, também se regista que em Macau o funcionamento da economia é distinto daquele que vigora para o restante território chinês.

No modelo socialista, a actividade económica estriba-se numa concepção muito própria, que é a de ser uma economia de direcção central,

---

[8] Para a sua caracterização, v., de entre outros, ALICE ERH-SOON TAY, *People's Republic of China – from Confucianism to the Socialist Market Economy – the Rule of Man vs the Rule of Law*, in AAVV, *Asian Legal Systems – Law, Society and Pluralism in East Asia* (ed. de POH-LING TAN), Sydney, 1997, pp. 35 e ss.; YASH GHAI, *Hong Kong's New Constitutional...*, pp. 92 e ss.; LIN FENG, *Constitutional Law in China*, Hong Kong, Singapore, Malaysia, 2000, pp. 21 e ss.

[9] Cfr. os arts. 33.º e ss. da Constituição da República Popular da China.

[10] Cfr. os arts. 24.º e ss. da Lei Básica de Macau.

216   *Estudos de Direito Público de Língua Portuguesa*

pretendendo-se substituir o mercado pelo plano imperativo e, ao mesmo tempo, combatendo-se as estruturas capitalistas e liberais[11], com a concomitante proclamação da propriedade socialista dos meios de produção[12].

Ora, não é isso o que vem a suceder na actividade económica no território de Macau, na qual vigoram as instituições e os instrumentos da economia capitalista de mercado: a liberdade de iniciativa económica, a propriedade privada dos meios de produção e o mercado na definição dos preços pelo livre encontro da oferta e da procura[13].

IV. Quanto à *organização política*, ainda se confirma que o exercício do poder público se opera autonomamente quanto ao esquema de organização do poder público constitucionalmente estabelecido na Constituição da República Popular da China.

A organização pública de Macau repousa numa organização privativa, altamente autónoma, cujos eixos essenciais são a separação de poderes e a electividade directa e pluralista de certos titulares dos órgãos do seu governo[14].

Se compararmos este conjunto de opções com o que se preferiu na definição do poder público da República Popular da China, constitucionalmente fixado, vê-se que o panorama é substancialmente diverso, aqui avultando outros princípios, como o do centralismo democrático[15] e o da legitimidade piramidal do poder, para além da afirmação da unidade do poder político, maximamente possuído pelo Congresso Nacional Popular[16].

V. É assim que se comprova que a Lei Básica de Macau, na estruturação normativa que realiza neste território, se mostra derrogatória do sistema jurídico-constitucional chinês, não fazendo aplicar alguns princípios

---

[11] Como se afirma, a certo passo, no preâmbulo da Constituição da República Popular da China: "Fizeram-se significativos progressos nas áreas da edução, da ciência e da cultura e a formação ideológica socialista obteve notáveis resultados".

[12] Segundo o art. 6.º da Constituição da República Popular da China, "A base do sistema económico socialista da República Popular da China é a propriedade pública socialista dos meios de produção, designadamente a propriedade de todo o povo e a propriedade colectiva do povo trabalhador".

[13] Cfr. os arts. 103.º e ss. da Lei Básica de Macau.

[14] Cfr. os arts. 45.º e ss. da Lei Básica de Macau.

[15] Cfr. o art. 3.º da Constituição da República Popular da China.

[16] Cfr. o art. 2.º da Constituição da República Popular da China.

fundamentais do Direito Constitucional da República Popular da China, que assim não vigoram em Macau, substituídos que são por outros:

- no *sistema social*, pela afirmação de uma concepção ocidental de direitos fundamentais, contra a concepção socialista de direitos fundamentais vigente na restante República Popular da China;
- no *sistema económico*, pela admissão de uma economia de mercado, contra a existência de uma economia de direcção central na restante República Popular da China;
- no *sistema político*, pela adopção de uma organização pluralista e de separação de poderes, essencialmente divergente da que vigora na restante República Popular da China, de feição unitária e ideologicamente orientada.

VI. A esta mesma repercussão constitucional se pode chegar olhando para a Lei Básica de Macau, não já agora do ponto de vista do seu conteúdo, quanto essencialmente através da respectiva dimensão formal, frisando sobretudo o procedimento a que deve submeter-se com vista à sua alteração.

A aprovação da Lei Básica de Macau, mesmo considerando o ponto peculiar de assumir uma forte feição estatutária, obedeceu ao formalismo do procedimento legislativo normal, sendo necessário para o efeito a obtenção de uma maioria simples, que corresponde ao "voto maioritário de mais de metade de todos os deputados ao Congresso Nacional Popular"[17].

Simplesmente, o procedimento que se deve adoptar para a revisão da Lei Básica de Macau é mais empenhativo da vontade dos Deputados que o pretendam impulsionar, uma vez que se exige uma maioria de dois terços dos votos dos Deputados que representam a região de Macau no Congresso Nacional Popular[18].

Ora, não deixa de ser clara a aproximação deste procedimento ao procedimento adoptado pela Constituição da República Popular da China para a sua própria revisão, hipótese em que se prescreve a regra do "voto de dois terços de todos os deputados ao Congresso"[19].

Noutra perspectiva, também não deixa de ser impressionante o facto de a Lei Básica de Macau possuir limites materiais à sua revisão, ou seja,

---

[17] Art. 64.º, parágrafo 2.º, da Constituição da República Popular da China.

[18] Cfr. o art. 144.º, parágrafo 2.º, da Lei Básica de Macau.

[19] Art. 64.º, parágrafo 1.º, da Constituição da República Popular da China. Cfr. LIN FENG, *Constitutional Law...*, pp. 287 e ss.

matérias que são consideradas petrificadas pelo poder normativo que as aprovou inicialmente: "Nenhuma revisão desta Lei pode contrariar as políticas fundamentais relativas a Macau, definidas pela República Popular da China"[20].

Não obstante o poder de revisão da Lei Básica de Macau exclusivamente pertencer ao Congresso Nacional Popular, o certo é que, segundo aquele diploma, tal também significando uma natureza pró-constitucional das respectivas cláusulas essenciais, há um conjunto de matérias e políticas que deve permanecer inalterado.

VII. Quer isto dizer que a Lei Básica de Macau não pode ser apenas uma lei ordinária, aprovada pelo Congresso Nacional Popular, para valer lado a lado com os outros diplomas legislativos.

Se assim fosse, tratar-se-ia de uma qualificação demasiado modesta, porquanto o seu conteúdo implica que se vá para além disso, assumindo esta Lei Básica uma inelutável dimensão constitucional: é que tem um relevo que se projecta nos valores constitucionalmente pertinentes, derrogando-os e substituindo-os.

Evidentemente que não estamos a colocar em causa a força jurídico--constitucional radical que podemos encontrar na Constituição da República Popular da China, detentora do poder constituinte originário[21] – mas não deixa de ser curioso verificar a intensíssima força jurídica da Lei Básica de Macau, pela sua capacidade de contornar valores e princípios que ali têm cunho constitucional.

Em resumo: podemos considerar que o valor constitucional da Lei Básica de Macau, relativamente à Constituição da República Popular da China, sendo esta que a admite na magnitude derrogatória com que a concebe, acaba por transmutá-la numa verdadeira "sub-Constituição", que privativamente modela o sistema jurídico de Macau, em divergência manifesta com os princípios que avultam no restante ordenamento jurídico chinês, ainda que afirmando um princípio maior, que é o princípio "um país, dois sistemas".

---

[20] Art. 144.º, parágrafo 3.º, da Lei Básica de Macau.

[21] Que nunca se poderia colocar em dúvida, bastando para o efeito ler o art. 5.º, parágrafo 2.º, da Constituição da República Popular da China, precisando que "Nenhuma lei ou regra da administração central ou local poderá infringir a Constituição".

VIII. Outra possibilidade a ponderar seria a de qualificar a Lei Básica de Macau como lei ordinária "reforçada", numa tentativa de colocação intermédia, algures entre a Constituição da República Popular da China e o comum das leis ordinárias, que povoam o quotidiano da actividade legislativa da China.

Esta vem a ser, até, uma construção dogmática que muitos Direitos Constitucionais Europeus têm preferido, não sendo Portugal qualquer excepção[22]. Com efeito, a Constituição Portuguesa constitucionalizou o conceito doutrinal de lei reforçada, dizendo que "Têm valor reforçado, além das leis orgânicas, as leis que carecem de aprovação por maioria de dois terços, bem como aquelas que, por força da Constituição, sejam pressuposto normativo necessário de outras leis ou que por outras devam ser respeitadas"[23].

Mas o determinante é que a Lei Básica de Macau atinge matérias que são constitucionalmente protegidas, ao mais alto nível, por uma reserva de Constituição, esta assim se retraindo, fazendo avançar, no seu lugar original, outra regulação derrogatória, que impede aquela, temporariamente, de se aplicar. Nas leis reforçadas, não se está perante fenómeno idêntico ou sequer parecido: jamais se questiona a regulação produzida sobre matérias que são objecto de normas formalmente constitucionais.

IX. Claro que se pode sempre dizer que este é um exercício meramente lógico, puramente qualificativo, que pouca luz pode trazer para a aplicação do Direito à vida concreta das pessoas.

Não parece, todavia, que esta seja uma opinião inteiramente certeira. A qualificação da Lei Básica de Macau, no reconhecimento do seu valor constitucional, aludindo à Constituição da República Popular da China, tem importantes consequências práticas e em, pelo menos, dois níveis:

– implica a sua prevalência quanto a outras leis chinesas que possam mostrar-se contrárias ao regime ali estabelecido, por força de um critério hierárquico;

---

[22] Quanto à problemática das leis reforçadas, v. JORGE BACELAR GOUVEIA, *Sistema de actos legislativos – opinião acerca da revisão constitucional de 1997*, in *Legislação – Cadernos de Ciência de Legislação*, n.os 19/20, Oeiras, Abril-Dezembro de 1997, pp. 47 e ss.; JORGE MIRANDA, *Manual de Direito Constitucional*, V, 2ª ed., Coimbra, 2000, pp. 346 e ss.; J. J. GOMES CANOTILHO, *Direito Constitucional e Teoria da Constituição*, 6ª ed., Coimbra, 2002, pp. 777 e ss.

[23] Art. 112.º, n.º 3, da Constituição Portuguesa.

220   *Estudos de Direito Público de Língua Portuguesa*

– determina a adopção de regras hermenêuticas próprias tomando em consideração a relação entre normas gerais e normas excepcionais, no dualismo normas constitucionais chinesas e normas constitucionais macaenses.

5. A Lei Básica de Macau na sua inserção no sistema jurídico macaense – a ideia de "Constituição limitada"

I. Na sua inserção no sistema jurídico macaense, a Lei Básica de Macau vai porventura desempenhar um papel bem menos equívoco do ponto de vista do seu valor normativo, aí se assumindo, indubitavelmente, como um diploma fundante de uma nova realidade e comunidade: a Região de Macau e o seu ordenamento.

Se, ao nível geral, a Lei Básica de Macau pode ser entendida como uma "sub-Constituição", já para o efeito do sistema jurídico macaense, a Lei Básica é uma evidente "Constituição principal", ainda que externa aos domínios em que deve prevalecer o Direito Chinês.

Essa é uma verificação que se sublinha não apenas no plano formal--hierárquico quanto também ao nível substantivo, pelo que importa vê-los em separado.

II. Numa argumentação formal-hierárquica, não parece que se justifiquem muitas dúvidas quanto à prevalência da Lei Básica sobre as outras fontes normativas específicas de Macau. De resto, isso é inteiramente admitido tanto para antes como para depois da sua entrada em vigor.

No que respeita à legislação anterior, embora se parta da ideia de que a superveniência da Lei Básica de Macau não faz *tabula rasa* do Direito pré-existente, não deixa, contudo, de o sujeitar à condição de só ser eficaz no caso de estar conforme com o novo texto da Lei Básica, ocorrendo a sua caducidade no caso de essa legislação a não respeitar[24].

Em relação à legislação posterior, é a Lei Básica de Macau o novo critério de validade do sistema jurídico deste território, porquanto se afirma solenemente que "Nenhuma lei, decreto-lei, regulamento administrativo ou acto normativo da Região Administrativa Especial de Macau pode contrariar esta Lei"[25].

---

[24] Cfr. o art. 8.º da Lei Básica de Macau.

[25] Art. 11.º, parágrafo 1.º, da Lei Básica de Macau.

À luz de uma lógica mais processual, é de mencionar a própria possibilidade da fiscalização da prevalência da Lei Básica de Macau sobre as restantes fontes normativas que venham a ser aqui produzidas.

Mas podemos discernir dois distintos sistemas:

– *um sistema especial*, de protecção da soberania chinesa em relação a actos normativos que ultrapassem a margem normativamente permitida pela Lei Básica; e
– *um sistema geral*, de defesa da conformidade dos actos normativos de Macau relativamente a quaisquer outras matérias consagradas na Lei Básica.

O primeiro sistema – que se compreende pela necessidade permanente de controlo e de contenção da autonomia jurídico-pública de Macau nos limites que ficaram assinalados pela Lei Básica – tem uma feição parlamentar e consiste na apreciação que sempre o Comité Permanente do Congresso Nacional Popular pode levar a cabo em relação à legislação produzida na Região de Macau. Se entender que se verifica uma situação de contradição com a Constituição Chinesa, este Comité pode devolver o diploma, tal acarretando a imediata cessação dos respectivos efeitos[26].

O outro sistema, que podemos apelidar de geral, é concernente à fiscalização da conformidade de qualquer acto normativo de Macau em relação ao disposto na Lei Básica, o qual se justifica por força do princípio da supremacia deste diploma sobre qualquer outro diploma integrando o sistema jurídico de Macau. Há, no entanto, a dificuldade acrescida de não se indicar, expressamente, a entidade competente para o efeito, parecendo que essa responsabilidade deva recair sobre o poder jurisdicional.

III. A índole constitucional da Lei Básica de Macau identicamente se perspectiva pelo seu conteúdo, ao perceber-se que se lhe colocam vários temas que são materialmente constitucionais, até para uma comprovação segura de tudo o que dissemos quanto à sua relação com a Constituição da República Popular da China.

Pela sua importância, devem merecer uma análise mais pormenorizada dois aspectos fundamentais, assim se tendo a oportunidade de sobre eles se realizar dois excursos paralelos:

– *a protecção dos direitos fundamentais; e*
– *a organização do sistema de governo.*

---

[26] Cfr. o art. 17.º, parágrafo 3.º, da Lei Básica de Macau.

6. **Excurso (i): a protecção dos direitos fundamentais**

I. Já pudemos observar que o sistema jurídico chinês, tal como ele é constitucionalmente recortado, assenta numa protecção de direitos fundamentais influenciada pela matriz socialista, a partir da qual se combate, nos seus pressupostos fundamentais, os direitos fundamentais de cunho liberal, na modelação com que estes foram desenhados no dealbar do liberalismo.

Contudo, é justo recordar-se que foi em nome da protecção dos primeiros direitos fundamentais que surgiu, no mundo ocidental, o conceito material de Constituição, juntamente com outros não menos relevantes princípios estruturantes da Idade Contemporânea: o princípio da separação dos poderes, o princípio democrático e o princípio republicano[27].

Assim apareceram, ainda que bebendo boa parte da influência jusracionalista do século XVIII, as primeiras declarações de direitos fundamentais, de entre elas sendo certamente a mais emblemática a Declaração dos Direitos do Homem e do Cidadão, aprovada na efervescência da Revolução Francesa, em 26 de Agosto de 1789.

Estes direitos, para além da sua forte inspiração universalista, distinguiam posições jurídicas das pessoas frente ao Estado numa concepção claramente defensiva, assim pretendendo erguer-se em barreira, de preferência inexpugnável, contra a actividade jurídico-pública do Estado.

Mas, por outro lado, estes direitos do mesmo modo se alinharam noutros propósitos mais específicos:

– a humanização do Direito Penal, abolindo penas de morte, penas perpétuas, penas infamantes ou cruéis;
– a consagração de uma mínima processualização na aplicação do Direito Penal, garantindo aos arguidos os elementares direitos de defesa;
– a abolição dos privilégios que foram apanágio do anterior Estado monárquico, afirmando-se um princípio jurídico geral de igualdade formal perante a lei.

---

[27] Quanto a estes princípios inerentes à ideia de Constituição liberal, v. JORGE BACELAR GOUVEIA, *O estado de excepção no Direito Constitucional*, I, Coimbra, 1998, pp. 166 e ss., e *A afirmação dos direitos fundamentais no Estado Constitucional Contemporâneo*, in AAVV, *Direitos Humanos – teorias e práticas* (org. de Paulo Ferreira da Cunha), Coimbra, 2003, pp. 58 e ss.; JORGE MIRANDA, *Manual de Direito Constitucional*, I, 7ª ed., Coimbra, 2003, pp. 83 e ss.

A Lei Básica da Região Administrativa Especial de Macau   223

Mais tarde, no século XX, depois das dramáticas consequências da "Questão Social", a concepção ocidental acrescentou-se de novos direitos fundamentais, agora de cunho social e económico, embora numa perspectiva complementar relativamente à que fôra propugnada pelos direitos fundamentais civis e políticos, simultaneamente que se atendeu a uma igualdade material e real, para além da mera igualdade formal na lei[28].

II. Com o advento dos ideais socialistas, primeiro dos diversos socialismos não científicos e depois do socialismo marxista científico, os direitos fundamentais foram sobretudo encarados num prisma económico--social, como "alavancas" de libertação e de desalienação dos cidadãos, em busca de melhores condições materiais de vida.

Daí que a concepção socialista dos direitos fundamentais – à medida que ela foi sendo positivada para os textos constitucionais, não se podendo esquecer a também não menos emblemática Declaração de Direitos do Povo Trabalhador e Explorado, aprovada em 1918 na Rússia bolchevique – rapidamente poria o acento tónico, não tanto nos direitos civis e políticos, quanto sobretudo nos direitos económicos e sociais.

E a realidade concreta foi inclusivamente a da negação de alguns direitos fundamentais de cunho liberal – como genericamente as liberdades públicas, proclamadas pelo liberalismo – e a sua substituição por uma nova ordem social, de absoluta prevalência de direitos materiais a melhores condições de vida.

O que se verifica na Constituição da República Popular da China, ainda que algumas revisões tenham mitigado certos pontos, é no essencial a adesão a esta concepção socialista dos direitos fundamentais. Estes direitos, longe de suprimidos, são realçados nos seus aspectos dinâmicos de combate social às estruturas liberais-burguesas, supostamente aquelas que teriam influenciado, desvirtuando-os, os direitos fundamentais de raiz liberal, criados pelo movimento constitucionalista.

---

[28] Relativamente a esta nova concepção social de direitos fundamentais, v. MARCELO REBELO DE SOUSA, *Direito Constitucional – Introdução à Teoria da Constituição*, Braga, 1979, pp. 156 e ss.; JORGE MIRANDA, *Manual de Direito Constitucional*, IV, 3ª ed., Coimbra, 2000, pp. 31 e ss.; JORGE BACELAR GOUVEIA, *Direito da Igualdade Social – guia de estudo*, Lisboa, 2000, pp. 10 e ss., e *A afirmação dos direitos fundamentais...*, pp. 59 e 60; JOSÉ CARLOS VIEIRA DE ANDRADE, *Os direitos fundamentais na Constituição Portuguesa de 1976*, 2ª ed., Coimbra, 2001, pp. 54 e ss.

O que se passa na Lei Básica de Macau é substancialmente diferente do acolhimento de uma concepção de direitos fundamentais que tenha sido inspirada por uma matriz socialista, demonstração que se afigura possível lendo vários índices, bem predominando uma concepção ocidental, liberal e social de direitos fundamentais.

III. Do ponto de vista das respectivas fontes normativas, os direitos fundamentais são positivados com total autonomia relativamente aos direitos fundamentais reconhecidos no texto da Constituição da República Popular da China.

Em vez da a Lei Básica, neste ponto, remeter para aquele texto constitucional, assume autonomamente a respectiva positivação, tendo ainda a preocupação de o fazer tipologicamente, direito a direito, e não se escudando em cláusulas gerais, em si mesmo menos protectoras da eficácia que normalmente se deve atribuir aos direitos fundamentais. É exactamente isso o que se observa no respectivo Capítulo III, dedicado aos "Direitos e deveres fundamentais dos residentes" em Macau, numa heterogeneidade apreciável dos direitos consagrados.

É também de mencionar a circunstância de os direitos fundamentais reconhecidos não se limitarem, unicamente, aos tipos de direitos formalizados no texto da Lei Básica, já que se verifica a admissibilidade de direitos fundamentais atípicos, ou seja, outros direitos não especificamente concebidos por aquele texto, mas que do mesmo modo se assumem vigentes, porquanto funciona uma cláusula aberta para fontes internacionais[29].

IV. Numa lógica substancial, não se pode olvidar que a consagração de direitos fundamentais é feita com elevada abrangência, no respectivo leque se incluindo tanto os direitos, liberdades e garantias como os direitos económicos, sociais e culturais.

Isto não quer dizer, porém, que esse catálogo não contenha algumas deficiências, se visto numa perspectiva actualizada de Estado Social de Direito, na medida em que há certos direitos que se encontram deficientemente consagrados:

– os direitos à vida e à integridade pessoal: não obstante serem reconhecidos, não se faz uma alusão directa à proibição da aplicação da pena de morte;

---

[29] Tal como se prevê no respectivo art. 40.º

A Lei Básica da Região Administrativa Especial de Macau

– os novos direitos humanos: na Bioética, verifica-se a omissão da protecção das pessoas contra a ingerência científica quanto a alguns dos seus mais relevantes valores, não se proibindo a manipulação genética e outras práticas equivalentes.

V. Numa linha mais formal, cumpre finalmente mencionar aspectos atinentes ao regime dos direitos fundamentais, aí assumindo relevo o modo como a Lei Básica de Macau concebe a intervenção de poderes normativos ordinários na aplicação das normas atribuidoras de direitos fundamentais.

A única alusão com que se depara é relativa ao regime das restrições, dizendo-se no correspondente preceito que "Os direitos e as liberdades de que gozam os residentes de Macau não podem ser restringidos excepto nos casos previstos na lei"[30], o que não deixa de ser relevante no plano da operacionalização dos direitos fundamentais[31].

No entanto, na sua singeleza, essa é uma norma bastante limitada, já que as restrições de direitos fundamentais, sendo nalguns casos necessárias, naturalmente que pressupõem limites materiais intrínsecos, que possam orientar o poder normativo restritivo e colocá-lo dentro de parâmetros superiormente definidos[32], como são os princípios da protecção do núcleo essencial ou da proporcionalidade.

O mesmo se diga relativamente ao estado de excepção, de acordo com uma das suas tradicionais localizações em matéria de direitos fundamentais, nenhuma alusão se lhe fazendo neste capítulo III[33].

---

[30] Art. 40.º, parágrafo 2.º, da Lei Básica de Macau.

[31] Sobre a cláusula aberta de direitos fundamentais, e muitos dos problemas que lhe estão associados, v. JORGE BACELAR GOUVEIA, *Os direitos fundamentais atípicos*, Lisboa, 1995, pp. 39 e ss., e *A Declaração Universal dos Direitos do Homem e a Constituição da República Portuguesa*, in *Perspectivas do Direito* (Gabinete para a Tradução Jurídica), n.º 6 de 1999, Macau, pp. 23 e ss.; JORGE MIRANDA, *Manual...*, IV, pp. 162 e ss.; J. J. GOMES CANOTILHO, *Direito Constitucional...*, pp. 403 e ss.

[32] A respeito das limitações – materiais, procedimentais e formais – que devem acompanhar as leis restritivas de direitos, liberdades e garantias, v., por todos, JOSÉ CARLOS VIEIRA DE ANDRADE, *Os direitos fundamentais...*, pp. 288 e ss., e JORGE BACELAR GOUVEIA, *Regulação e limites de direitos fundamentais*, in *Novos Estudos de Direito Público*, II, Lisboa, 2002, pp. 101 e ss.

[33] Quanto à problemática do estado de excepção no Direito Constitucional, v., por todos, MARCELO REBELO DE SOUSA, *Direito Constitucional...*, pp. 174 e ss., e JORGE BACELAR GOUVEIA, *O estado de excepção...*, II, pp. 1255 e ss., e *Regulação...*, in *Novos Estudos...*, pp. 116 e ss.

7. Excurso (ii): a organização do sistema de governo

I. O sistema de governo de Macau encontra a sua sede normativa no Capítulo IV, que tem precisamente por epígrafe "Estrutura política", na qual se descrevem as competências de diversos órgãos, bem como a respectiva composição.

Tem peculiar interesse apreciar as relações que se estabelecem entre o poder executivo e o poder legislativo, sendo certo que, para efeitos da qualificação do sistema de governo, o poder judicial se apresenta substancialmente neutro.

Mas o que se pode desde já entrever é que nenhuma das qualificações conhecidas perfeitamente explica a realidade governativa de Macau, lançando-se ao investigador, por esse facto, o desafio suplementar de procurar novas conclusões.

II. Antes, porém, de se tecer considerações sobre a qualificação que se considera melhor ajustada, interessa sumariamente apresentar a estrutura política de Macau, de que se encarrega o Capítulo IV da Lei Básica de Macau.

A organização política de Macau, tal como ela vem a ser formalmente assumida, assenta na tripartição dos poderes públicos, em obediência à seguinte orientação:

- o poder executivo é atribuído ao Chefe do Executivo, órgão unipessoal, designado pelo Governo da República Popular da China, com competências administrativas e políticas, sobressaindo como o órgão predominante no sistema de governo de Macau[34], sendo o dirigente máximo do Governo, em que também se integra;
- o poder legislativo é cometido a uma Assembleia Legislativa, sendo os respectivos Deputados em parte nomeados pelo Chefe do Executivo e, na sua maioria, eleitos pelos cidadãos chineses residentes no território, desfrutando de competências legislativas e políticas[35];
- o poder judicial é entregue aos tribunais, que se distribuem por três distintas instâncias, exercendo competências judiciais[36].

---

[34] Cfr. os arts. 45.º e ss. da Lei Básica de Macau.
[35] Cfr. os arts. 67.º e ss. da Lei Básica de Macau.
[36] Cfr. os arts. 82.º e ss. da Lei Básica de Macau.

A Lei Básica da Região Administrativa Especial de Macau 227

III. A qualificação de sistema de governo mais antiga é a do parlamentarismo[37], que teve como berço o ordenamento constitucional britânico, a partir do momento em que, já no século XIX, a Câmara dos Comuns definitivamente concentraria o fulcro do exercício do poder político, forçando à responsabilidade política do Governo perante as maiorias que ali se formariam.

Simplesmente, nada na Lei Básica de Macau autoriza a concluir pelo carácter parlamentar da distribuição dos seus poderes, havendo duas razões decisivas para que assim se entenda:

– por um lado, o facto de o poder executivo não ser uma emanação do poder legislativo, nem este poder destituir aquele por mera discordância política, ainda que sobre ele possa exercer alguma actividade de fiscalização;

– por outro lado, o Parlamento é composto, em parte, por pessoas designadas pelo órgão executivo, numa evidente supremacia deste sobre aquele, não se registando uma qualquer dependência inter-orgânica.

IV. Outra possível qualificação seria a do presidencialismo[38], que se inauguraria com o aparecimento do sistema constitucional norte-americano, em que se frisou a independência recíproca dos órgãos legislativo e executivo, ambos subsistindo sem qualquer laço de responsabilidade política entre si, para além de, numa mesma pessoa, coincidirem as posições jurídico-constitucionais de Chefe da Região e de Chefe de Governo.

Igualmente não parece que esta qualificação possa ser adequada à realidade jurídico-normativa de Macau, porquanto há duas razões fundamentais para que isso não venha a acontecer:

– o Chefe do Executivo, por uma parte, pode dissolver o Parlamento, sendo certo que no sistema presidencial o poder executivo jamais beneficia deste importantíssimo instrumento sobre o órgão legislativo, embora este seja um poder de uso limitado;

---

[37] Sobre o sistema de governo parlamentar, v., de entre outros, MARCELO REBELO DE SOUSA, *Direito Constitucional...*, pp. 327 e ss.; VITALINO CANAS, *Preliminares do estudo da Ciência Política*, Macau, 1992, pp. 131 e ss.; JORGE MIRANDA, *Ciência Política – formas de governo*, Lisboa, 1992, p. 130.

[38] Sobre o sistema de governo presidencial, v., de entre outros, MARCELO REBELO DE SOUSA, *Direito Constitucional...*, pp. 331 e ss.; VITALINO CANAS, *Preliminares...*, pp. 143 e ss.; JORGE MIRANDA, *Ciência Política...*, pp. 130 e 131.

228 Estudos de Direito Público de Língua Portuguesa

– o Chefe do Executivo, por outra parte, pode ser obrigado a renunciar ao mandato por razões políticas, o que também não permite preservar a sua independência orgânica, a despeito de essa possibilidade apenas poder ocorrer em circunstâncias bastante dramáticas.

V. Do mesmo modo não podemos deparar com qualquer sistema de governo directorial[39] – à maneira da Constituição Francesa de 1795 ou à maneira da actual Constituição Suíça – porque não se verificam os elementos caracterizadores do sistema presidencial, com a particularidade de aqui tratar-se de um órgão executivo colegial, que é designado pelo Parlamento.

São três os argumentos que permitem refutar a verificação em Macau de um sistema de governo directorial:

– o órgão executivo não é colegial, mas sim singular, sendo o Governo de Macau uma entidade subordinada ao Chefe do Executivo e que com ele não comunga as principais competências;
– os órgãos executivo e legislativo não são independentes entre si, antes se estabelecem alguns vínculos de responsabilidade política;
– o órgão executivo não é eleito pelo órgão legislativo, como se exige no sistema de governo directorial.

VI. Ainda se deve entender que a organização do sistema de governo em Macau não se ajusta à caracterização de semi-presidencialismo[40], um equilíbrio institucional desenvolvido na Europa na segunda metade do século XX, no qual os três órgãos políticos – o Chefe de Estado, o Parlamento e o Governo – são politicamente activos.

O motivo fundamental para que este sistema não possa ser encontrado radica na ausência de uma relevante diarquia no poder executivo, que essencialmente reside no Chefe do Executivo, não aparecendo a figura do Chefe da Região separada da figura do Chefe do Governo, antes as duas posições coincidindo na mesma pessoa, o mesmo se dizendo acerca da escassa relevância do Governo de Macau.

---

[39] Sobre o sistema de governo directorial, v., de entre outros, VITALINO CANAS, *Preliminares...*, pp. 203 e 204; JORGE MIRANDA, *Ciência Política...*, pp. 130 e 131.

[40] Sobre o sistema de governo semipresidencial, v., de entre outros, MARCELO REBELO DE SOUSA, *Direito Constitucional...*, pp. 335 e ss.; VITALINO CANAS, *Preliminares...*, pp. 175 e ss.; JORGE MIRANDA, *Ciência Política...*, p. 132.

Também interessa evidenciar que no sistema de governo de Macau não há verdadeiramente uma "triangulação política", na medida em que a correlação de forças é apenas existente entre o poder executivo e o poder legislativo, sendo aquele a entidade que indubitavelmente mais avulta.

VII. Sem uma qualificação que possa inteiramente caber ao sistema de governo de Macau, podemos, contudo, afirmar que a modelação dessa organização se aproxima bastante, embora não se identificando com ele, do sistema de governo presidencial, dado o relevo político e normativo do Chefe do Executivo[41]:

– há um certo rigor na separação dos dois poderes, com esferas de influência bem definidas;
– o Chefe do Executivo é o detentor do poder executivo, não havendo uma substancial diarquia no executivo;
– há uma clara preponderância do poder executivo, até com vários meios de acção política.

Esta aproximação ao sistema de governo presidencial permite, assim, a adopção de um sistema de governo presidencial de natureza atípica, tendo em mente dois aspectos fulcrais[42]:

– no facto de o Chefe do Executivo não ser eleito, como sucede no sistema de governo presidencial típico, sendo antes escolhido pelo Governo da República Popular da China;
– no facto de a demissão do Chefe do Governo e de a dissolução do Parlamento serem possíveis, embora limitadamente, tendo pelo menos o valor de uma contraposição dualista entre os dois órgãos.

---

[41] O mesmo se pode dizer, de resto, do sistema de governo vigente em Hong Kong, que em grande medida terá inspirado o sistema de governo de Macau. Cfr. YASH GHAI, *Hong Kong's New Constitutional...*, pp. 300 e ss.

[42] Ainda que à luz do Estatuto Orgânico de Macau, no tempo da administração portuguesa, VITALINO CANAS, profundo conhecedor da realidade jurídico-política de Macau nesse período, igualmente tivesse considerado a não caracterização segundo uma categoria previamente consagrada: "...a nossa conclusão sobre a natureza e qualificação do sistema de governo será quase idêntica à conclusão que propusemos sobre a forma de governo de Macau: temos aqui um sistema de governo atípico, de difícil acomodação" (cfr. *Preliminares...*, p. 266).

III – A REGIÃO ADMINISTRATIVA ESPECIAL DE MACAU COMO ENTIDADE JURÍDICO-PÚBLICA *SUI GENERIS* PRÓ-ESTADUAL

8. A questão da qualificação jurídico-pública da Região de Macau

I. Paralelamente à importância e à qualificação da Lei Básica de Macau, outra vertente que jamais poderia ser desconsiderada refere-se à natureza da Região Administrativa Especial de Macau, que foi precisamente criada por aquele diploma normativo.

Ora, é isso o que se pode ler no seu primeiro preceito, em que se afirma que a "Região Administrativa Especial de Macau é parte inalienável da República Popular da China"[43], para não citar outras tantas disposições em que se reforça esta sua natureza e esta fundação.

Por aqui se percebe que o legislador chinês, na elaboração da Lei Básica de Macau, ao criar uma nova pessoa colectiva, do mesmo passo pretendeu dotá-la de vários atributos:

– ser uma região;
– de cunho administrativo; e
– com feições especiais.

Daí que seja necessário perscrutar o sentido mais profundo destas qualidades com que a Região de Macau ficou moldada, aquilatando até que ponto esses traços definidores têm uma directa correspondência no texto da Lei Básica de Macau, que exactamente assim as qualificou.

II. Desde já se adianta que nenhum destes qualificativos, isoladamente ou em conjunto, pode espelhar com rigor a natureza da essência da Região de Macau, que se situará algures próxima de uma estrutura pró-estadual, com um cunho *sui generis*.

---

[43] Art. 1.º da Lei Básica de Macau.

A Lei Básica da Região Administrativa Especial de Macau   231

É o que tentaremos demonstrar relativamente a cada uma destas características, que não se encaixarão inteiramente na realidade da região de Macau.

Será depois necessário equacionar uma qualificação alternativa, que pela positiva possa trazer mais esclarecimentos sobre a verdadeira essência da Região de Macau na sua posição institucional, dentro e fora da República Popular da China[44].

9. Macau como "região administrativa"

I. A primeira qualidade atribuída é a de que Macau se apresenta configurada como uma região administrativa, o que naturalmente pressupõe que esta pessoa colectiva deva corresponder, nas suas atribuições e competências, aos domínios prototípicos da função administrativa, na posição peculiar que ela assume no contexto das restantes funções do poder público, tal como se foram desenhando desde o labor doutrinário de Montesquieu.

Para que esta conclusão pudesse ser verdadeira, as atribuições da Região de Macau apenas se circunscreveriam aos apertados horizontes da função administrativa, na medida em que por esta parcela do poder público – de feição normativa e não normativa – se cuidariam das necessidades colectivas da segurança, cultura e bem estar, económico e social.

II. A leitura das atribuições da Região de Macau, tal como elas são apresentadas na Lei Básica, aponta-nos para um vasto leque de poderes públicos, para além do poder administrativo, que são concebidos da perspectiva da sua profunda autonomia.

A leitura daquele diploma é bastante elucidativa acerca da grandeza desses poderes: "A Assembleia Popular Nacional da República Popular da China autoriza a Região Administrativa Especial de Macau a exercer um alto grau de autonomia e a gozar de poderes executivo, legislativo e judicial independente, incluindo o de julgamento em última instância, de acordo com as disposições desta Lei"[45].

---

[44] Para o sistema de Hong Kong, também se tem avançado com várias qualificações, entre a estrutura autonómica e a estrutura federal. Cfr. YASH GHAI, *Hong Kong's New Constitutional*..., p. 137.

[45] Art. 2.º da Lei Básica de Macau.

Os poderes que são atribuídos à Região de Macau decerto que incluem o poder administrativo, aqui referido na terminologia mais tradicional de poder executivo. Mas este poder não é o único e surge acompanhado de outros poderes públicos da maior importância, como o poder legislativo e o poder judicial.

III. Como se percebe por esta demonstração, a qualificação de Macau como região administrativa é excessivamente limitada[46], uma vez que esta Região é bem mais do que isso: é também uma região política, legislativa e judicial.

Daí que a conclusão da Lei Básica, depois de apreciados os preceitos que especificamente dão consistência à sua morfologia jurídico-pública, não possa ser inteiramente exacta, pecando por defeito.

É necessário procurar uma qualificação que lhe sirva, indo-se para além de um entendimento demasiado restritivo da dimensão e da natureza dos poderes que lhe foram normativamente atribuídos.

10. Macau como "região especial"

I. A segunda característica da Região de Macau apresenta-a como especial, isso mesmo se repetindo, por diversas vezes, nalguns dos respectivos incisos, articulado que até se inicia com a inclusão dessa qualidade na própria nomenclatura da Região de Macau.

O sentido lógico-jurídico da atribuição do carácter especial a uma dada realidade – seja ela subjectiva, seja ela objectiva – só pode ser globalmente compreendido numa vinculação de tipo relacional, pondo em comparação o *quid* que se quer qualificar de especial e o outro *quid* que se assume de feição geral. Nada nem ninguém pode ser especial por relação consigo mesmo, mas apenas numa alteridade com outro ou com alguma outra coisa.

Esta é até uma matéria que tem sido profundamente desenvolvida na Metodologia e Teria do Direito no contexto das relações entre normas jurí-

---

[46] Quanto ao sentido da região administrativa, bem como os fundamentos que subjazem à descentralização administrativa, v. Diogo Freitas do Amaral, *Curso de Direito Administrativo*, I, 2ª ed., Coimbra, 1994, pp. 693 e ss.; Marcelo Rebelo de Sousa, *Lições de Direito Administrativo*, I, Lisboa, 1999, pp. 223 e ss.; João Caupers, *Introdução ao Direito Administrativo*, Lisboa, 2000, pp. 101 e ss.

A Lei Básica da Região Administrativa Especial de Macau   233

dicas. Uma das mais importantes classificações – com enormes consequências no plano prático – é a que separa as normas gerais, as normas especiais e as normas excepcionais[47].

A razão de ser desta destrinça radica no seguinte:

– as normas são especiais em relação às gerais na medida em que se desviem, para alguns casos ou pessoas, de um regime comum, por aquelas estabelecido, tal porém não significando qualquer quebra nas orientações fundamentais que animam o regime em causa, apenas suscitando adaptações;
– já as normas excepcionais, consistindo num regime diverso do que se estabelece no regime geral, impõem a derrogação dessas orientações gerais, substituindo-os por valores ou orientações exactamente opostas.

II. Obviamente que esta classificação, gerada no seio das normas jurídicas, tem a virtualidade de se aplicar a outros fenómenos, como vai gradualmente sucedendo também ao nível da Teoria Geral do Estado.

A sua aplicação à Região de Macau visa realçar aspectos da sua configuração jurídico-pública, não só na sua organização como nos poderes com que vai aparecer dotada, comparativamente ao que sucede no âmbito da República Popular da China.

Só que qualidade de a Região de Macau ser especial, dentro de uma lógica de organização e funcionamento, não se justifica totalmente por relação com as tão divergentes orientações que são comummente aplicáveis no restante território chinês, directa e substancialmente conformada pelo texto constitucional primário.

III. Seguindo esta classificação de normas gerais, excepcionais e especiais, e aplicando-a à Região de Macau, consideramos que é pouco dizer que esta Região assume uma natureza especial, antes se julgando que lhe quadra melhor a designação de "excepcional", em face da importância e da dimensão dos poderes que lhe estão atribuídos.

---

[47] Distinguindo entre normas gerais, especiais e excepcionais, JOÃO BAPTISTA MACHADO, *Introdução ao Direito e ao Discurso Legitimador*, Coimbra, 1983, pp. 94 e 95; INOCÊNCIO GALVÃO TELLES, *Introdução ao Estudo do Direito*, II, 10ª ed., Coimbra, 2000, pp. 144 e ss.; JOSÉ DE OLIVEIRA ASCENSÃO, *O Direito – Introdução e Teoria Geral*, 11ª ed., Coimbra, 2001, pp. 511 e 512.

Isso tem uma justificação plúrima, na medida em que no âmbito da actividade e da estrutura da Região de Macau não se aplicam aspectos substanciais do ordenamento e do sistema da República Popular da China:

– no tocante ao sistema normativo: o sistema de Macau mostra-se um ordenamento jurídico *a se*, com as suas próprias fontes e critérios de aplicação;
– no tocante ao sistema de poder público: o poder público de Macau é totalmente diverso do poder público da República Popular da China, apenas este se lhe aplicando nalgumas restritas situações.

Tudo isto para já não falar de outras realidades, como o próprio sistema social e económico, sendo a própria Lei Básica de Macau a dizê-lo sem qualquer rebuço no preâmbulo: "...não se aplicam em Macau o sistema e as políticas socialistas".

11. Macau como região político-administrativa ou Estado federado

I. O carácter inapropriado das qualificações normativas aplicadas à Região de Macau suscita ainda o debate em torno de outras qualificações igualmente possíveis, mas que não foram directamente utilizadas. Estamos a pensar na sua caracterização como região político-administrativa[48].

Do ponto de vista da Teoria Geral do Estado, uma região político--administrativa é sempre considerada uma entidade infra-estadual, não possuindo os elementos que consubstanciam esta realidade conceptual, num plano tanto qualitativo como quantitativo.

Obviamente que não estará em causa Macau como realidade geográfica, pois que desse prisma – totalmente irrelevante para efeitos jurídicos – não se duvidará de que efectivamente configura uma região, sendo uma parcela de um todo bem maior.

II. A região político-administrativa não é, no entanto, a única entidade jurídico-pública infra-estadual que se conhece, havendo outras, quer apenas com relevância interna, quer também com relevância internacional.

---

[48] Sobre as regiões político-administrativas, bem como os problemas da regionalização legislativa e política, v. MARCELO REBELO DE SOUSA, *Direito Constitucional...*, pp. 142 e ss.; JORGE MIRANDA, *Manual...*, III, pp. 281 e ss.; JORGE BACELAR GOUVEIA, *Autonomia regional, procedimento legislativo e confirmação parlamentar*, in *Novos Estudos de Direito Público*, II, Lisboa, 2002, pp. 34 e ss.

A Lei Básica da Região Administrativa Especial de Macau

Contudo, observando os poderes que lhe são atribuídos, ainda assim duvidamos de que Macau, como pessoa colectiva, seja somente uma região político-administrativa, já se sabendo que é mais do que uma mera região administrativa e que até tem uma feição mais excepcional do que propriamente especial.

Não parece que esta qualificação tenha o "tamanho" adequado à realidade em causa, já que a existência, também, de poderes judiciais implica que Macau deva necessariamente transcender a realidade de uma região político-administrativa.

III. Outra alternativa, numa busca mais larga quanto à natureza jurídico-pública da Região de Macau, seria a da sua aproximação ao conceito de Estado federado[49], dada a amplitude dos poderes com que foi concebida na Lei Básica que a estruturou.

Todavia, esta também seria uma designação que não serviria porque não só não dispõe de poder constituinte (*Kompetenz-Kompetenz*) como também porque a Região de Macau é temporária – com a duração de 50 anos – e nem sequer havendo qualquer direito de secessão.

Para que pudesse encaixar no conceito de Estado federado, seria sempre necessário algo mais, de que manifestamente não dispõe.

12. A Região Administrativa Especial de Macau como entidade de Direito Público *sui generis*, de feição pró-estadual

I. O exercício que acabámos de fazer levanta-nos o problema suplementar de procurar qualificar a Região de Macau pela positiva, tentando forjar uma categoria dogmática que se possa afeiçoar aos traços característicos que tem.

Perante a inadequação das categorias que a Teoria Geral do Estado e do Direito Constitucional conseguiu até ao momento produzir, é forçoso concluir pela impossibilidade de encontrar essa qualificação.

Só que a resposta continua sendo insatisfatória porque não basta dizer aquilo que Macau não é – interessa sobretudo saber o que Macau, na verdade, é.

---

[49] Definindo o Estado federado, MARCELO REBELO DE SOUSA, *Direito Constitucional...*, pp. 133 e ss.; REINHOLD ZIPPELIUS, *Teoria Geral do Estado*, 3ª ed., Lisboa, 1997, pp. 503 e ss.; JORGE MIRANDA, *Manual...*, III, pp. 290 e ss.

II. Um primeiro passo é o de situar a Região de Macau num contexto mais vasto do Direito Público, encarando-se como realidade institucional que em muito ultrapassa o Direito Administrativo ou até mesmo o Direito Constitucional.

De acordo com as atribuições que a Região de Macau desenvolve, é de aceitar que a respectiva regulação vá muito para além daqueles dois ramos do Direito, embora sejam eles sem dúvida os mais significativos.

É também de referir a importância do Direito Internacional, uma vez que são manifestos os poderes de Macau do ponto de vista das relações internacionais, podendo estar representado em instâncias internacionais e celebrar convenções internacionais[50].

Por outras palavras: a qualificação de Macau, mais do que limitada a este ou àquele ramo do Direito, é globalmente de considerar pertinente a todo o Direito Público, como tal devendo ser concebida.

Eis uma conclusão clara dada a vastidão de poderes de que desfruta ao nível das diversas parcelas do poder público, incluindo os poderes político, legislativo, administrativo e judicial.

III. Sendo uma pessoa colectiva de Direito Público, a Região de Macau deve situar-se algures entre a realidade estadual e a realidade de região político-administrativa:

– é menos do que Estado porque a Região de Macau não dispõe de poder constituinte, tendo sido criada pela República Popular da China e estando primariamente dependente da sua Constituição;
– é mais do que região político-administrativa porque é titular de poderes de cunho judicial – normalmente não atribuídos a estas entidades, já que reservados aos Estados – bem como de poderes na esfera internacional.

Tudo isto aponta para a qualificação da Região de Macau, sendo uma nova pessoa colectiva de Direito Público de carácter geral, como uma entidade *sui generis*: os seus traços não se encaixam em nenhuma outra realidade, mas aproximam-se bastante da realidade estadual, em vista da amplitude e diversidade de poderes, podendo assim ser considerada como uma entidade pró-estadual.

---

[50] Quanto à inserção internacional da região de Macau, v., por todos, JORGE BACELAR GOUVEIA, *Manual de Direito Internacional Público*, Coimbra, 2003, pp. 413 e 414.

I) SEGREDO DE ESTADO E LEI CONSTITUCIONAL EM ANGOLA[1]

SUMÁRIO:

CONSULTA

I – INTRODUÇÃO

1. O tema do parecer
2. Questões a resolver

II – ASPECTOS PROCESSUAIS

§ 1.º **O sistema de fiscalização da constitucionalidade em Angola – tópicos gerais**

3. Um sistema misto de fiscalização jurisdicional da constitucionalidade
4. A defesa jurisdicional da constitucionalidade transitoriamente atribuída ao Tribunal Supremo e a falta de lei processual aplicável
5. A fiscalização concreta da constitucionalidade
6. A fiscalização abstracta da constitucionalidade
7. A fiscalização da inconstitucionalidade por omissão
8. A fiscalização preventiva da constitucionalidade

---

[1] Parecer de Direito publicado na obra colectiva, AAVV, *A produção de informações de segurança no Estado Democrático de Direito – o caso angolano* (coord. CARLOS FEIJÓ), Lisboa, 2003, pp. 23 e ss.

238 *Estudos de Direito Público de Língua Portuguesa*

§ 2.° A inadmissibilidade de fiscalização preventiva da constitucionalidade da Lei do Segredo de Estado requerida por um quinto dos Deputados à Assembleia Nacional

9. A ausência de lei processual reguladora do processo de fiscalização preventiva da constitucionalidade
10. A preterição de regras elementares de Direito Constitucional Processual

III – ASPECTOS SUBSTANTIVOS

11. A nova Lei do Segredo de Estado (Lei n.° 10/02)

§ 3.° A análise da constitucionalidade organizatória

12. A constitucionalidade orgânica da Lei do Segredo de Estado
13. A constitucionalidade procedimental da Lei do Segredo de Estado

§ 4.° A análise da constitucionalidade material

14. A constitucionalidade material da admissibilidade legal do segredo de Estado em Angola
15. A constitucionalidade material do âmbito específico do segredo de Estado
16. A constitucionalidade material do procedimento de classificação

IV – CONCLUSÕES

17. Enunciado das conclusões

CONSULTA

O Governo de Angola tomou a iniciativa de elaborar ante-projectos legislativos sobre a Segurança Nacional, o Acesso aos Documentos Administrativos e o Segredo de Estado, todos eles redigidos no âmbito de grupos de trabalho por mim coordenados.

Após a aprovação parlamentar, a oposição requereu a "fiscalização preventiva da constitucionalidade" da Lei do Segredo de Estado, visando particularmente os artigos 2.º, 3.º, 18.º, 22.º e 23.º desse diploma.

Assim, venho solicitar-lhe que emita parecer jurídico sobre o quadro legislativo aprovado no tocante ao novo regime do Segredo de Estado, em especial considerando a constitucionalidade dos artigos referenciados.

Luanda, 1 de Novembro de 2002.

Carlos Maria Feijó

I – INTRODUÇÃO

1. O tema do parecer

I. O presente parecer surge concretamente motivado por um requerimento, assinado por 50 Deputados da Assembleia Nacional de Angola, em cujos termos se solicita ao Tribunal Supremo deste Estado a "apreciação preventiva da constitucionalidade ou inconstitucionalidade da Lei do Segredo de Estado".

O fundamento jurídico para esta fiscalização é o art. 154.º, n.º 1, da Lei Constitucional de Angola, sendo dirigido ao Tribunal Supremo, por ser esta – na falta do Tribunal Constitucional e conforme o disposto no art. 6.º da Lei n.º 23/92, de 16 de Setembro – a instância jurisdicional a exercer transitoriamente as competências de fiscalização da constitucionalidade.

II. Em consequência desse pedido, foi-nos pedida a emissão de parecer jurídico acerca da compatibilidade da Lei do Segredo de Estado, recentemente produzida em Angola[2], relativamente ao respectivo texto constitucional – a Lei Constitucional de 1992[3].

Como se percebe, tanto dos termos desta consulta, como da natureza do pedido de fiscalização feito, estamos perante um conjunto diversificado de questões de constitucionalidade, a que importa dar uma resposta.

Mas também se trata de um contributo que visa auxiliar os Venerandos Juízes Conselheiros do Tribunal Supremo, tendo em vista não apenas a novidade deste procedimento como, sobretudo, as inúmeras dificuldades que lhe estão associadas.

---

[2] Sendo a Lei n.º 10/02, de 16 de Agosto, publicada no *Diário da República*, I Série, n.º 65, de 16 de Agosto de 2002.

[3] Cfr. o respectivo texto em JORGE BACELAR GOUVEIA, *As Constituições dos Estados Lusófonos*, 2ª ed., Lisboa, 2000, pp. 353 e ss.

III. Do ponto de vista do leque das matérias para que é possível chamar a atenção neste parecer, são essencialmente questões de Direito Constitucional Processual, de Direito Constitucional Organizatório e de Direito Constitucional dos Direitos Fundamentais que se afiguram em jogo.

O primeiro diz respeito ao enquadramento a que devem sujeitar-se os processos de fiscalização da constitucionalidade, tendo neste caso sido apresentado um pedido de fiscalização preventiva, que naturalmente deve obedecer a uma tramitação específica.

O segundo mostra-se evidente no caso da apreciação da Lei do Segredo de Estado sob a óptica da sua produção, em razão das regras constitucionais que disciplinam o procedimento legislativo que lhe é aplicável.

O terceiro assume peculiar importância no confronto das soluções encontradas na Lei do Segredo de Estado relativamente à Lei Constitucional sob o ponto de vista das restrições de direitos fundamentais ali consagradas.

2. Questões a resolver

I. Por força da delimitação temática que se encontra subjacente ao parecer solicitado, é necessário observar a constitucionalidade da Lei do Segredo de Estado sob duas dimensões distintas, às quais corresponderão, de resto, as duas principais partes do presente estudo:

– uma dimensão processual; e
– uma dimensão substantiva.

E, para qualquer uma delas, se impõe depois uma análise particular nas diversas dúvidas que se suscitam.

II. A dimensão processual fica evidente no facto de o presente parecer surgir no contexto específico de um pedido de fiscalização preventiva da constitucionalidade.

Não se trata, assim, de uma apreciação meramente académica, antes ela se destina a auxiliar o exercício, por um alto tribunal, da função de julgar: neste caso, de julgar a constitucionalidade de um diploma.

Ora, nesta matéria, a Lei Constitucional Angolana admite diversos mecanismos de fiscalização da constitucionalidade, de entre eles se contando a fiscalização preventiva.

242   *Estudos de Direito Público de Língua Portuguesa*

Daí que seja importante avaliar até que ponto este pedido de fiscalização da constitucionalidade pode ser exercitável ao abrigo dessas disposições constitucionais.

Por outro lado, não podemos também esquecer que, em matéria de fiscalização da constitucionalidade, o Estado Angolano, a reerguer-se de uma situação de grave conflito interno, ainda não se encontra apetrechado com toda a legislação, faltando, por exemplo, uma lei reguladora dos processos de fiscalização da constitucionalidade, para além da própria instalação do Tribunal Constitucional.

III. A dimensão substantiva assenta numa preocupação de aferir directamente a própria constitucionalidade da Lei do Segredo de Estado, agora independentemente do modo como foi posto em prática o respectivo pedido de fiscalização.

Neste confronto entre a Lei do Segredo de Estado e a Lei Constitucional Angolana, merecem reflexão separada diversos aspectos mais sensíveis:

- questões de constitucionalidade organizatória que tenham que ver com a produção deste acto legislativo;
- questões de constitucionalidade organizatória relativas às regras que definem a entidade promanante deste acto legislativo;
- questões de constitucionalidade material que se mostrem pertinentes com o eventual desrespeito do texto constitucional por parte das soluções que foram consagradas na Lei do Segredo de Estado, no plano geral das restrições de direitos fundamentais que sejam impostas;
- questões de constitucionalidade material que sejam visíveis em aspectos específicos do regime do segredo de Estado que foi adoptado, nomeadamente em matéria de procedimento de classificação.

IV. Vejamo-los separadamente, para depois, a final, apresentarmos as conclusões, que assim sintetizarão o nosso pensamento.

II – ASPECTOS PROCESSUAIS

§ 1.° O sistema de fiscalização da constitucionalidade em Angola – tópicos gerais

3. Um sistema misto de fiscalização jurisdicional da constitucionalidade

I. A República de Angola é um Estado Democrático de Direito (art. 2.° da Lei Constitucional de Angola – LCA)[4]. Esta proclamação tem, naturalmente, consequências de natureza material e organizativa, também consagradas no texto constitucional.

Uma das mais recentemente assumidas pelos Estados de Direito, embora nem por isso das menos marcantes, é a que se prende com o reconhecimento de que toda a actividade do Estado está sujeita à Constituição, todos os actos do poder político devem respeitar a Constituição, sob pena de inconstitucionalidade.

Quer isto dizer que qualquer acto do poder político está sujeito a apreciação da constitucionalidade por órgãos especificamente incumbidos de fazer respeitar a Constituição, "norma superior directamente vinculante em relação a todos os poderes públicos"[5].

---

[4] V. uma súmula equilibrada dos termos em que esta proclamação é entendida na comunicação proferida pelo Dr. Manuel Gonçalves, Bastonário da Ordem dos Advogados de Angola, na Conferência Internacional promovida pela Faculdade de Direito da Universidade Agostinho Neto, com o tema genérico "Angola: Direito, Democracia, Paz e Desenvolvimento", no dia 2 de Maio de 2001, no Palácio dos Congressos em Luanda (acessível em www.oaang.org/edd.htm).

[5] J. J. GOMES CANOTILHO, *Direito Constitucional e Teoria da Constituição*, 5ª ed., Coimbra, 2002, p. 880. V. também, por último, CARLOS BLANCO DE MORAIS, *Justiça Constitucional – Garantia da Constituição e Controlo da Constitucionalidade*, Coimbra, 2002, pp. 119 e ss.

II. Esta última consequência de natureza organizativa foi das últimas a ser adquirida. Mas é essencial[6].

Compreende-se, por isso, que a LCA tenha definido um sistema de garantia jurisdicionalizada da constitucionalidade dos actos do poder político, designadamente dos actos normativos.

Isto para além do papel que também se pode deferir ao Presidente da República, o qual assegura o cumprimento da Lei Constitucional (art. 56.º, n.º 1, da LCA)[7].

III. Segundo o esquema gizado pelo texto constitucional, a fiscalização da constitucionalidade, sendo jurisdicional, é entregue ao Tribunal Constitucional (art. 134.º da LCA) e a todos os restantes tribunais (art. 121.º, n.º 1).

Trata-se, assim, de um sistema compósito[8], arquitectado em torno de um órgão de fiscalização concentrada, em inter-relação com um conjunto apreciável de outros órgãos judiciais responsáveis por boa parte da fiscalização difusa[9].

---

[6] Esta afirmação não é, todavia, incontroversa. RUI MEDEIROS, na sua obra *A Decisão de Constitucionalidade* (Lisboa, 1999, p. 49), invoca o exemplo da Suíça para demonstrar que a primazia da Constituição não depende da existência de jurisdição constitucional. Neste Estado, não só não há controlo jurisdicional da constitucionalidade das leis, como ele até é proibido pela Constituição de 1874.

Sobre a superação do controlo meramente político da constitucionalidade e a "afirmação tardia" do sistema jurisdicional fora dos EUA, v. também CARLOS BLANCO DE MORAIS, *Direito Constitucional II. Relatório*, Lisboa, 2001, pp. 112 e ss., e *Justiça Constitucional...*, pp. 281 e ss.

[7] *De jure condendo*, a Assembleia Nacional deveria também ver expresso na LCA o dever de assegurar a observância da Constituição, à semelhança do que se regista noutros ordenamentos jurídico-constitucionais.

Uma opção inequívoca a favor de um controlo jurisdicionalizado da constitucionalidade não autoriza que se descure o controlo político da constitucionalidade.

[8] Para uma sua brevíssima caracterização, v. JORGE BACELAR GOUVEIA, *Introdução ao Direito Constitucional de Angola*, Luanda, 2002, p. 105.

[9] Os traços essenciais da actual arquitectura institucional do sistema de controlo e garantia da constitucionalidade parecem ter sido salvaguardados pelos "Princípios Fundamentais a ter em conta na Elaboração da Futura Constituição de Angola".

4. A defesa jurisdicional da constitucionalidade transitoriamente atribuída ao Tribunal Supremo e a falta de lei processual aplicável

I. A Lei n.º 23/92, de 16 de Setembro, que aprovou a quarta Lei de Revisão Constitucional, sendo na verdade uma verdadeira nova Constituição, determina no seu art. 6.º que "enquanto o Tribunal Constitucional não for instituído, competirá ao Tribunal Supremo exercer os poderes previstos nos artigos 134.º e 135.º da Lei Constitucional"[10].

Mesmo na ausência desta norma transitória, poderia e deveria entender-se que todos os tribunais (o Tribunal Supremo incluído) têm competência para, a propósito dos feitos submetidos a julgamento, apreciar a constitucionalidade das normas que são chamados a interpretar e a aplicar e, em caso de violação da Constituição, recusar a aplicação de normas que entendam inconstitucionais.

A supremacia da Constituição sobre as restantes normas jurídicas assim o manda.

II. Só que o legislador de revisão constitucional quis ir além deste mínimo. Por isso, determinou que o Tribunal Supremo substitua transitoriamente o Tribunal Constitucional no exercício da fiscalização da constitucionalidade das normas enquanto este não for instituído e não estiver a funcionar.

A solução não cria nenhuma dificuldade no plano teórico, sendo, aliás, de salientar que em alguns ordenamentos não se optou pela criação de um órgão *específico* de fiscalização jurisdicionalizada concentrada, antes se escolhendo, em nome da economia de meios, entregar essa tarefa suplementar ao mais alto tribunal judicial do país – é o caso, no espaço geo--político da lusofonia, do Brasil[11].

III. Mas a solução só será totalmente operacional se houver legislação que complemente a norma constitucional que atribui estas competências ao Tribunal Supremo.

Ou seja, uma legislação que, enquanto não houver Tribunal Constitucional, ocupe transitoriamente o espaço normativo que virá a ser preenchido pela lei sobre as competências, a organização e o funcionamento do Tribunal

---

[10] Em rigor, deverá considerar-se que a remissão é apenas para o art. 134.º, uma vez que o art. 135.º não atribui nenhum poder ao Tribunal Constitucional.

[11] V., contudo, uma exposição sumária das razões que pesam a favor de um Tribunal Constitucional em RUI MEDEIROS, *A Decisão de Inconstitucionalidade...*, pp. 108 e ss.

246 Estudos de Direito Público de Língua Portuguesa

Constitucional, referida no art. 135.º, n.º 3, da LCA: lei orgânica a ser aprovada pela Assembleia Nacional [arts. 89.º, alínea f), e 92.º, n.º 3 da LCA][12].

IV. Na verdade, o conjunto normativo formado pelo art. 6.º da Lei n.º 23/92, em conjugação com os arts. 134.º, 154.º, 155.º, 156.º e 157.º da LCA, desdobra-se em vários segmentos.

Alguns reúnem condições para serem considerados exequíveis por si mesmo. Outros, em contrapartida, não são imediatamente exequíveis, carecendo de desenvolvimento legislativo subsequente[13].

Por outras palavras: se é verdade que há situações em que o Tribunal Supremo pode exercer *desde já* as funções que o art. 134.º LCA entrega ao Tribunal Constitucional, haverá seguramente outras cujo desenvolvimento é virtualmente impossível por falta de regulamentação não suprível pelo recurso a regras já existentes noutros ramos do ordenamento jurídico de Angola, nomeadamente do Direito Processual.

Passaremos a desenvolver este tópico, de modo a poder estabelecer quais exactamente as possibilidades actuais de fiscalização da constitucionalidade e, nesse âmbito, quais aquelas que se encontram já ao dispor dos Deputados da Assembleia Nacional.

5. A fiscalização concreta da constitucionalidade

I. Nos termos do art. 134.º, alínea d), da Lei Constitucional de Angola, compete ao Tribunal Constitucional "apreciar, em recurso, a constitucionalidade de todas as decisões dos demais tribunais que recusem a aplicação de qualquer norma com fundamento na sua inconstitucionalidade".

---

[12] Sobre a forma de lei orgânica na LCA, v. CARLOS FEIJÓ, *Problemas Actuais do Direito Público Angolano*, Cascais, 2001, pp. 29 e 30. Parece razoável pensar que se o legislador decidir emanar uma lei transitória sobre o exercício pelo Tribunal Supremo dos poderes conferidos ao Tribunal Constitucional, essa regulamentação deverá assumir também a forma de lei orgânica.

[13] Sobre a distinção entre normas constitucionais exequíveis e não exequíveis, v. MARCELO REBELO DE SOUSA, *Direito Constitucional*, Braga, 1979, pp. 96 e ss.; JORGE BACELAR GOUVEIA, *Os direitos fundamentais atípicos*, Lisboa, 1995, pp. 437 e 438; JORGE MIRANDA, *Manual de Direito Constitucional*, II, 4.ª ed., Coimbra, 2000, pp. 245 e 250 e ss.

As normas auto-exequíveis são aplicáveis por si só, sem necessidade de lei que as complemente, gozando por isso de aplicabilidade directa. As normas hetero-exequíveis carecem de normas legislativas que as tornem plenamente aplicáveis às situações da vida, apenas dispondo, por isso, de uma aplicabilidade indirecta.

Trata-se de um modo de fiscalização concreta da constitucionalidade, isto é, de fiscalização de normas aplicáveis num caso concreto em julgamento, perante um qualquer dos tribunais previstos na LCA.

A questão que se coloca é saber se esta competência já pode ser transitoriamente exercida pelo Tribunal Supremo.

II. Sobre esta modalidade de fiscalização da constitucionalidade, resultam da LCA vários aspectos matriciais:

a) É uma fiscalização difusa, efectuada por todos os tribunais angolanos;

b) A questão da constitucionalidade das normas aplicáveis no caso tanto pode ser suscitada por um dos intervenientes no processo como pelo próprio juiz da causa, oficiosamente, uma vez que os tribunais têm o dever de garantir e assegurar a observância da Lei Constitucional e conhecem oficiosamente do Direito (*jura novit curia*);

c) Tem de haver um nexo incindível entre a questão da constitucionalidade e a questão principal em julgamento no processo;

d) A cada um dos tribunais compete decidir de imediato sobre a questão, não havendo lugar à suspensão da tramitação processual, por iniciativa do juiz da causa, até que o Tribunal Constitucional aprecie a questão da constitucionalidade (como sucede, em regra, em sistema de Tribunal Constitucional)[14];

e) O tribunal da causa limita-se a julgar a não aplicabilidade da norma por inconstitucionalidade, não lhe competindo declarar a inconstitucionalidade, na medida em que essa é uma incumbência que cabe exclusivamente ao Tribunal Constitucional;

f) O Tribunal Constitucional é chamado a pronunciar-se sobre a norma através de recurso, em princípio acessível apenas a quem tem intervenção processual no caso em julgamento;

g) Não estão previstas situações de recurso obrigatório da decisão do juiz da causa que se recuse a aplicar uma norma com fundamento em inconstitucionalidade (podendo, todavia, a lei ordinária, no futuro, tornar o recurso obrigatório para o Ministério Público);

---

[14] Esta solução, muito semelhante à adoptada em Portugal, é normalmente considerada uma solução original, distinta dos modelos "clássicos": v. GIOVANNI VAGLI, *L'Evoluzione del Sistema di Giustizia Costituzionale in Portogalo*, Pisa, 2001, p. 101.

248   *Estudos de Direito Público de Língua Portuguesa*

h) Não está prevista nenhuma forma de trânsito de um ou vários processos de fiscalização concreta para um processo de apreciação abstracta que conduza a uma decisão com força obrigatória geral, o que implica que uma norma possa permanecer em vigor mesmo que o Tribunal (Constitucional ou Supremo) e os tribunais ordinários a desapliquem por inconstitucionalidade em numerosas ocasiões.

III. Este é, porventura, o caso em que o Tribunal Supremo mais facilmente poderá desempenhar a tarefa, mesmo num panorama de ausência de legislação específica sobre o processo de apreciação concreta da constitucionalidade.

Neste domínio, há um mero recurso de uma decisão já tomada por outro tribunal. O Tribunal Supremo decide se a decisão anterior do tribunal recorrido sobre a questão da constitucionalidade deve subsistir ou não.

No plano da estrutura e do objecto do recurso, há algumas semelhanças com outros recursos sobre matéria de direito.

IV. Por outro lado, a sequência processual tribunal recorrido/Tribunal Supremo (como tribunal de recurso) é uma sequência natural e normal, porventura bastante mais "automática" do que aquela que virá a existir quando o Tribunal Constitucional for instituído e desempenhar as funções de tribunal de recurso no âmbito da fiscalização concreta.

Acresce que esta é a área onde o princípio da subsidiariedade do Direito Processual Civil, princípio geral de Direito Processual Constitucional[15], funciona com mais propriedade e maior imediatismo.

Este princípio permite, de modo geral, que as lacunas ou as insuficiências (voluntárias ou involuntárias) dos princípios e das regras específicas do Direito Processual Constitucional sejam supridas pelo recurso aos princípios e às regras de Direito Processual Civil[16], à semelhança, aliás, do que ocorre com outros ramos do Direito Processual.

---

[15] V. VITALINO CANAS, *Os processos de fiscalização da constitucionalidade e da legalidade pelo Tribunal Constitucional*, Coimbra, 1986, pp. 87 e ss.; JORGE MIRANDA, *Manual de Direito Constitucional,* VI, Coimbra, 2001, pp. 183 e 184.

[16] V., por exemplo, o que sucede no Direito Constitucional Português, nomeadamente o disposto no art. 69.º da Lei sobre Organização, Funcionamento e Processo do Tribunal Constitucional.

V. Nesta perspectiva, o Supremo Tribunal poderá proceder à adaptação destas regras e destes princípios.

Há zonas onde essa adaptação será fácil, como é o caso da definição da legitimidade processual. Dada a configuração deste tipo de processos, a legitimidade para recorrer não pode deixar de ser atribuída às pessoas que, de acordo com a lei reguladora do processo em que a decisão foi proferida, tenham legitimidade para interpor recurso. Isto traduzir-se-á, basicamente, em que só possa recorrer quem foi prejudicado pela decisão do tribunal recorrido na parte em que este declinou a aplicação de qualquer norma com fundamento em inconstitucionalidade.

Eventualmente, deve admitir-se, também, a legitimidade do Ministério Público, representante junto dos tribunais da Procuradoria-Geral da República, a quem cabe a defesa da legalidade democrática (arts. 136.º, n.os 1 e 2 da LCA). Pode até suceder que a lei ordinária torne o recurso obrigatório para este último, como defensor do *interesse objectivo* da constitucionalidade.

VI. Outra área de relativamente fácil adaptação é a da tramitação processual (por exemplo, onde e em que prazo é interposto o recurso, como é admitido, como circula no âmbito do Tribunal Supremo, como se promove o contraditório e se desenvolve o processo decisório, etc.).

E mesmo naquelas áreas em que poderá parecer à partida mais difícil, ou menos automática, essa adaptação, como sucede com a questão dos efeitos da decisão positiva (pela inconstitucionalidade), ou negativa (pela não inconstitucionalidade), não se vislumbra nenhuma dificuldade intransponível.

É certo que nesse aspecto a LCA não fornece nenhuma indicação. Mas é seguro que a LCA não consagrou um modelo semelhante ao que existe na Alemanha ou em Espanha, onde a fiscalização concreta pode ter como desenlace a declaração da inconstitucionalidade da norma com força obrigatória geral, uma vez que, se o legislador constitucional quisesse que fosse, assim teria de o dizer na própria LCA (é manifesto que isso não é matéria de lei ordinária).

Ora, a única hipótese alternativa viável é que qualquer decisão do Tribunal Supremo ou do futuro Tribunal Constitucional tenha efeitos restritos ao caso concreto, produzindo aí – e só aí – caso julgado.

VII. Note-se que nas áreas de maior indefinição, ou de maior dificuldade de adaptação dos princípios gerais e das regras de Direito Processual

250   *Estudos de Direito Público de Língua Portuguesa*

de outros ramos, nomeadamente civil, há ainda a possibilidade de o Tribunal Supremo desenvolver uma actividade de criação processual que alguns tribunais constitucionais têm reivindicado.

É desta forma que poderão ser resolvidos alguns problemas que inegavelmente ressaltam do laconismo (por vezes, oscilação) da LCA sobre aspectos cruciais.

Vejamos alguns exemplos.

VIII. Primeiro: a LCA não esclarece se a via de recurso para o Tribunal Constitucional (ou Supremo) só se abre quando se tiverem esgotado todas as vias de recurso ordinário.

Importa, por isso, optar entre:

(i) uma interpretação pretensamente *literal* da LCA, que levará a concluir que logo que um qualquer tribunal decida não aplicar uma norma com fundamento na sua inconstitucionalidade, cabe recurso directo para o Tribunal (Constitucional ou Supremo), mesmo que entre este e o tribunal de instância ainda houvesse outras hipóteses de tribunais de recurso; e

(ii) uma interpretação *racionalizadora* que leve a entender que só quando estiverem esgotados todos os recursos ordinários é que se pode suscitar a intervenção do Tribunal (Constitucional ou Supremo). Nos termos da primeira alternativa, só a lei ordinária, eventualmente, poderá vir a introduzir a regra do esgotamento dos recursos ordinários, como sucedeu, por exemplo, em Portugal, num contexto normativo muito semelhante ao do criado pela LCA. Mas se não o fizer, ou enquanto não o fizer, vale a disposição constitucional cuja interpretação mais literal, repete-se, parece ser no sentido de abrir imediatamente a via de recurso para o Tribunal Constitucional (ou Supremo).

Ora, talvez se justifique dar preferência à interpretação racionalizadora.

IX. Segundo: a LCA fornece indicações contraditórias sobre o objecto do juízo do Tribunal (Constitucional ou Supremo) em sede de recurso. Com efeito, o art. 134.º, alínea d), parece indicar que o objecto do recurso de constitucionalidade para o Tribunal Constitucional (ou Supremo) é a própria decisão do tribunal recorrido e não a norma que ele se recusou a aplicar.

Por outras palavras, na fiscalização concreta, o que o Tribunal Constitucional (ou Supremo) avaliaria seria a constitucionalidade da decisão e não a constitucionalidade da norma desaplicada.

Ora, se assim fosse, estaria a introduzir-se uma entorse à lógica do sistema de fiscalização da constitucionalidade criado pela LCA.

Pela análise de várias outras disposições constitucionais (artigos 134.º, alínea b), 153.º, 154.º, n.ºs 1 e 3, 155.º, 157.º), parece seguro concluir que o legislador constitucional pretendeu (e bem[17]) que a fiscalização da constitucionalidade incidisse sobretudo sobre normas.

Ou, mais rigorosamente: sobre normas, interpretações ou segmentos de normas e até, porventura, sobre preceitos com alcance individual e concreto inseridos em actos legislativos[18]. Excluídos ficaram os actos políticos e os actos não normativos, como os actos administrativos e, crê-se, *as decisões judiciais*[19].

Nessa óptica, talvez se deva interpretar correctivamente o art. 134.º, alínea d), também nesse sentido e não no sentido de considerar objecto da apreciação do juiz constitucional de recurso *a decisão recorrida*.

Assim, em fiscalização concreta, o juízo da última instância de julgamento da constitucionalidade também incide sobre a norma e não sobre a decisão do juiz recorrido.

X. Terceiro: pode suscitar-se a questão de saber se a norma do art. 157.º da LCA se aplica em sede de fiscalização concreta da constitucionalidade.

---

[17] Neste sentido, JORGE MIRANDA, *Manual*..., VI, p. 201; RUI MEDEIROS, *Decisão de Inconstitucionalidade*..., p. 97.

[18] Tem sido esta, por exemplo, a orientação do Tribunal Constitucional português. V. J. J. GOMES CANOTILHO, *Direito Constitucional*..., p. 865; FERNANDO ALVES CORREIA, *Direito Constitucional – A Justiça Constitucional*, Coimbra, 2001, pp. 68 e ss. Contra, JORGE MIRANDA, *Manual*..., VI, p. 156; dubitativamente, RUI MEDEIROS, *A Decisão de inconstitucionalidade*..., pp. 100 e ss.

[19] Resta, porém, aguardar pela sequência que o legislador ordinário dará à norma do art. 43.º da LCA, nos termos do qual "os cidadãos têm o direito de impugnar e de recorrer aos tribunais contra todos os actos que o violem os seus direitos estabelecidos na presente Lei Constitucional e demais legislação."

Este preceito, não exequível por si próprio, permite vários desenvolvimentos. Um deles é a criação pelo legislador de uma acção constitucional de defesa de direitos constitucionais, um recurso constitucional ou um recurso de amparo, por intermédio dos quais os cidadãos possam impugnar os actos (qualquer que seja a sua natureza, incluindo decisões judiciais) que afectem directamente os direitos fundamentais que lhe são conferidos pela Lei Constitucional.

252   *Estudos de Direito Público de Língua Portuguesa*

O preceito determina que "o Tribunal Constitucional deve pronunciar--se no prazo máximo de quarenta e cinco dias sobre a constitucionalidade das normas cuja apreciação lhe tenha sido requerida."

Ora, há um argumento poderoso que concorre contra a extensão desta norma aos processos de fiscalização concreta da constitucionalidade: a norma situa-se num capítulo que, embora tenha como epígrafe "da fiscalização da constitucionalidade", só se refere à fiscalização *abstracta* da constitucionalidade, nada especificando sobre a fiscalização *concreta,* que é apenas referenciada no já citado artigo 134.° da LCA.

Este argumento sobre a inserção sistemática é inegavelmente poderoso. Por conseguinte, não pode deixar de se concluir que o disposto no art. 157.° da LCA não se aplica *directamente* nos processos de fiscalização concreta. Mas a preocupação de celeridade na clarificação das dúvidas sobre a constitucionalidade de normas existentes no ordenamento jurídico que subjaz ao artigo 157.° tem razão de ser também nos processos de fiscalização concreta.

Em consequência, nada impede que, na ausência de norma especificamente criada para estes processos, o juiz constitucional a aplique por analogia.

XI. Estes e outros problemas terão de ser resolvidos pelo Tribunal Supremo. Mas afigura-se que constituem pequenos embaraços, insusceptíveis de pôr em causa a exequibilidade imediata da fiscalização concreta da constitucionalidade.

Em suma, parece poder considerar-se suficientemente exequível este segmento da norma do art. 6.° da Lei n.° 23/92, de 16 de Setembro, em conjugação com o art. 134.°, alínea d), da LCA.

XII. Idêntico desenvolvimento vale para a competência enunciada no art. 134.°, alínea e), da LCA: "apreciar, em recurso, a constitucionalidade de todas as decisões dos demais tribunais que apliquem norma cuja constitucionalidade haja sido suscitada durante o processo".

Por identidade de razões, também esta competência pode desde já ser exercida pelo Tribunal Supremo, valendo os comentários produzidos no número anterior[20].

---

[20] Quando for elaborada a lei prevista no art. 135.°, n.° 3, da LCA, sobre "as demais regras relativas às competências, organização e funcionamento do Tribunal Constitucional", irá porventura suscitar-se a questão de saber se aquela lei pode aditar novas compe-

Segredo de Estado e Lei Constitucional em Angola

6. A fiscalização abstracta da constitucionalidade

I. Na alínea b) do art. 134.° da LCA, atribui-se ao Tribunal Constitucional competência para "apreciar a inconstitucionalidade das leis, dos decretos-leis, dos tratados internacionais e de quaisquer normas, nos termos previstos no artigo 155.°"

Trata-se de uma possibilidade de fiscalização abstracta sucessiva da constitucionalidade incidente sobre normas jurídicas constantes de diplomas já promulgados e publicados, quaisquer que sejam.

II. Sobre esta modalidade, a LCA é bem menos lacónica do que com a fiscalização concreta.

Não obstante algumas oscilações, sabemos com segurança que:

a) se trata de fiscalização da constitucionalidade (e não também de qualquer forma de legalidade);

b) incide sobre normas e não sobre diplomas [não obstante, a referência indiferenciada aos conceitos de diplomas e de normas no art. 134.°, alínea, b), que não é retomada, e bem, no art. 155.°, n.° 1];

c) incide sobre quaisquer normas emitidas por órgãos do poder público[21] (e, como se disse *supra*, sobre interpretações e segmentos de normas, bem como sobre disposições individuais e concretas contidas em actos legislativos);

d) se refere a normas de diplomas já promulgados e publicados[22];

---

tências de fiscalização concreta, como, por exemplo, a possibilidade de decidir em recurso de decisões que apliquem norma anteriormente declarada inconstitucional por aquele Tribunal.

A mesma questão se suscitará, enquanto o Tribunal Constitucional não for instituído, se for emanada uma lei sobre competências, organização e funcionamento do Tribunal Supremo na sua qualidade de órgão de fiscalização concentrada da constitucionalidade.

Em nosso entender, estas competências novas não poderão ter base exclusivamente legal.

[21] Afasta-se, desta forma, a possibilidade de sindicar normas resultantes do exercício da autonomia privada. Sobre isto, v. as razões expostas por CARLOS BLANCO DE MORAIS, *Justiça Constitucional...*, pp. 435 e ss.; FERNANDO ALVES CORREIA, *Direito Constitucional...*, p. 80.

[22] Podendo tratar-se de normas que já não estejam em vigor. Na verdade, o art. 155.°, n.° 2, da LCA, quando faz recuar os efeitos da decisão de provimento da inconstitucionalidade ao momento da entrada em vigor da norma declarada inconstitucional, não pode

254   *Estudos de Direito Público de Língua Portuguesa*

e) o desencadear do processo depende de um pedido (iniciativa ou requerimento) exterior, não podendo o Tribunal (Constitucional ou Supremo) promover oficiosamente a fiscalização[23];
f) podem requerer a sua abertura o Presidente da República, um quinto dos Deputados da Assembleia Nacional em efectividade de funções, o Primeiro-Ministro e o Procurador-Geral da República;
g) o Tribunal (Constitucional ou Supremo) dispõe de um prazo máximo de quarenta e cinco dias para se pronunciar sobre a constitucionalidade das normas cuja apreciação lhe tenha sido requerida;
h) embora não se diga expressamente, a declaração de inconstitucionalidade tem efeitos gerais e abstractos – ou força obrigatória geral –, determinando a cessação da vigência da norma declarada inconstitucional[24], isso decorrendo implicitamente dos efeitos referidos nas próximas alíneas;

---

ser interpretado como exigindo que um dos pressupostos da fiscalização sucessiva seja que a norma esteja em vigor.

Pode haver casos em que há interesse em fiscalizar normas já revogadas ou caducas. Acompanha-se, neste aspecto, JORGE MIRANDA, *Manual...*, VI, p. 172; CARLOS BLANCO DE MORAIS, *Justiça Constitucional...*, pp. 185 e ss.

E poderá haver fiscalização sucessiva quando a norma ainda não está em vigor, por exemplo, após o momento em que o acto normativo que inclui a norma fiscalizada atinge a existência jurídica (promulgação do Presidente da República, no caso das leis e dos decretos-leis, assinatura no caso dos decretos do Governo: art. 71.º da LCA)?

Se não houver aí um problema de publicidade, ou seja, se o diploma já for susceptível de ser conhecido na sua forma final antes de ser publicado, nada obsta a que possa ser de imediato submetido a fiscalização abstracta sucessiva (mas não concreta).

[23] O princípio do pedido ou da iniciativa exterior é um subprincípio do princípio do dispositivo (*nemo judex sine actore; ne judex procedat ex-officio*). A razão de ser da sua consagração reside na necessidade de impedir que a jurisdição constitucional obtenha um ascendente asfixiante sobre os demais órgãos constitucionais.

Sobre este aspecto, v. VITALINO CANAS, *Os processos...*, p. 105; J. J. GOMES CANOTILHO, *Direito Constitucional...*, p. 909; JORGE MIRANDA, *Manual...*, VI, p. 221; MIGUEL LOBO ANTUNES, *Fiscalização abstracta da constitucionalidade*, in AAVV, *Estudos sobre a Jurisprudência do Tribunal Constitucional*, Lisboa, 1993, pp. 406 e ss.; GIOVANNI VAGLI, *L'Evoluzione del Sistema...*, p. 137.

[24] Sobre os efeitos das decisões positivas ou de provimento da inconstitucionalidade, cfr., por todos, VITALINO CANAS, *Introdução às decisões de provimento do Tribunal Constitucional*, 2.ª ed., Lisboa, 1994; RUI MEDEIROS, *A decisão de inconstitucionalidade...*, pp. 533 e ss.; PAULO OTERO, *Ensaio sobre o Caso Julgado Inconstitucional*, Lisboa, 1993; CARLOS BLANCO DE MORAIS, *Justiça Constitucional...*, *passim*; GIOVANNI VAGLI, *L'Evoluzione del Sistema...*, pp. 161 e ss.

Segredo de Estado e Lei Constitucional em Angola 255

i) a declaração de inconstitucionalidade produz efeitos desde a entrada em vigor da norma declarada inconstitucional, isto é, tem efeitos retroactivos (*ex tunc*), salvo no caso de inconstitucionalidade superveniente;

j) a declaração de inconstitucionalidade tem efeitos repristinatórios das normas eventualmente revogadas pelas normas inconstitucionais[25];

k) por uma questão de segurança e certeza jurídicas, a declaração de inconstitucionalidade não atinge os casos julgados[26], salvo decisão do Tribunal (Constitucional ou Supremo) em certas situações tipificadas no art. 155.°, n.° 4, da LCA, esta parecendo ser, sublinhe--se, a única área em que o Tribunal (Constitucional ou Supremo) pode decidir sobre os efeitos e alcance das suas decisões de provimento.

III. Este conjunto de balizas define os termos essenciais deste tipo de processos: objecto, iniciativa, prazo de decisão, efeitos das decisões de provimento da inconstitucionalidade. De importante por definir ficam apenas a tramitação processual e a questão da existência de um prazo para a iniciativa de fiscalização.

Mas, quanto à tramitação, aplica-se o que ficou exposto sobre a fiscalização concreta: o Tribunal (Supremo ou Constitucional) deverá recorrer com abundância aos princípios gerais e às regras de Direito Processual Civil.

Esta aplicação subsidiária do processo civil, no contexto do Direito Processual Constitucional, deriva de uma regra geral que tem aplicação também no âmbito da fiscalização abstracta[27]. Um bom exemplo de aplicação de princípios gerais estruturantes do processo civil é a aplicação do princípio do contraditório.

---

[25] Haverá, todavia, casos em que esses efeitos não poderão produzir-se. V., por todos, JORGE MIRANDA, *Manual...*, VI, p. 256.

[26] Embora a LCA não o esclareça, por analogia, também não devem ser atingidas as chamadas situações jurídicas consolidadas. V. VITALINO CANAS, *Introdução...*, p. 151; RUI MEDEIROS, *A Decisão de Inconstitucionalidade...*, pp. 620 e ss.; JORGE MIRANDA, *Manual...*, VI, p. 260.

[27] Embora se deva ter permanentemente em conta a prevenção de J. J. GOMES CANOTILHO (*Direito Constitucional...*, p. 908) sobre a necessidade de "grandes cautelas" na transferência dos princípios de outros ramos do Direito Processual para o Direito Processual Constitucional.

Quanto a um eventual prazo para a iniciativa do processo (que tem sempre de ser exterior ao Tribunal, uma vez que este não tem a possibilidade de, oficiosamente, dar início a um processo de fiscalização), também não se crê que chegue a surgir um verdadeiro problema.

Na verdade, qualquer das entidades enumeradas no art. 155.°, n.° 1, da LCA deve poder, sem qualquer dúvida, recorrer ao juiz constitucional em qualquer momento da vigência da norma. Seria contrário ao próprio princípio da constitucionalidade e da primazia da Constituição admitir-se que uma certa norma se pudesse consolidar na ordem jurídica e tornar-se imune a um juízo de constitucionalidade se, transcorrido um certo período de tempo, ninguém tivesse solicitado a avaliação da sua conformidade com a Constituição.

Por isso, quaisquer normas vigentes (e até, em certa medida, normas já não vigentes, como se viu...) podem e devem estar sujeitas a ser fiscalizadas e erradicadas do ordenamento jurídico em qualquer momento se se revelarem contrárias à Lei Fundamental. Isso impõe que o poder de iniciativa concedido pelo art. 155.° n.° 1 da LCA não esteja sujeito a nenhum prazo, podendo exercer-se a todo o tempo.

Consequentemente, afigura-se que esta é mais uma zona de exequibilidade imediata do respectivo segmento da norma do artigo 6.° da Lei n.° 23/92, de 16 de Setembro.

7. A fiscalização da inconstitucionalidade por omissão

I. Na alínea c) do art. 134.°, o Tribunal Constitucional recebe competência para "verificar e apreciar o não cumprimento da Lei Constitucional por omissão das medidas necessárias para tornar exequíveis as normas constitucionais;".

Desta forma, a LCA torna-se um dos raros textos constitucionais onde se prevê a fiscalização da inconstitucionalidade por omissão (existe igualmente em Portugal, no Brasil e na Hungria[28]).

Sobre este tipo de processos, a LCA fornece também indicações precisas, embora algumas carecendo de dilucidação.

---

[28] Mas, como nota JORGE MIRANDA (*Manual...*, VI, p. 276), há situações em que, não estando a fiscalização da inconstitucionalidade por omissão expressamente prevista no texto constitucional, os tribunais constitucionais criaram, pela sua actividade própria, fórmulas que se reconduzem, *mutatis mutandis*, ao mesmo. É o que sucede na Alemanha, na Áustria, na Itália, na Espanha e até nos Estados Unidos da América.

Segredo de Estado e Lei Constitucional em Angola 257

II. São precisas as indicações de que:

a) Se trata de um processo que visa dar exequibilidade a concretas normas constitucionais (e só normas constitucionais) não exequíveis por si mesmas (preceptivas ou programáticas);
b) Podem tomar a iniciativa do processo o Presidente da República, um quinto dos Deputados (da Assembleia Nacional, subentende-se) em efectividade de funções e o Procurador-Geral da República;
c) O Primeiro-Ministro não tem poder de iniciativa, ao invés do que sucede na fiscalização abstracta sucessiva por acção;
d) O Tribunal (Constitucional ou Supremo) tem o poder de verificar a omissão;
e) Verificada a omissão, o Tribunal (Constitucional ou Supremo) dá conhecimento desse facto ao órgão legislativo competente para a supressão da omissão legislativa, não lhe cabendo substituir-se a este órgão nem dar-lhe qualquer recomendação.

Carecem de dilucidação dois aspectos.

III. Em primeiro lugar, qual o tipo de *medidas* cuja omissão o Tribunal pode verificar? O art. 134.º, alínea c), da LCA alude a "medidas necessárias para tornar exequíveis as normas constitucionais".

Na sua máxima extensão, esta expressão abrange, obviamente, mais do que medidas de natureza legislativa, uma vez que pode suceder que certas normas constitucionais só se tornem exequíveis mediante a produção, por exemplo, de medidas políticas ou administrativas.

No entanto, o art. 156.º, n.º 2, da LCA, ao especificar que o Tribunal Constitucional dará conhecimento da omissão ao órgão legislativo, introduz uma importante limitação à previsão do artigo 134.º, alínea c).

Com efeito, aquele preceito indica com toda a clareza que as *únicas* omissões que o Tribunal (Constitucional ou Supremo) pode verificar são as omissões de natureza legislativa, dado que o único destinatário a quem devem ser comunicadas as suas decisões são os órgãos legislativos competentes para a supressão da lacuna.

IV. Também carece de esclarecimento saber se o art. 157.º da LCA é aplicável nos processos de fiscalização da inconstitucionalidade por omissão.

E aqui, agora *apesar da inserção sistemática*, entende-se que o prazo de 45 dias definido naquele preceito não deve valer nos processos de inconstitucionalidade por omissão.

Desde logo, a letra do preceito assim o induz: alude-se à obrigação de o Tribunal se pronunciar no prazo máximo de quarenta e cinco dias sobre a constitucionalidade *das normas* cuja apreciação tenha sido requerida. Ora, na fiscalização da inconstitucionalidade por omissão, não se aprecia normas, mas sim a sua ausência.

Por outro lado, e atendendo à *ratio* ou teleologia da disposição, afigura-se líquido que esta não se adapta com facilidade à fiscalização da inconstitucionalidade por omissão. O art. 157.º visa minorar os efeitos de insegurança que a pendência de um processo de fiscalização abstracta sucessiva por acção sempre produz sobre a vigência de uma norma.

Essa preocupação não tem o mesmo impacto na inconstitucionalidade por omissão, onde, por vezes, até interessará que passe algum tempo para dar ao legislador, alertado (ou "espicaçado"...) pela existência do processo de verificação da omissão, uma possibilidade de emitir a legislação necessária.

Nesses termos, julga-se de afastar a aplicação do art. 157.º na fiscalização da inconstitucionalidade por omissão.

Em qualquer caso, parece que as indicações dadas pela própria LCA sobre este tipo de processos seriam já suficientes para reconhecer, também nesta parte, exequibilidade imediata às normas que criam tais processos, independentemente da criação do Tribunal Constitucional e da regulamentação complementar.

V. Há aqui apenas uma dúvida que deve ser exposta: a fiscalização das omissões inconstitucionais é a *mais política* de todas as fórmulas de fiscalização. Nela, o juiz constitucional é obrigado, praticamente, a colocar-se na pele do legislador e a formular um juízo, que tem muito de político, sobre a oportunidade da emissão de um instrumento legislativo e o respectivo conteúdo.

Nessa medida, se é possível antever um Tribunal Constitucional, com a sua composição, forma de designação dos seus membros e natureza, situado entre o jurisdicional, o político e o legislativo[29], a realizar este tipo

---

[29] Saliente-se que o próprio legislador constitucional dá sinais de que, apesar de considerar o Tribunal Constitucional um órgão de natureza judicial, ele tem um cunho político que os outros tribunais, nomeadamente o Tribunal Supremo, não têm.

Essa diferenciação tem clara expressão em alguns aspectos. Por exemplo, o Presidente

Segredo de Estado e Lei Constitucional em Angola 259

de fiscalização, já se antolha difícil admitir que um tribunal que é o vértice do sistema judicial e deve ser o símbolo da neutralidade política desse sistema, como é o Tribunal Supremo, possa cumprir a mesma tarefa com igual propriedade.

Por isso, mesmo admitindo a exequibilidade imediata da fiscalização das omissões inconstitucionais de legislação, não surpreenderá que o Tribunal Supremo, se chamado a decidir casos deste tipo, se venha a resguardar, agindo com máxima auto-contenção[30].

8. A fiscalização preventiva da constitucionalidade

I. Ao Tribunal Constitucional compete, finalmente, "apreciar preventivamente a inconstitucionalidade nos termos previstos no artigo 154.°'" Angola coloca-se, desde modo, no grupo de Estados onde é possível a fiscalização preventiva: designadamente, Portugal, Alemanha, Áustria, Estónia, Hungria, Finlândia, Irlanda, Costa-Rica, Índia, França, Chipre, Espanha, Roménia, Polónia.

Do art. 154.° da LCA, retira-se a ilação de que o momento próprio para realizar a fiscalização preventiva da constitucionalidade é depois de o diploma cujas normas suscitam dúvidas ter sido aprovado ou concluído pelo órgão competente, mas antes de esse diploma ser promulgado, assinado ou ratificado pelo Presidente da República (momento a partir do qual adquire existência jurídica: art. 71.° da LCA)[31].

Isto é: depois da promulgação, da assinatura ou da ratificação fica precludida a possibilidade de se promover a fiscalização abstracta preventiva, passando a ser admitida apenas a fiscalização sucessiva.

---

do Tribunal Constitucional tem assento no Conselho da República [art. 76.°, alínea c), da LCA], órgão político de consulta do Presidente da República (art. 75.° da LCA), enquanto o Presidente do Tribunal Supremo não tem.

[30] Auto-contenção que, de todo o modo, também se verifica quando a competência é exercida por um Tribunal Constitucional. O exemplo português é elucidativo: é bem significativa a circunstância de, em quase 20 anos de funcionamento, o Tribunal Constitucional português só por duas vezes, uma em 1989 e outra muito recentemente, em 2002, ter encontrado inconstitucionalidades por omissão.

V. sobre esta matéria GIOVANNI VAGLI, *L'Evoluzione del Sistema...*, pp. 178 e ss.

[31] Em regra, é isto que se passa também nos outros Estados. Há, porém, a excepção da Hungria, onde a fiscalização preventiva se estende também a projectos e propostas de lei ainda não aprovadas: v. JOSÉ JÚLIO FERNÁNDEZ RODRÍGUEZ, *La Justicia Constitucional Europea ante el Siglo XXI*, Madrid, 2000, p. 70.

II. Este tipo de fiscalização não goza da mesma popularidade e da mesma difusão que a fiscalização sucessiva. Na maior parte dos casos, a fiscalização preventiva coexiste com a sucessiva.

O cariz minoritário da sua consagração deve-se porventura à característica que lhe é mais imputada pela doutrina: a natureza marcadamente política[32], resultante do facto de inevitavelmente ser contaminada pelo processo político de aprovação do diploma[33].

Alega-se que quando o juiz constitucional é chamado a pronunciar--se, aquele processo político ainda está demasiado vivo, não permitindo pleno distanciamento por parte do órgão de fiscalização da constitucionalidade.

Em contraponto, responde-se que, mesmo assim, a fiscalização preventiva cumpre a função valiosa de impedir que normas grosseiramente inconstitucionais possam vigorar e produzir efeitos enquanto esperam que o juiz constitucional as elimine do ordenamento jurídico[34].

III. Em Portugal, este é um debate que permanece desde 1976, estando quer as forças político-partidárias, quer a doutrina dividida sobre a utilidade e a aceitabilidade do instituto da fiscalização preventiva da constitucionalidade[35].

Há algo, porém, que pode admitir-se e merecerá um consenso razoável: ainda que útil em certas circunstâncias, a fiscalização preventiva não é seguramente o instrumento principal, nem, tão-pouco, o mais eficaz ou o mais manejável de garantia da constitucionalidade.

---

[32] Por exemplo, J. J. Gomes Canotilho (*Direito Constitucional...*, p. 960) nota que "a fiscalização preventiva é mais marcadamente política do que a fiscalização sucessiva".

[33] V. uma crítica radical em Carlos Blanco de Morais, *Direito Constitucional II...*, p. 148: a fiscalização preventiva seria "um instituto *galicista* de indesejável convocação política", caracterizado pela "excessiva taxa de politização ideológica e partidária que comporta".

[34] Há quem aponte também que a fiscalização preventiva é a mais adequada forma de fiscalização da constitucionalidade dos tratados internacionais, já que a fiscalização sucessiva destes instrumentos, se conduzir à declaração de inconstitucionalidade, poderá levar à quebra de compromissos já assumidos pelo Estado a partir do momento da ratificação ou assinatura, lesando assim o princípio da boa fé nas relações internacionais. V. Jorge Miranda, *Manual...*, VI, pp. 167 e 168.

[35] Numa perspectiva de crítica à fiscalização preventiva, Carlos Blanco de Morais (*Direito Constitucional II...*, p. 148) considera que só há razão para a subsistência deste tipo de fiscalização no domínio dos tratados internacionais e dos referendos.

Há numerosos Estados que vivem bem sem fiscalização preventiva, embora aqueles que a adoptaram possam dizer que estão melhor apetrechados para enfrentar normas flagrantemente inconstitucionais.

IV. Em Angola, a LCA consagra-a e assim define os seus traços essenciais:

a) Incide sobre normas constantes de diploma sujeito a promulgação, assinatura ou ratificação do Presidente da República[36], nomeadamente lei, decreto-lei, decreto ou tratado internacional[37], sendo que a expressão *nomeadamente* indicia que a enumeração não é taxativa [devendo incluir-se, por exemplo, todos os tratados referidos na alínea x) do art. 66.°, o que abrange quer os aprovados pelo Governo quer os aprovados pela Assembleia Nacional][38], sendo assim o objecto da apreciação ligeiramente mais restrito do que o da fiscalização abstracta sucessiva;

---

[36] Pode discutir-se, como em Portugal, se podem ser sujeitos a fiscalização preventiva actos a que faltem alguns ou todos os requisitos de qualificação: por exemplo, pode o Presidente da República submeter à apreciação da jurisdição constitucional um acto que lhe tenha sido enviado para promulgar como lei, mas que não foi aprovado pela maioria necessária da Assembleia Nacional?

Parece que aí o procedimento correcto será, pura e simplesmente, recusar a promulgação, devolvendo o diploma ao seu autor. Cfr., por último, GIOVANNI VAGLI, *L'Evoluzione del Sistema...*, p. 145.

[37] Sobre as categorias dos actos legislativos na LCA, v., por todos, CARLOS FEIJÓ, *Problemas actuais...*, pp. 27 e ss.

[38] *De jure condendo*, deveriam ser susceptíveis de fiscalização preventiva as resoluções da Assembleia Nacional que contenham autorizações legislativas ao Governo [art. 92.°, n.° 6, em conjugação com o art. 88.°, alínea c), da LCA].

Como nota CARLOS FEIJÓ (*Problemas actuais...*, pp. 26 e 27), a forma de resolução não se afigura adequada, uma vez que através da autorização legislativa a Assembleia exerce de facto uma verdadeira função legislativa. A autorização legislativa deveria assumir a forma de lei e deveria ser sujeita a promulgação do Presidente da República. Não estando, não cabe na previsão do artigo 154.°, n.° 1, que delimita o objecto da fiscalização preventiva.

Mais duvidosa é a questão de saber se estas resoluções podem ser objecto de fiscalização abstracta sucessiva. Sabendo-se que a LCA exige que respeitem certos parâmetros e que tenham um certo conteúdo (devem definir o âmbito, o sentido, a extensão e a duração da autorização legislativa, conforme se dispõe no art. 91.°, n.° 1, da LCA), afigura-se que preenchem os requisitos mínimos para se enquadrarem no conceito de normas do art. 155.°, n.° 1, da LCA.

262   *Estudos de Direito Público de Língua Portuguesa*

b) Processa-se imediatamente antes da promulgação, assinatura ou ratificação pelo Presidente da República;

c) Está sujeita ao princípio do pedido ou da iniciativa exterior, não podendo a instância de fiscalização (Tribunal Constitucional ou Supremo) tomar ela própria a iniciativa[39];

d) Têm o poder de iniciativa o Presidente da República e um quinto dos Deputados da Assembleia Nacional;

e) Requerida a fiscalização preventiva, os diplomas que contêm as normas objecto de apreciação não podem ser promulgados, assinados ou ratificados sem que o Tribunal Constitucional se pronuncie;

f) Em caso de pronúncia pela inconstitucionalidade de alguma norma, o diploma é obrigatoriamente vetado pelo Presidente da República e devolvido ao órgão que o tiver aprovado[40];

g) A única hipótese que se coloca a este órgão é expurgar a norma julgada inconstitucional (ou, parece, substituí-la por uma que não seja inconstitucional, ou ainda, pura e simplesmente, reformular o diploma), não sendo lícito ao seu autor confirmar o diploma enquanto ele contiver a norma julgada inconstitucional.

A LCA fornece, como se vê, numerosas indicações sobre os contornos deste tipo de processos. Algumas delas, porém, poderão suscitar algumas dúvidas.

V. Designadamente, suscita alguma reflexão o facto de que no art. 154.º, n.º 1, a LCA atribui o poder de iniciativa a um quinto dos Deputados da Assembleia Nacional, enquanto que no art. 155.º, n.º 1, sobre fiscalização abstracta sucessiva, atribui esse mesmo poder a um quinto dos Deputados da Assembleia Nacional *em efectividade de funções*. Terá o legislador constitucional pretendido realmente distinguir entre os dois tipos

---

[39] V. *supra* sobre o princípio do pedido ou da iniciativa exterior.

[40] Não se autoriza, nomeadamente, que o Tribunal Constitucional ou o próprio Presidente definam se o diploma pode ou não ser promulgado sem a norma julgada inconstitucional. Essa decisão cabe em exclusivo ao autor do diploma.

A solução francesa é diversa, uma vez que o Conselho Constitucional pode determinar, por si, se a norma julgada inconstitucional é ou não separável do resto do diploma. Se entender que é, o Presidente da República pode promulgar. Cfr. RUI MEDEIROS, *A Decisão de Inconstitucionalidade...*, p. 428.

de fiscalização, sendo mais exigente na fiscalização abstracta sucessiva do que na preventiva?

Não se vislumbra razão para esse *distinguo*. Aliás, se *distinguo* houvesse, deveria ser no sentido de se introduzir maior exigência na fiscalização preventiva. Por isso, é razoável interpretar-se o art. 154.º, n.º 1, da LCA no sentido de também aí descortinar a exigência de que os Deputados que requeiram a fiscalização abstracta preventiva estejam no pleno exercício das suas funções, não podendo, por exemplo, ter o mandato suspenso por terem sido temporariamente substituídos ao abrigo do art. 87.º da LCA.

VI. Feita esta precisão, serão as indicações da LCA suficientes para o Tribunal Supremo exercer de imediato a competência da fiscalização abstracta preventiva, mesmo sem regulamentação complementar? Poderá entender-se que também neste segmento a norma do art. 6.º da Lei n.º 23/92, de 16 de Setembro, é exequível por si mesmo?

A primeira objecção que se vislumbra é simétrica ao que se disse anteriormente sobre o exercício da competência de fiscalização das inconstitucionalidades por omissão. Tal como ali, a fiscalização preventiva está demasiado "colada" ao processo de decisão político-legislativa.

Também a fiscalização preventiva é inevitavelmente contaminada pela conflitualidade própria do procedimento legislativo, o qual ainda está em curso quando ela se processa. Impressiona a circunstância de a fiscalização preventiva incidir normalmente sobre legislação altamente controversa no plano do combate político-partidário e de o juiz constitucional surgir boa parte das vezes como um árbitro de disputas políticas num momento em que estas se encontram no grau de máxima intensidade.

Nos sistemas onde há fiscalização preventiva, o juiz constitucional vê-se inexoravelmente envolvido no debate político e frequentes vezes é "chamuscado" pela suspeita de envolvimento com uma ou outra das posições conflituantes[41]. Esse panorama leva, aliás, a que o órgão de fiscalização da constitucionalidade deva estar preparado para, a par de um impecável juízo de constitucionalidade, formular um prudente – e discreto – juízo de equilíbrio político.

---

[41] Referindo-se ao caso português, CARLOS BLANCO DE MORAIS (*Direito Constitucional II*..., p. 148) acusa estes processos de fiscalização preventiva de provocarem a divisão do Plenário do Tribunal Constitucional ao meio, não na base de critérios de legitimidade, mas sim de mérito.

264   *Estudos de Direito Público de Língua Portuguesa*

Neste contexto, pode perguntar-se se é lícito pedir a um Tribunal com a natureza do Tribunal Supremo que aceite envolver-se numa querela que, qualquer que seja a sua atitude, terá sempre uma forte conotação e um forte impacto políticos.

Mesmo numa perspectiva de "custos e benefícios jurídico-constitucionais", deve perguntar-se se os custos ao nível da confiança na neutralidade política do Tribunal Supremo não serão mais vultuosos que os benefícios ao nível da defesa da Constituição, sendo certo que mesmo que a norma em causa não seja objecto de fiscalização preventiva o poderá ser sempre, já hoje, como se assinalou, objecto de fiscalização sucessiva, a ser concluída num prazo (curto!) de quarenta e cinco dias.

VII. Mas se é verdade que este é um argumento puramente teorético, que não poderia ser considerado decisivo, há um outro argumento, de natureza prática, mais ponderoso. Tem ele que ver com a questão dos prazos para a realização dos vários actos processuais: desde logo, a iniciativa de pedir a fiscalização preventiva.

Com efeito, a LCA ou a lei têm de definir um prazo dentro do qual possa ser feito o pedido de fiscalização. Um prazo dentro do qual o Presidente da República e os Deputados possam decidir se pedem ou não a fiscalização. Um prazo dentro do qual o Presidente da República não deva promulgar, assinar ou ratificar o diploma.

O que se passa é que a LCA determina que o Presidente da República deve promulgar as leis nos trinta dias posteriores à recepção das mesmas (art. 69.º, n.º 1), a não ser que peça a sua reapreciação ou de normas delas constantes, ou que resultem de projectos de lei submetidos a referendo, os quais devem ser promulgados no prazo de quinze dias (art. 73.º, n.º 3).

Por seu turno, os decretos-leis devem ser assinados nos trinta dias posteriores à sua recepção (artigo 70.º), podendo, contudo, o Presidente recusar a sua assinatura.

Quanto aos tratados internacionais (e aos demais tratados em forma simplificada, sujeitos a simples assinatura dos instrumentos de aprovação), não se prevê nenhum prazo geral, o que se quadra bem com a natureza livre do acto de ratificação de tratados internacionais[42]. Há apenas uma excepção: sempre que a ratificação incida sobre tratados internacionais referendados nos termos do art. 73.º, n.º 1, da LCA, o Presidente dispõe de um prazo de quinze dias para a respectiva ratificação (art. 73.º, n.º 3).

---

[42] Neste sentido, JORGE MIRANDA, *Manual...*, VI, p. 235.

Em nenhum trecho da LCA se define um prazo inicial, após a conclusão do diploma, em que o Presidente *está impedido de promulgar, assinar ou ratificar*, de modo a possibilitar uma iniciativa de fiscalização preventiva *antes* da ocorrência de qualquer desses actos.

É fácil concluir que, embora essa lacuna não impeça o Presidente de recorrer à iniciativa de fiscalização, uma vez que é a ele que cabe decidir se promulga, assina ou ratifica, já poderá inviabilizar a iniciativa dos Deputados, que ficarão sempre dependentes de o Presidente não ter sido lesto a promulgar, assinar ou ratificar.

E mesmo que os Deputados formulem o pedido no primeiro dia possível, sempre correrão o risco de não irem a tempo e de entrarem até em conflito com o próprio Presidente, factor que deve ser evitado.

VIII. Aliás, há que tratar, também, de definir *quando é o primeiro dia possível*. É o dia da data da aprovação do diploma pelo seu autor? É o dia em que o Presidente da Assembleia Nacional ou o Primeiro-Ministro assinam o diploma? É o dia em que este é remetido ao Presidente da República? É o dia em que o Presidente da República recebe o diploma? É o dia em que todos os que podem requerer a fiscalização preventiva tomam conhecimento de que o diploma foi recebido pelo Presidente da República?

Parece que a opção mais harmónica com o espírito da LCA é a de considerar que qualquer prazo que venha a fixar-se se conte do *momento em que todos os que podem requerer a fiscalização preventiva tomem conhecimento* de que o diploma foi recebido pelo Presidente da República[43].

Esta (ou qualquer outra...) solução pressupõe, naturalmente, que se defina um mecanismo adequado a facultar esse conhecimento e a presumi-lo a partir de certo momento, sendo que a inexistência desse mecanismo afecta seriamente a própria possibilidade da fiscalização preventiva (v. *infra*).

IX. Para além da ausência de um prazo a benefício dos Deputados, poderia também colocar-se a dúvida de qual é o prazo de que dispõe o Tribunal para decidir.

---

[43] Sobre o modo como o Tribunal Constitucional Português resolveu algumas dúvidas a propósito de questão similar, v. MIGUEL LOBO ANTUNES, *Fiscalização abstracta...*, p. 403.

No entanto, é medianamente líquido que se aplica o prazo fixado pelo art. 157.º da LCA (embora não se preveja nenhuma sanção ou forma de resolver o impasse se o Tribunal não se conseguir pronunciar até ao termo desse prazo[44]). Prazo esse que, à semelhança do que sucede com a generalidade dos prazos previstos no texto constitucional, é contínuo (não se interrompe aos sábados, domingos, feriados e nas férias[45]).

Em todo o caso, a fixação deste prazo global não resolve todos os problemas de prazos que se colocarão *depois* de iniciado o processo.

X. O Tribunal Supremo teria de realizar uma tarefa de distribuição daqueles quarenta e cinco dias pelos vários trâmites processuais, necessários ou eventuais, alguns dos quais envolvendo outros órgãos: quantos dias para suprir eventuais deficiências do pedido, quantos dias para o autor da norma se pronunciar, quantos dias para o relator elaborar o projecto de relatório (ou um primeiro memorando), o prazo para o primeiro debate preliminar, etc.

Mas sempre se colocaria um problema de método: definição caso a caso, ou definição geral e abstracta, através de normas processuais emitidas pelo próprio Tribunal?

É bom de ver que qualquer das suas soluções apresenta inconvenientes: a primeira porque introduz uma casuística que provoca insegurança; a segunda porque se quadra mal com a natureza jurisdicional do Tribunal.

XI. Por outro lado, se for verificada uma inconstitucionalidade, a LCA é omissa quanto ao prazo de que o Presidente dispõe para vetar o diploma que inclui a norma inconstitucional, em cumprimento do art. 154.º, n.º 3[46].

Poderia, porventura, recorrer-se ao prazo de 30 dias de que normalmente dispõe para promulgar ou assinar. Mas a situação é notoriamente diversa, uma vez que no caso do veto por inconstitucionalidade há um poder-dever *vinculado* de vetar, enquanto que nos casos de promulgação ou assinatura há um poder politicamente discricionário do Presidente da República de promulgar e de assinar ou não.

Por esse motivo, devia antes entender-se que o veto por inconstitucionalidade seria *imediato*, de modo a não prolongar excessivamente o

---

[44] Sobre este complexo problema, v. GIOVANNI VAGLI, *L'Evoluzione del Sistema...*, pp. 147 e ss.

[45] Cfr. MIGUEL LOBO ANTUNES, *Fiscalização...*, pp. 403 e 404.

[46] Em Portugal, coloca-se, aliás, problema semelhante: sobre isso, v. JORGE MIRANDA, *Manual...*, VI, p. 236, o qual sugere que seja em *prazo razoável*.

Segredo de Estado e Lei Constitucional em Angola 267

procedimento legislativo. Mas essa injunção de veto *imediato* não pode deixar de constar da Constituição ou da lei.

XII. Acresce que há pelo menos mais dois aspectos em relação aos quais a ausência de regulamentação afecta drasticamente a exequibilidade da fiscalização preventiva a pedido de um quinto dos Deputados da Assembleia Nacional:

(i) o facto de não se prever nenhum mecanismo que leve ao seu conhecimento alguns dos diplomas sobre os quais poderia incidir a sua iniciativa, como é o caso dos decretos-leis e dos decretos;

(ii) a circunstância de não se prever nenhum mecanismo para que o Presidente tome conhecimento de que um certo diploma foi objecto de um pedido de fiscalização preventiva por um grupo de Deputados, uma vez que o pedido poderá ser directamente endereçado ao Tribunal (a LCA não esclarece se é assim...), sem que o Presidente tome conhecimento, isto podendo dar azo, inclusive, a que o Presidente promulgue já depois de o pedido ter entrado, o que configura uma violação da Constituição que nem por ser involuntária é menos indesejável, particularmente por ser cometida por um dos principais garantes da Constituição, simultaneamente a mais alta figura do Estado.

Poderiam enunciar-se outras lacunas[47]. Algumas serão, porventura, colmatáveis através do recurso aos princípios gerais do Direito Processual e em particular do Direito Processual Civil, bem como às suas regras, que já advogámos serem aplicáveis também aos processos de fiscalização abstracta. Outras ficariam por suprir.

---

[47] Como, por exemplo, a referente à problemática da fiscalização preventiva de leis e tratados internacionais adoptados por referendo, nos termos do art. 73.º

Trata-se de situação mais excepcional, que não merece desenvolvimento na economia do presente parecer, mas que requererá regulamentação complexa: a atinente ao destino de normas inconstitucionais constantes de tratado internacional, o qual não pode, obviamente, ser o mesmo que o das normas constantes de decreto-lei ou lei, apesar de a LCA não distinguir essas diferentes situações no art. 154.º, n.º 3. V. VITALINO CANAS, *Introdução às decisões de provimento do Tribunal Constitucional*, p. 43.

Neste caso, como escreve JORGE MIRANDA (*Manual...*, VI, p. 238), só resta à Assembleia Nacional ou ao Governo formular reservas ao tratado internacional (ou renegociá-lo, acrescente-se, mesmo que seja uma hipótese remota, como sucederá se for um tratado multilateral).

§ 2.° A inadmissibilidade da fiscalização preventiva da constituciona-lidade da Lei do Segredo de Estado requerida por um quinto dos Deputados à Assembleia Nacional

9. A ausência de lei processual reguladora do processo de fiscalização preventiva da constitucionalidade

I. O que importa sublinhar é que todos os aspectos lacunares referen-ciados tornam a exequibilidade do segmento da norma que atribui com-petência ao Tribunal Supremo para realizar a fiscalização preventiva da constitucionalidade muito problemática, parecendo evidente que este é um caso em que é vital a prévia emissão de legislação complementar.

No máximo, poderia admitir-se que a ausência dessa legislação não inviabiliza o poder de iniciativa do Presidente da República, embora, mesmo aí, nos deparemos com sérias dificuldades, como se viu.

Já quanto ao poder de iniciativa dos Deputados da Assembleia Nacio-nal, a admissão da imediata exequibilidade das normas que lhes atribuem a faculdade de requerer ao Tribunal Supremo a fiscalização preventiva de normas prestar-se-ia a indesejáveis impasses e até conflitos institucionais com o próprio Presidente da República, para já não falar de problemas de operacionalidade que não se vislumbra como poderiam ser superados no quadro constitucional e legal vigente.

Em suma: conclui-se pela impossibilidade de os Deputados requere-rem, no quadro actual, a fiscalização preventiva da constitucionalidade de normas, restando-lhes a faculdade de darem início a um processo de fis-calização abstracta sucessiva.

II. Como acima se assinalou, não se afigura que esta circunstância seja gravemente lesiva da lógica do sistema de protecção da Constituição e de garantia da constitucionalidade.

Aliás, vem ao caso referir que, em Portugal, os Deputados à Assem-bleia da República não têm, regra geral, o poder de iniciativa da fiscalização preventiva, só lhes tendo sido conferida essa faculdade a propósito das leis orgânicas, as quais são uma parcela ínfima dos diplomas normativos (contando-se em poucas unidades as que foram até aqui produzidas).

À partida, a LCA foi bem mais generosa. A situação de inexequibilidade da norma do art. 154.°, n.° 1, em conjugação com o art. 6.° da Lei n.° 23/92, no segmento que atribui aos Deputados da Assembleia Nacional o poder de iniciativa, apenas coloca os Deputados angolanos numa posição praticamente semelhante aos seus congéneres portugueses sem que, em Portugal, alguém sustente que o reduzido poder de iniciativa dos Deputados em sede de fiscalização preventiva lese o Estado de Direito ou a garantia da Constituição. Na realidade, verdadeiramente importante e decisiva é a fiscalização sucessiva[48].

III. Pelo exposto, já se poderá antecipar que temos de concluir pela inviabilidade da pretensão de Deputados da Assembleia Nacional de requerer a apreciação preventiva de normas da Lei n.° 10/02, de 16 de Agosto.

Essa é uma via que ainda não se encontra aberta por falta de exequibilidade da norma do art. 6.° da Lei n.° 23/92, de 16 de Setembro, na sua articulação com o artigo 154.°, n.° 1 da LCA.

10. A preterição de regras elementares de Direito Constitucional Processual

I. Deixando de lado esta questão essencial da inexequibilidade do mecanismo de fiscalização preventiva da constitucionalidade por ausência de lei processual que proceda à respectiva regulação, há ainda objecções específicas que se prendem com regras atinentes aos processos judiciais constitucionais, como aliás sucede com qualquer processo judicial.

---

[48] Só muito excepcionalmente a fiscalização preventiva é a única ou a mais importante forma de fiscalização da constitucionalidade, como sucede em França.

Sobre o sistema francês, v. HENRY ROUSSILON, *Le Conseil constitutionnel*, Paris, 1994; AVRIL/GICQUEL, *Le Conseil Constitutionnel*, Paris, 1995; FAVOREAU/PHILIP, *Le Conseil Constitutionnel*, Paris, 1995; DOMINIQUE ROUSSEAU, *Droit du Contentieux Constitutionnel*, Paris, 1995; VALÉRIE GOESEL-LE BIHAN, *Le contrôle exercé par le Conseil Constitutionnel: défense et ilustration d'une théorie générale*, in *Révue Française de Droit Constitutionnel*, tomo 45, 2001, pp. 67 e ss.; PASCAL JAN, *Le Conseil Constitutionnel*, Pouvoirs, tomo 99, 2001; número temático da *Revue du Droit Public et de la Science Politique en France et à l'Étranger*, Six constitutionnalistes répondant à six questions concernant le Conseil constitutionnel, ano 2002.

270   *Estudos de Direito Público de Língua Portuguesa*

Se observarmos o modo como foi concretamente produzido o pedido de fiscalização preventiva, igualmente verificamos anomalias que põem em crise a respectiva viabilidade, regras que implicitamente podemos assacar ao próprio texto constitucional, as quais inerem ao conceito de inconstitucionalidade.

II. Uma delas diz respeito à necessidade de o pedido de fiscalização especificar as regras que são supostamente violadoras do texto constitucional, isso mesmo dando consistência a este pedido de intervenção judicial.

Se atentarmos nos termos da formulação do pedido de fiscalização preventiva, verificamos que apenas se pede a fiscalização da constitucionalidade do diploma, omitindo os requerentes a indicação de quaisquer normas que, concretamente, possam questionar a compatibilidade constitucional desse diploma.

Não basta, mesmo nos casos de inconstitucionalidade total, pedir a fiscalização da constitucionalidade de um diploma – é necessário apontar específicas normas que sejam consideradas inconstitucionais.

São normas que se afiguram essenciais na definição do objecto do processo de fiscalização, bem como na tramitação do mesmo, não podendo o Tribunal (Constitucional ou Supremo) apreciar normas diferentes das que foram objecto do pedido do requerente (a não ser que haja outras normas que se tornem também inconstitucionais por efeito da pronúncia pela inconstitucionalidade das que foram objecto do pedido[49]), embora possa cotejá-las com normas constitucionais diversas das que foram invocadas pelo requerente (*jura novit curia*)[50].

III. Outra regra, algo simétrica desta, é a definição das normas e dos princípios do texto constitucional relativamente aos quais se apresenta a dúvida da existência de normas legais inconstitucionais.

Os Deputados não estão sujeitos ao ónus de provar uma convicção profunda ou firme sobre a inconstitucionalidade das normas cuja apreciação requerem. É suficiente a invocação de dúvidas, nem sequer sendo forçoso que peçam a *declaração* de inconstitucionalidade, bastando que

---

[49] Mais controversa é a (distinta) questão de saber o que se passará em relação às normas que *perdem utilidade ou sentido* com a inconstitucionalidade de outras. Sobre este ponto, v. RUI MEDEIROS, *A Decisão de Inconstitucionalidade...*, pp. 430 e ss.

[50] Sobre tudo isto, v. JORGE MIRANDA, *Manual...*, VI, p. 222; VITALINO CANAS, *Os processos...*, pp. 107 e ss.

Segredo de Estado e Lei Constitucional em Angola

requeiram a *apreciação* da constitucionalidade. Mas têm de demonstrar um mínimo de viabilidade na questão que colocam.

Por isso, estão sujeitos ao ónus de especificar as normas do diploma que reputam de inconstitucionais, bem como ao ónus de indicar quais as disposições constitucionais violadas[51], apresentando, ainda que muito sumariamente (uma vez que não se exige aos Deputados um domínio perfeito da técnica de argumentação constitucional), os motivos por que advogam que as primeiras contrariam as segundas.

O Tribunal (Constitucional ou Supremo) deverá rejeitar liminarmente o requerimento se verificar ser patente que nenhuma relação existe entre a norma constitucional pretensamente violada e a norma infra-constitucional pretensamente violadora[52].

IV. Regra igualmente essencial é de natureza temporal e situa com clareza a intervenção do órgão judicial, pois que a colocação constitucional da fiscalização preventiva apenas torna essa intervenção possível num pequeno lapso tramitacional, regra que não foi respeitada.

O requerimento é datado de 16 de Agosto de 2002, foi recebido pelo Tribunal Supremo a 19 de Agosto de 2002 e foi despachado para distribuição a 23 de Agosto de 2002.

Mesmo que estivesse já constitucional e legalmente aberta a via da fiscalização preventiva, o requerimento de iniciativa seria claramente *extemporâneo*, uma vez que a lei em causa foi aprovada pela Assembleia Nacional a 18 de Julho de 2002, promulgada a 29 de Julho e publicada a 16 de Agosto. Sempre em momento em que ocorrera a preclusão do poder de requerer a fiscalização preventiva da constitucionalidade.

V. Tudo isto significa que o requerimento enferma de graves deficiências (que, note-se, também se registariam se o pedido fosse de fiscalização abstracta sucessiva), que em resumo são as seguintes:

– não identifica as normas reputadas inconstitucionais pelos requerentes;

---

[51] Que alguns consideram a causa de pedir, o que se afigura forçado, uma vez que não parece poder transpor-se acriticamente esse conceito do processo civil para o processo constitucional, particularmente para a fiscalização abstracta preventiva ou sucessiva da constitucionalidade. Neste sentido, MIGUEL LOBO ANTUNES, *Fiscalização abstracta...*, p. 407.

[52] VITALINO CANAS, *Os processos...*, p. 109.

– não identifica as normas da LCA eventualmente violadas;
– é apresentado num momento em que a lei já foi promulgada.

Por todas estas razões, o requerimento está ferido de *ineptidão* e deveria ser liminarmente rejeitado.

III – ASPECTOS SUBSTANTIVOS

11. A nova Lei do Segredo de Estado (Lei n.º 10/02)

I. Olhando agora aos aspectos substantivos que se mostram pertinentes no pedido de fiscalização preventiva da constitucionalidade que foi formulado, deve dizer-se, a título preliminar, que estamos em face de uma tarefa ciclópica, por não haver a indicação das normas que se entende serem inconstitucionais, por alusão a outras tantas normas constitucionais que se mostrariam violadas.

Não obstante essa dificuldade de monta, à semelhança do que fizemos relativamente aos aspectos processuais do pedido de fiscalização preventiva que estamos analisando, vamos fazer um exercício, com o seu conatural sentido hipotético, a respeito dos aspectos mais nevrálgicos, de acordo com um olhar aguçado de fiscalização da constitucionalidade da Lei do Segredo de Estado.

Isto quer dizer que nos vamos ocupar, sucessivamente, dos seguintes pontos:

– a constitucionalidade orgânica do diploma;
– a constitucionalidade procedimental do diploma;
– a constitucionalidade material do diploma nalguns dos seus preceitos hipoteticamente mais sensíveis para um juízo de constitucionalidade, para além da questão geral da restrição a certos direitos fundamentais.

II. Mas primeiro importa conhecê-lo, sendo certo que a actual lei do Segredo de Estado[53], tal como se diz no respectivo preâmbulo, pretende apresentar-se num novo contexto jurídico-político.

---

[53] Doutrinariamente, sobre o segredo de Estado em geral, v. ENRIQUE GOMÉZ REINO, *El principio de publicidad de la acción del Estado y la técnica de los secretos oficiales*, in *Revista Española de Derecho Administrativo*, n.º 8, 1976, pp. 115 e ss.; SILVANO LABRIOLA,

274   *Estudos de Direito Público de Língua Portuguesa*

É que a sua entrada em vigor determinou a revogação da Lei do Segredo Estatal – a Lei n.º 1/83, de 23 de Fevereiro – "por não se conformar com o actual quadro jurídico-constitucional"[54].

A Lei do Segredo de Estado, com 41 artigos, apresenta oito capítulos, assim tematicamente distribuídos:

- Capítulo I – *Disposições gerais*
- Capítulo II – *Classificação de segurança e marcas*
- Capítulo III – *Competência para atribuir a classificação de segurança nacional*
- Capítulo IV – *Acto de classificação*
- Capítulo V – *Protecção das matérias classificadas*
- Capítulo VI – *Credenciação*
- Capítulo VII – *Fiscalização política do segredo de Estado*
- Capítulo VIII – *Disposições finais e transitórias*

III. A motivação subjacente à elaboração desta nova Lei do Segredo de Estado em Angola surge na sequência da aprovação da Lei Constitucional, em 1992.

Na verdade, esse texto constitucional, marcando a viragem para a II República Angolana, determinou a implantação de um novo sistema político, social e económico[55]:

- *Um novo sistema político*: esteado na separação de poderes, bem como no reconhecimento da democracia pluralista;
- *Um novo sistema social*: assente no reconhecimento de amplos direitos fundamentais, de raiz económica e social, mas igualmente de natureza civil e política;

Le informazioni per la sicurezza dello Stato, Milano, 1978, e *Segreto di Stato*, in *Enciclopedia del Diritto*, XLI, 1989, pp. 1028 e ss.; ADRIANO MOREIRA, *Notas sobre o segredo de Estado*, in *Revista de Ciência Política*, n.º 5, 1.º semestre de 1987, pp. 31 e ss.; GÉRMAN GOMEZ ORFANEL, *Secreto de Estado y Publicidad en España*, in *Estado e Direito*, n.º 1, 1987-1988, pp. 25 e ss.; J. J. GOMES CANOTILHO e VITAL MOREIRA, *Constituição da República Portuguesa anotada*, 3ª ed., Coimbra, 1993, pp. 217, 636 e 676; MARIA EDUARDA GONÇALVES, *Direito da informação*, Coimbra, 1994, pp. 76 e ss.; FERNANDO CONDESSO, *Direito à informação administrativa*, Lisboa, 1995, pp. 375 e ss.; JORGE BACELAR GOUVEIA, *Estudos de Direito Público*, I, Lisboa, 2000, pp. 102 e ss.

[54] Cfr. o 4.º parágrafo do preâmbulo da Lei n.º 10/02, bem como o art. 38.º

[55] Para uma caracterização da II República Angolana, v., por todos, JORGE BACELAR GOUVEIA, *Introdução...*, pp. 49 e ss.

– *Um novo sistema económico*: apelando-se aos critérios da economia de mercado, sem a respectiva planificação imperativa, com a simultânea abertura ao exterior.

Ora, a nova Lei do Segredo de Estado vem a estabelecer um novo equilíbrio na relação do Estado com os cidadãos, na sequência do reconhecimento de mais amplos direitos fundamentais.

A consagração da Lei do Segredo de Estado visou implantar, com um alcance menos restritivo do que a sua predecessora, os mecanismos apropriados para a defesa dos altos valores do segredo de Estado, que são também essenciais em democracia.

Como tivemos ocasião de afirmar noutro lugar, "...a existência de um regime jurídico sobre o segredo de Estado é claramente admissível e corresponde mesmo, na fase de Estado Social e Democrático que vivemos, a uma necessidade mais premente do que no tempo dos Estados com regimes de ditadura, em que o segredo de Estado era apenas uma peça numa decoração bem mais recheada com outros processos de repressão das liberdades básicas"[56].

---

[56] JORGE BACELAR GOUVEIA, *Estudos de Direito Público*, I, Lisboa, 2000, p. 105.

§ 3.º A análise da constitucionalidade organizatória

12. A constitucionalidade orgânica da Lei do Segredo de Estado

I. Uma primeira perspectiva que devemos seguir na apreciação da constitucionalidade da nova Lei do Segredo de Estado respeita às regras constitucionais que se lhe aplicam de acordo com as exigências formais e procedimentais que a Lei Constitucional de Angola leva a cabo no estabelecimento do regime do segredo de Estado.

Importa diferenciar os aspectos estritamente orgânicos dos aspectos de natureza procedimental, sendo aqueles atinentes à competência para produzir o acto, e estando estes relacionados com a tramitação que foi seguida na respectiva promanação.

II. No que toca aos aspectos orgânicos, a produção de actos legislativos, nos termos constitucionais aplicáveis, encontra-se repartida entre a Assembleia Nacional e o Governo, ambos dispondo de poder legislativo.

A distribuição da competência legislativa, porém, não acontece de um modo arbitrário, mas, ao invés, este é um dos temas em que o texto constitucional de Angola se apresenta específico nessa repartição.

A maior fatia cabe à Assembleia Nacional, na medida em que lhe estão atribuídas funções legislativas a título duplo[57]:

- reserva absoluta de competência legislativa, só cabendo à Assembleia Nacional legislar; e
- reserva relativa de competência legislativa, em que é possível a autorização legislativa ao Governo.

Ao Governo igualmente se comete poder legislativo, em duas específicas circunstâncias[58]:

---

[57] Cfr., respectivamente, os arts. 89.º e 90.º da Lei Constitucional.
[58] Cfr. o art. 111.º da Lei Constitucional.

Segredo de Estado e Lei Constitucional em Angola 277

– competência legislativa exclusiva no tocante à sua organização e ao seu funcionamento;
– competência legislativa delegada, no caso de ser munido de uma autorização legislativa no âmbito da reserva relativa parlamentar.

Mais duvidoso é o facto de se aceitar a existência de uma competência legislativa concorrencial, em que sejam simultaneamente competentes a Assembleia Nacional e o Governo[59].

III. No caso da Lei do Segredo de Estado, verifica-se que este diploma legislativo é da autoria da Assembleia Nacional, aprovado que foi ao abrigo da alínea b) do art. 89.º da Lei Constitucional[60].

Põe-se a seguinte questão: tem a Assembleia Nacional competência para aprovar este diploma legislativo?

A resposta é claramente positiva. Olhando para o texto constitucional, verifica-se que se trata de matéria que é – e a vários títulos – pertença da esfera de actividade legislativa da Assembleia Nacional:

– em primeiro lugar, sendo o mais notório de todos esses títulos, trata-se de área atinente aos "direitos, liberdades e garantias fundamentais dos cidadãos"[61];
– mas não são de desconsiderar ainda matérias como a "organização geral da administração pública" e o "Estatuto dos funcionários"[62].

Quer isto dizer que, sendo o diploma uma lei da Assembleia Nacional, foi aprovado pelo órgão constitucionalmente competente para o efeito.

---

[59] Desenvolve bem a questão Carlos Feijó (*Problemas actuais...*, p. 24), acabando por opinar no sentido da sua admissibilidade: "A consagração de uma reserva de competência absoluta e relativa da Assembleia Nacional só faz sentido se com isso se pretender estabelecer um regime excepcional. Ora, se determinadas matérias estão sujeitas a reserva da Assembleia Nacional, é porque as restantes não estão. Se o legislador constitucional tivesse pretendido adoptar o sistema que o art. 111.º parece sugerir, teria simplesmente disposto que todas as matérias não previstas no art. 89.º deveriam ser objecto de autorização legislativa para que o Governo sobre elas pudesse legislar".

[60] Cfr. a parte final do preâmbulo da Lei n.º 10/02.

[61] Cfr. a alínea b) do art. 89.º da lei Constitucional.

[62] Cfr., respectivamente, als. b) e c) do art. 90.º da Lei Constitucional.

13. A constitucionalidade procedimental da Lei do Segredo de Estado

I. Do ponto de vista procedimental, sem ser necessário entrar em muitos pormenores, importa observar qual foi o percurso que o diploma legislativo tomou até se tornar um acto legislativo perfeito.

Cumpre agora observar o procedimento legislativo com base nos diversos momentos que constroem a sua produção, esquecendo por agora, especificamente, a questão da competência, já analisada na perspectiva da constitucionalidade orgânica.

II. A Lei Constitucional Angolana – como, aliás, muitos outros textos constitucionais – diferencia várias fases do procedimento legislativo, a ser trilhado por um diploma que pretenda ser um acto legislativo[63]:

- a iniciativa;
- a instrução;
- a deliberação;
- a eficácia.

A iniciativa diz respeito às entidades que podem dar o pontapé de saída para o começo do procedimento legislativo, sendo no caso angolano os Deputados, os grupos parlamentares e o Governo[64].

A instrução respeita à informação que é necessário recolher no âmbito do estudo da decisão legislativa a tomar no futuro, num momento que se situa entre a iniciativa e a deliberação.

A deliberação compreende a intervenção de duas entidades distintas, primeiro da própria Assembleia Nacional, pelas diversas votações, e depois do Presidente da República, quando é chamado a intervir promulgando o diploma.

A eficácia é conferida pela entrada em vigor do diploma, sendo prévio requisito dessa vigência a publicação no jornal oficial, no caso o *Diário da República*.

III. A observação da Lei do Segredo de Estado permite observar que foram respeitadas as diversas formalidades constitucionalmente exigidas

---

[63] Sobre o procedimento legislativo parlamentar em Angola, v. CARLOS FEIJÓ, *Problemas actuais...*, pp. 37 e ss., e JORGE BACELAR GOUVEIA, *Introdução...*, pp. 95 e ss.

[64] Cfr. o art. 93.º, n.º 1, da Lei Constitucional.

para a feitura deste acto legislativo, não se suscitando, por isso, qualquer problema de inconstitucionalidade procedimental.

Quanto à iniciativa, ela foi da autoria do Governo, o que é constitucionalmente admissível, de um modo expresso, como acontece, de resto, na esmagadora maioria dos casos.

Relativamente à instrução, não contamos com elementos específicos a analisar, mas trata-se de matéria do foro interno parlamentar, sendo a questão resolvida no âmbito da apreciação das comissões parlamentares específicas.

Da óptica da deliberação, não se regista, também, nenhuma anomalia, quer na maioria que aprovou o diploma – uma maioria absoluta – quer na intervenção do Chefe de Estado – que promulgou o diploma.

Sob a óptica da eficácia, assinala-se ainda que a produção de efeitos fica sempre diferida para momento posterior ao da publicação, como se esclarece no art. 41.º, no qual se afirma que "A presente lei entra em vigor 60 dias a contar da data da sua publicação".

§ 4.º A análise da constitucionalidade material

14. A constitucionalidade material da admissibilidade legal do segredo de Estado em Angola

I. Antes propriamente de observarmos, em termos concretos, o modo como o legislador parlamentar angolano estabeleceu o novo regime do segredo de Estado, interessa discretear um pouco acerca da admissibilidade geral da introdução de um esquema de segredo de Estado em Estado de Direito.

Até certo ponto, esta discussão é ociosa se desprendida da modelação concreta que, a respeito do mesmo, se efectivou na Lei do Segredo de Estado. Mas também não deixa de ser evidente que se antolha possível fazer considerações de natureza geral, que aliás vão servir de pórtico de entrada às considerações que se seguem relativamente às específicas opções daquele legislador.

II. Qualquer texto constitucional, através do instituto das restrições aos direitos fundamentais, não pode deixar de levar em consideração a necessidade de permitir a adopção de mecanismos que possibilitem comprimir a efectividade de certos direitos, assim os harmonizando em relação a outros valores que contra eles se levantem.

Daí que seja frequente – tendo nisso sido bem precursora a Lei Constitucional Alemã – que os textos constitucionais admitam a hipótese de restrições aos direitos fundamentais. Mas o aspecto primordial é sempre aferir em nome de que valores vêm a ser essas restrições admissíveis.

Uma análise comparada permite vislumbrar algumas dessas razões[65]:

– a segurança do Estado e a segurança pública;
– a protecção do ambiente e do ordenamento do território;

---

[65] Cfr. JORGE BACELAR GOUVEIA, *Novos Estudos de Direito Público*, II, Lisboa, 2002, p. 106.

Segredo de Estado e Lei Constitucional em Angola 281

– bens colectivos relativos ao consumo, à saúde e à propriedade privada;
– a dignidade da pessoa humana.

III. Ora, se analisarmos peculiarmente o texto constitucional angolano, também verificaremos a irrupção destas preocupações gerais, que podem estar subjacentes à limitação de direitos fundamentais, figura jurídica, de resto, inteiramente aceite por esse texto constitucional.

O segredo de Estado, neste contexto, vem a fazer sentido como uma restrição "...do direito de acesso à informação administrativa – com o mecanismo do segredo de Estado, pelo qual se impede o conhecimento generalizado da comunidade relativamente a determinadas informações públicas constantes de arquivos e registos administrativos, vê-se a restrição do direito fundamental, enunciado em termos gerais, ao *open file* na Administração Pública, precisamente porque em determinadas casos se afigura prevalente a necessidade de resguardar certas informações em nome da segurança, interna e externa, do Estado"[66].

15. A constitucionalidade material do âmbito específico do segredo de Estado

I. Observando a Lei do Segredo de Estado sob uma perspectiva de constitucionalidade material, um problema mais específico que se suscita é o dos valores em nome dos quais se permite a atribuição do segredo de Estado, bem como das pessoas que ficam abrangidas por esse regime particularmente severo.

A lógica que anima a regulação desta matéria, tal como se depreende do art. 2.º, assenta numa cláusula geral, que lida com a colocação em risco ou mesmo a provocação de danos à independência nacional, à unidade e à integridade do Estado e à sua segurança interna e externa.

No n.º 3 desse mesmo preceito, avança-se com uma tipologia exemplificativa, apresentando-se um conjunto de casos em que se conjectura possível a atribuição dessa classificação.

Por outra parte, no plano subjectivo, o segredo de Estado diz respeito a todas as pessoas que, dentro ou fora do território nacional, se mostrem em contacto com as matérias por aquele abrangidas.

---

[66] JORGE BACELAR GOUVEIA, *Novos Estudos...*, II, p. 107.

282 *Estudos de Direito Público de Língua Portuguesa*

É assim legítimo perguntar: são constitucionalmente admissíveis estas regras? A nossa resposta é afirmativa, mesmo que a Lei Constitucional Angolana se não lhe refira directamente.

II. No tocante ao âmbito objectivo, é de assinalar que a atribuição da qualidade de informação sujeita ao segredo de Estado não é feita em nome de razões arbitrárias, mas em nome de razões constitucionalmente relevantes do ponto de vista do Estado Angolano.

E que assim é comprova-o até o facto de alguns deles serem limites materiais de revisão constitucionais, assim incorporando o núcleo da Constituição (*Verfassungskern*).

Poder-se-ia aqui aventar a hipótese de ser necessário um maior grau de determinação nestes conceitos, à semelhança do que se passou em Portugal, com idêntica questão que foi suscitada junto do Tribunal Constitucional Português[67].

Porém, não parece que isso possa ser motivo para alarme do ponto de vista do respeito pela lei Constitucional Angolana. Como tivemos ocasião de escrever, "A pretensão do Presidente da República, bem como a de alguns partidos da Oposição, defendendo a inconstitucionalidade do sistema adoptado do segredo de Estado, não poderia, em todo o caso, proceder, pois do ponto de vista prático, sob pena da total ineficiência do sistema, seria impossível tipificar, na íntegra, os documentos ou informações susceptíveis de segredo do Estado, dadas a sua variedade e a constante mutação dos condicionalismos da política interna e de defesa"[68].

III. Relativamente ao âmbito subjectivo, não se pode estranhar a largueza com que o mesmo é conformado, pois, a não ser assim, o segredo de Estado de pouco serviria.

Claro que este regime, sendo imperativo, é aplicável a qualquer pessoa, independentemente da sua posição funcional. O que está em causa não é um dever funcional, mas a obtenção de uma informação classificada, mesmo que isso tenha sido fruto de uma inadvertência ou até mesmo de um acaso.

---

[67] Sobre os contornos dessa questão, v. JORGE BACELAR GOUVEIA, *Estudos...*, I, pp. 114 e 115.

[68] JORGE BACELAR GOUVEIA, *Estudos...*, I, p. 115.

16. A constitucionalidade material do procedimento de classificação

I. Outra questão que também pode levantar dúvidas, numa análise mais específica, prende-se com o procedimento administrativo a adoptar na atribuição da classificação de segredo de Estado.

A escolha das entidades que dispõem desse poder é certeiramente dirigida para aquelas que podem desenvolver essa actividade e que estão nessas condições, dentro de uma gama vasta de entidades civis e militares, e de entidades nacionais e regionais.

Por outra parte, regista-se ainda que a classificação assenta num genérico dever de fundamentação, tanto mais intenso quanto maior for o grau de secretismo a atribuir à informação abrangida.

II. De acordo com um olhar constitucional, o procedimento de classificação igualmente não nos suscita nenhuma apreensão quanto ao seu ajustamento à Lei Constitucional Angolana.

Naturalmente que nunca poderá deixar de ser um procedimento administrativo, que conta com pessoas determinadas e que se mostra pertinente para informações e para documentos concretos.

Mas, mesmo assim sendo, nunca se põe em causa o mínimo de reserva de lei que deve comandar os destinos da atribuição de informação classificada.

Isso é visível, primeiro, no tocante à duração da classificação: pode ir até 25 anos, devendo ser a regra a da duração que for estritamente indispensável.

Isso é visível, depois, no tocante às entidades participantes: são entidades com máximas responsabilidades nos assuntos em causa, havendo por isso uma clara adequação funcional entre a sua definição constitucional e legal e a sua participação no procedimento de classificação.

Isso é visível, ainda, nos termos concretos em que se deve proceder à classificação: não apenas com base em critérios formais, mas essencialmente respeitando critérios de natureza substancial, que vedam classificações excessivas ou arbitrárias – os princípios da justiça, da imparcialidade, da fundamentação e da proporcionalidade têm aqui um papel primordial[69].

---

[69] Sobre este aspecto, comparativamente ao regime português, v. JORGE BACELAR GOUVEIA, *Estudos...*, I, pp. 118 e 119.

IV – CONCLUSÕES

17. Enunciado das conclusões

Do exposto, podemos sintetizar as seguintes conclusões:

I. Quanto à parte II:

a) Pode considerar-se suficientemente exequível o segmento da norma do art. 6.º da Lei n.º 23/92, de 16 de Setembro, em conjugação com o art. 134.º, alínea d), da LCA, respeitante à fiscalização concreta da constitucionalidade de normas pelos tribunais ordinários e pelo Tribunal Constitucional ou pelo Tribunal Supremo, estes últimos mediante recurso;

b) Idêntica conclusão vale para a competência enunciada no art. 134.º, alínea e), da LCA, por identidade de razões, também esta competência podendo desde já ser exercida pelo Tribunal Supremo;

c) Quanto à competência da alínea b) do art. 134.º da LCA, para "apreciar a inconstitucionalidade das leis, dos decretos-leis, dos tratados internacionais e de quaisquer normas, nos termos previstos no artigo 155.º", afigura-se que é mais uma zona de exequibilidade imediata do segmento da norma do art. 6.º da Lei n.º 23/92, de 16 de Setembro que a ela se refere, também aí podendo o Tribunal Supremo, sem mais, exercer tal competência;

d) Sobre a competência da alínea c) do art. 134.º, para "verificar e apreciar o não cumprimento da Lei Constitucional por omissão das medidas necessárias para tornar exequíveis as normas constitucionais", as indicações dadas pela LCA sobre este tipo de processos são suficientes para que o Tribunal Supremo as possa desempenhar imediatamente, o que, porém, se prevê inconveniente, dado o alto teor político deste tipo de processos, devendo assim a que o Tribunal Supremo tome uma prudente atitude de auto-contenção;

e) Diversamente, no que toca à competência da alínea a) do art. 134.º da LCA para "apreciar preventivamente a inconstitucionalidade nos termos previstos no artigo 154.º"", as indicações fornecidas pelo texto constitucional não são suficientemente precisas e completas para se admitir que o Tribunal Supremo possa exercer já a competência de fiscalização preventiva por iniciativa de Deputados;

f) E mesmo que se sustentasse que esta via de fiscalização preventiva da constitucionalidade já se encontra disponível e exequível, podendo ser utilizada por Deputados, o requerimento de iniciativa teria sido extemporâneo, uma vez que está datado de 16 de Agosto, data da publicação da Lei n.º 10/02, cuja fiscalização se pretenderia, só tendo dado entrada no Tribunal Supremo no dia 19 de Agosto;

g) Para além do mais, o requerimento padece de sérios vícios, uma vez que não identifica as normas cuja fiscalização de constitucionalidade se solicita, não identifica as normas constitucionais eventualmente violadas, nem tão pouco apresenta nenhuma argumentação que permita aferir minimamente da sua viabilidade.

II. Quanto à Parte III:

a) Num plano de análise directa da constitucionalidade da Lei do Segredo de Estado, interessa começar por referir que não oferece nenhum vício orgânico, na medida em que, tendo o diploma disso promanado pela Assembleia Nacional, foi integralmente respeitada a repartição de poder legislativo que a esse propósito a Lei Constitucional Angolana efectivou;

b) Ainda do ponto de vista da constitucionalidade organizatória, cumpre referir que também não se vislumbra nenhuma anomalia no plano procedimental, tendo sido cumpridas todas as fases previstas, *maxime* quanto à iniciativa e aos actos constitutivos da votação e da promulgação;

c) No tocante a aspectos de inconstitucionalidade material, de um modo geral devemos considerar admissível a Lei do Segredo de Estado enquanto diploma de restrição do direito fundamental de acesso à informação administrativa, havendo aqui finalidade de segurança e defesa do Estado, objectivos claramente elegíveis para a efectivação dessa limitação;

d) Mesmo olhando concretamente ao âmbito do segredo de Estado, se regista o respeito por uma indicação mais concreta desses fins, de acordo com uma tipificação das informações susceptíveis de classificação, aí se incluindo todos aqueles que possam ter acesso a tal informação;

e) O modo como a Lei do Segredo de Estado prevê a classificação de informações e documentos faz ainda supor que se respeitam várias orientações aplicáveis no mecanismo de restrição, como os princípios da fundamentação e da proporcionalidade.

Este é, salvo melhor opinião, o parecer de

Jorge Bacelar Gouveia
Professor da Faculdade de Direito da Universidade Nova de Lisboa
Doutor em Direito

Lisboa, 6 de Janeiro de 2003.

J) OS SISTEMAS POLÍTICO-CONSTITUCIONAIS DOS ESTADOS AFRICANOS DE LÍNGUA PORTUGUESA[1]

SUMÁRIO:

1. Introdução
2. Os Descobrimentos Portugueses e a Descolonização Africana
3. A 1ª fase: a I República Socialista (1975-1990)
4. A 2ª fase: a II República Democrática (1990-....)
5. A caracterização político-constitucional geral dos Estados Africanos de Língua Portuguesa
6. Uma breve descrição dos sistemas político-constitucionais dos Estados Africanos de Língua Portuguesa
7. O futuro jurídico-constitucional dos Estados Africanos de Língua Portuguesa

---

[1] Palestra proferida em Paris, em 20 de Novembro de 2003, a convite do Centro Cultural da Fundação Calouste Gulbenkian, no âmbito de um Colóquio subordinado ao tema geral "Décolonisation et societés post-coloniales: les problèmes de citoyenneté".

1. Introdução

I. As minhas primeiras palavras são de saudação a todos os presentes neste interessante colóquio, em boa hora promovido pelo Centro Cultural da Fundação Calouste Gulbenkian em Paris.

Decerto que é também justo felicitar os respectivos promotores pela sua realização e, em especial, o colega Francisco Bethencourt, que tão empenho pôs na respectiva consecução.

Gostaria ainda de cumprimentar os colegas conferencistas, deste e de outros painéis, transmitindo-lhes o prazer de com eles estar a partilhar este momento de reflexão e de cultura.

II. O tema que me foi atribuído cumpre o propósito de oferecer uma panorâmica, tão precisa e sintética quanto possível, a respeito do percurso político-constitucional dos Estados Africanos de Língua Portuguesa.

Assim, sucessivamente versarei seis tópicos fundamentais, com o objectivo de aprofundar o estudo desses sistemas político-constitucionais:

– a evolução colonial até à proclamação das independências;
– a primeira fase da evolução constitucional, de inspiração no modelo soviético;
– a segunda fase de evolução constitucional, sendo essa a actual, de inspiração nas democracias ocidentais;
– a caracterização geral dos diversos sistemas político-constitucionais, na tentativa de encontrar a sua matriz comum;
– a individualização de cada um dos Estados em causa, no seu percurso e nos seus traços específicos;
– a discussão de alguns problemas que se colocam ao futuro da evolução jurídico-constitucional destes Estados.

III. Não sou sociólogo, antropólogo ou sequer historiador, pelo que o meu contributo só pode situar-se na perspectiva jurídico-constitucional e politológica, sendo certo que os novos Estados de Língua Portuguesa, que foram influenciados por Portugal, também se exprimem através dessa dimensão político-institucional.

Daí que entenda dever privilegiar uma dimensão do conhecimento que posso dominar e que creio ser útil no contexto multidisciplinar deste colóquio, assim se podendo aumentar a sua riqueza intrínseca.

2. Os Descobrimentos Portugueses e a Descolonização Africana

I. Na História Europeia e na História Universal, Portugal tem o privilégio de ter iniciado um dos maiores movimentos de globalização: os Descobrimentos marítimos, para a África, para a Ásia e para a América.

De facto, coube a Portugal não apenas as primeiras explorações em território africano, americano e asiático, como também a ocasião de registar duas datas que, pelo seu simbolismo, não se pode esquecer:

- a descoberta do caminho marítimo para a Índia, em 1498, por Vasco da Gama;
- a descoberta do Brasil, em 1500, por Pedro Álvares Cabral.

Este foi, verdadeiramente, uma das grandes aventuras de globalização à escala planetária, pela intercomunicação de culturas, religiões e saberes que facultou, antecipando muito daquilo que hoje nos parece óbvio, que é a globalização moderna da sociedade da informação.

II. Mas a presença portuguesa em novos territórios e novas gentes depressa seria acompanhada por outras potências europeias, logo em simultâneo pela Espanha, e mais tarde pela Inglaterra, pela França e pelos Países Baixos.

Foi assim possível que a expansão feita a partir da Europa se pudesse mais rapidamente alargar e também atingindo, gradualmente, todos os mais recônditos lugares do Mundo.

Certamente que essa coexistência ultramarina trouxe conflitos e guerras, mas também propiciou colaborações pacíficas e, sobretudo, a localização dos Estados em novos territórios e gentes, sendo forçados a adaptarem as suas estruturas políticas a essa nova realidade.

Assim nasceram as colónias ultramarinas, mantidas durante séculos por alguns dos principais Estados Europeus e por Portugal, embora limitadas no século XX a algumas possessões em território africano.

290 *Estudos de Direito Público de Língua Portuguesa*

III. A subsistência dessas colónias – como se foi bem compreendendo – não poderia ser duradoura porque assentava num pressuposto errado: o de que seria legítimo aos Estados metropolitanos governar os destinos de comunidades e espaços culturalmente distintos, na maior parte dos casos executando políticas de subordinação dos respectivos habitantes e recursos.

Não se pode estranhar, deste modo, que praticamente desde sempre a presença dos Estados europeus nos territórios coloniais se tivesse experimentado numa relação ambivalente:

- boa, por um lado, porque portadora de modernização e de civilização;
- má, por outro lado, porque opressora e exploradora, económica e pessoalmente, das respectivas pessoas – a escravatura – e dos respectivos recursos.

Numa palavra: a questão da descolonização – a retirada das potências europeias dos territórios conquistados – sempre se colocou na ordem do dia, mais ou menos veladamente. Contudo, só com o fim da II Guerra Mundial, uma firme política descolonizadora seria assumida como uma das atribuições das Nações Unidas.

Foi a partir desse momento que o Reino Unido e França levaram a cabo processos de descolonização dos seus territórios conquistados um pouco por todo o mundo, aceitando a inevitabilidade e a justiça da História. No caso de Espanha, essa descolonização, por via da maior presença na América Latina, já tinha ocorrido no século XIX, quando os Estados americanos alcançaram a sua independência, o que também sucedeu com o Brasil, que até então pertenceu a Portugal.

IV. Simplesmente, e em grande medida por causa de um regime autoritário, nacionalista e imperialista, Portugal não se alinhou nessa senda descolonizadora e recusou a autodeterminação dos territórios e dos povos que ainda possuía no território africano: Angola, Cabo Verde, Guiné-Bissau, Moçambique e São Tomé e Príncipe.

Os tempos vividos até à década de setenta não foram fáceis, tendo o regime de então – de Oliveira Salazar, primeiro, e de Marcello Caetano, depois – sentido a necessidade de enfrentar a oposição crescente, internacional e interna:

- oposição internacional, tanto oriunda das sucessivas condenações

que foram aprovadas nas Nações Unidas como protagonizada por outros Estados que viam nessa condenação um meio de criticarem um regime autoritário, fora dos ventos democráticos que circulavam pela Europa ocidental;
– oposição interna, tanto de teor político, embora enfraquecida pelo regime repressão da polícia política de então, como de teor militar, uma vez que em três das colónias da altura – Angola, Guiné-Bissau e Moçambique – estalariam, no início dos anos sessenta, guerras civis de libertação nacional.

V. Verdadeiramente, a descolonização portuguesa, não obstante muitas das promessas que foram feitas, só pôde concretizar-se após a queda do regime autoritário do Estado Novo e o nascimento, no seu lugar, de uma nova República – a III República Democrática – e para cujo êxito o primeiro passo foi a Revolução dos Cravos, que ocorreu em 25 de Abril de 1974.

No contexto revolucionário nascente, muitas eram as prioridades do novo poder político, mas não deixa de ser impressionante a rapidez com que a questão da descolonização se colocaria, dentro da conhecida trilogia de prioridades do poder revolucionário emergente, todas simbolizadas por palavras começada por "d":

– descolonizar;
– democratizar; e
– desenvolver.

VI. Se a intenção de conceder a independência às diversas colónias não era polémica, o mesmo já não se poderia dizer a respeito do procedimento que se deveria adoptar acerca da transição do poder ainda exercido por Portugal, não só a utilização do referendo como a realização de eleições livres com vista à escolha dos novos titulares do poder nos Estados.

Por outro lado, não se podia ignorar que, em matéria de autodeterminação dos povos, já era abundante o Direito Internacional, expressamente consignando a necessidade da convocação de referendos internacionais, consultando os habitantes dos territórios acerca do seu desejo de futuro, que também poderia admitir a permanência nos Estados metropolitanos.

Ainda que isso chegasse a ser acordado, como sucedeu com Angola, a verdade é que a transição do poder de Portugal para os novos Estados se fez sem qualquer referendo e sem eleição dos novos titulares do poder: fez-se uma adjudicação directa, justificada pela devastação provocada

292   *Estudos de Direito Público de Língua Portuguesa*

pelas várias guerras de libertação nacional, aos movimentos de libertação nacional que representariam a maioria das populações envolvidas.

Alguns anos depois, muitos interrogam-se sobre o caminho escolhido no processo de descolonização e são múltiplas as interpretações que têm sido dadas, numa história que ainda está por contar, se vista de uma perspectiva estritamente científica.

Acima da divergência doutrinária, duas coisas parecem hoje certas e que todos os quadrantes têm vindo a admitir:

- a descolonização portuguesa em África fez-se depressa demais, não se escolhendo democraticamente os interlocutores dos novos poderes, através de eleições, nem sequer se preparando as estruturas dos novos Estados para uma transição estável;
- a descolonização portuguesa em África não acautelou devidamente os interesses dos portugueses que lá viviam e que aí não encontrariam lugar, dando origem a um movimento de retornados – mais de 10% da população de Portugal – que muito traumatizou os portugueses e que se revelaria injusto para alguns dos seus interesses.

3. A 1ª fase: a I República Socialista (1975-1990)

I. O contexto da descolonização portuguesa, no terreno da luta de libertação nacional e nos anos que se seguiram à Revolução de 25 de Abril de 1974, foi politicamente dominado pela emergência de formações partidárias e de ideologias marxistas, de inspiração soviética.

A esmagadora maioria dos movimentos de libertação nacional, que nas colónias combatiam as Forças Armadas Portuguesas que mantinham a custo o domínio português na vigência da ditadura do Estado Novo, foi doutrinalmente influenciada pelos ideais comunistas, tal como eles foram desenvolvidos na União Soviética. Para além de tudo o que essa motivação decerto representava de fé numa nova organização política e social, era verdade que, por detrás desses apoios, se assinalava um escondido desejo de a União Soviética se expandir para os territórios que, em breve, deixariam de pertencer a Portugal.

No fervor dos acontecimentos revolucionários, em que dominava o Movimento das Forças Armadas, tendo sido a Revolução dos Cravos um golpe de Estado com a participação decisiva dos militares, até à legitimação dos novos órgãos de poder político por eleições democráticas, os ideais comunistas eram também dominantes, pelo que se facilitou uma conexão interna na concessão do poder, nos novos Estados independentes, aos grupos de libertação que estavam afinados pelo mesmo diapasão do socialismo científico marxista.

II. A análise comparada dos diversos sistemas constitucionais dos novos Estados Africanos de Língua Portuguesa revela traços comuns, dentro daquela única fonte de inspiração, tanto político-ideológica como jurídico-constitucional:

- *sistema social*: a prevalência dos direitos económicos e sociais, como instrumentos de "desalienação humana", em detrimento dos direitos e liberdades políticos e civis, dentro de um monismo ideológico e partidário;
- *sistema económico*: a apropriação dos meios de produção, com a colectivização da terra, que passou a ser propriedade do Estado, e a planificação imperativa da economia;
- *sistema político*: a concentração de poderes no órgão parlamentar de cúpula, com a omnipresença do partido único e a sua localização paralela em todas as estruturas do Estado.

III. Esta primeira fase na evolução político-constitucional dos Estados africanos de língua portuguesa durou cerca de uma década e meia, sendo ainda possível nela divisar períodos diferenciados:

- o 1.º período: o período inicial de implantação das estruturas dos Estados agora independentes, com a saída de muitos portugueses e a sua reorganização interna;
- o 2.º período: o período intermédio de organização política e social segundo o modelo de inspiração soviética, com a intensificação da cooperação com os países do bloco comunista, principalmente a União Soviética, Cuba e a República Democrática Alemã; e
- o 3.º período: o período final de progressiva crise económica, com a intensificação dos conflitos políticos internos, nalguns casos – Angola e Moçambique – degenerando em guerras civis.

4. A 2ª fase: a II República Democrática (1990-....)

I. Esta primeira vaga de textos constitucionais de inspiração soviética, com base na doutrina do socialismo científico, não resistiria à queda dos regimes comunistas, um pouco por toda a parte, simbolizado pelo derrube do muro de Berlim, em Dezembro de 1989.

Naturalmente que esse fenómeno, de certa sorte há muito tempo larvar e apenas esperando um momento de explosão política e social, se projectaria nos Estados africanos em questão, praticamente desde o seu início. É mesmo impressionante a facilidade com que os respectivos sistemas políticos se organizaram com vista à superação do paradigma soviético.

Mas também se pode dizer que a avaliação das economias e das sociedades desses Estados de Língua Portuguesa revelava já um elevado grau de mau estar com a aplicação do modelo soviético, que fracassaria, pelo menos, por duas razões fundamentais:

- pelo carácter informal das sociedades africanas, até certo ponto incompatível e avesso à rigidez e disciplina conaturais à estruturação burocrática soviética;
- pelo centralismo político-ideológico que decorria das doutrinas administrativas soviéticas, abafando as comunidades locais e, na cúpula, combatendo as suas mais diversas expressões, como os Direitos consuetudinários locais.

II. Do ponto de vista constitucional, a substituição dos antigos textos constitucionais fez-se através de transições constitucionais, que consistiram na criação de novos textos constitucionais, mas aproveitando os procedimentos de revisão constitucional anteriormente estabelecidos. A passagem às novas ordens constitucionais em todos estes Estados fez-se sempre de uma forma pacífica, sem revoluções ou rupturas formais.

Por outra parte, igualmente sucedeu que na maioria dos Estados a aprovação de novos textos constitucionais se ficou a dever aos parlamentos monopartidários que tinham sido escolhidos no tempo da I República totalitária, não tendo havido textos constitucionais fruto de uma discussão pluripartidária nos novos parlamentos eleitos.

A principal excepção que importa referir é a de Cabo Verde, que aprovaria uma nova Constituição, em 1992, já em sistema pluripartidário. Noutros, os textos constitucionais foram depois revistos pontualmente, para se adequarem a processos de pacificação interna, também em contexto pluripartidário.

III. Em alguns dos Estados africanos de língua portuguesa, registaram-se ainda conflitos armados internos, guerras civis já no período da inde-

Os Sistemas Político-Constitucionais dos Estados Africanos de Língua Portuguesa 295

pendência, que opuseram os governos constituídos, bem como os respectivos partidos únicos, e as oposições armadas, num conflito evidente do ponto de vista político-ideológico a respeito da opção constitucional adoptada.

A situação de Angola foi a que se prolongaria mais tempo, continuando mesmo depois de implantada uma nova ordem constitucional democrática, só tendo terminado no ano passado.

Em Moçambique, a situação de guerra civil duraria menos tempo e terminaria em 4 de Outubro de 1992, data da assinatura, em Roma, do Acordo Geral de Paz entre o Governo/Frelimo e a Renamo.

5. A caracterização político-constitucional geral dos Estados Africanos de Língua Portuguesa

I. Feito este breve percurso pela evolução jurídico-constitucional dos Estados Africanos de Língua Portuguesa, importa agora deles extrair um conjunto de traços distintivos comuns, nalgumas opiniões podendo contribuir mesmo para a formação de um sistema constitucional de matriz portuguesa:

– as fontes constitucionais;
– os princípios fundamentais;
– os direitos fundamentais;
– a organização económica;
– a organização política; e
– a garantia da Constituição.

II. De um modo geral, pode afirmar-se sem qualquer rebuço que os actuais textos constitucionais dos Estados Africanos de Língua Portuguesa espelham a influência da Constituição Portuguesa de 1976, tanto no estilo adoptado quanto na sua sistematização.

Mas essa influência é extensível a algumas das instituições jurídico--constitucionais que foram adoptadas, o que se compreende dada a presença de jurisconsultos portugueses na respectiva elaboração, bem como a proximidade cultural de muitos dos juristas destes novos Estados, que entretanto se foram formando nas Faculdades de Direito de Portugal.

Este facto, porém, contém outra nota bem mais impressiva: é que foi com a II República que se reatou uma ligação interrompida desde os tem-

296 *Estudos de Direito Público de Língua Portuguesa*

pos das independências, dado o afastamento de institutos relativamente ao Direito Português, por força da adesão a um outro sistema de Direito, de inspiração soviética.

III. Ao nível dos grandes princípios de Direito Constitucional, verifica-se uma grande comunhão em torno de grandes princípios:

– o *princípio republicano*, sendo a república a forma institucional de governo preferida, com a eleição directa do Chefe de Estado;
– o *princípio do Estado de Direito*, de acordo com todas as suas exigências de certeza e segurança, de igualdade e de separação de poderes;
– o *princípio democrático*, com a existência de eleições periódicas, nas quais participam os cidadãos, num sufrágio universal e secreto;
– o *princípio do Estado unitário*, uma vez que os Estados são unitários, tendo sido rejeitados os esquemas propostos de federalismo, embora atenuado por alternativas de regionalismo político-legislativo, ainda que de índole parcial;
– o *princípio social*, reconhecendo ao Estado um papel de intervenção na prestação de direitos económicos e sociais;
– o *princípio internacional*, em que a soberania estadual não impede a inserção externa dos Estados, ao nível de diversas organizações internacionais.

IV. Em matéria de direitos fundamentais, é de referir que todos os textos constitucionais contêm extensas listagens de direitos fundamentais, que ficam assim a integrar as primeiras partes das Constituições.

Mas essa concepção de direitos fundamentais é heterogénea porque não bebe apenas da teoria liberal, antes reflecte a presença de outras concepções de direitos fundamentais, como as teorias social e democrática.

O elenco dos direitos fundamentais consagrado é ainda reforçado pela presença de importantes regras que orientam os termos da intervenção do legislador ordinário, subordinando efectivamente os outros poderes públicos – o legislativo, o executivo e o judicial – aos respectivos comandos.

O sistema constitucional de direitos fundamentais nem sequer se pode finalmente considerar um sistema fechado, mas antes aberto: quer pelo apelo a direitos fundamentais atípicos, quer pelo apelo à Declaração Universal dos Direitos do Homem, esclarece-se que a respectiva tipologia é unicamente exemplificativa, e não taxativa.

V. Relativamente à organização económica, beneficiando de importantes normas constitucionais, acolhe-se um sistema capitalista de mercado e não mais se verificaria a planificação imperativa da economia.

Simplesmente, a passagem à II República nos Estados Africanos de Língua Portuguesa não se faria sem que algumas das instituições da I República se conservassem, num debate que está longe de terminar:

– conservou-se a propriedade pública da terra, globalmente nacionalizada aquando da independência, embora o Estado possa conceder o direito de uso da mesma;
– limitou-se o investimento estrangeiro, numa tendência que tem vindo a suavizar-se, à medida que a capacidade de intervenção e os interesses de grupos económicos estrangeiros têm vindo a aumentar.

VI. Na sua leitura formal, todos os sistemas políticos africanos de língua portuguesa partem de uma visão dinâmica dos órgãos do poder público, com a intervenção efectiva do Chefe de Estado, do Parlamento e do Executivo.

No entanto, não só por ligeiras diferenças textuais quanto sobretudo por divergências interpretativas, a evolução desses sistemas tem apontado em direcções distintas:

– numa direcção parlamentarizante, sendo hoje já um parlamentarismo racionalizado, em Cabo Verde;
– numa direcção presidencializante, em Angola, Guiné-Bissau e Moçambique, sendo o Presidente da República o chefe efectivo do Governo, apesar de existir, mas com escassa autonomia política, a figura do Primeiro-Ministro;
– numa direcção semi-presidencial, São Tomé e Príncipe, ainda que ironicamente aqui o Chefe de Estado detenha competências executivas em matéria de defesa e de relações externas.

VII. A revisão dos textos constitucionais corresponde a uma característica comum, que é a da rigidez das Constituições dos Estados Africanos de Língua Portuguesa.

Os textos constitucionais, na sua alteração, submetem-se a regras próprias, que afastam o respectivo procedimento dos esquemas gerais de aprovação da legislação ordinária:

– *limites orgânicos*: concentrando a aprovação exclusivamente nos

órgãos parlamentares, poder legislativo que não se partilha com outros órgãos legislativos;
– *limites procedimentais*: exigindo a aprovação das alterações constitucionais por maioria de 2/3 dos Deputados, assim obrigando a um maior empenhamento democrático;
– *limites temporais*: impondo que a revisão constitucional só possa ser feita de cinco em cinco anos;
– *limites materiais*: forçando a que a revisão constitucional não ponha em causa certas matérias, valores ou princípios, considerados como o "bilhete de identidade" do texto constitucional;
– *limites circunstanciais*: proibindo a revisão constitucional durante a vigência do estado de excepção.

6. Uma breve descrição dos sistemas político-constitucionais dos Estados Africanos de Língua Portuguesa

I. Por detrás destas diversas características que é possível encontrar em cada um dos sistemas político-constitucionais dos Estados Africanos de Língua Portuguesa, também se afigura útil que possamos vislumbrar cada um deles, assinalando as suas particularidades.
São eles:

– Angola;
– Cabo Verde,
– Guiné-Bissau;
– Moçambique; e
– São Tomé e Príncipe.

II. De todos estes Estados, foi Angola o último a alcançar uma situação de paz, real desde o ano passado, aquando da cessação de hostilidades por parte do grupo rebelde UNITA, na sequência da morte do seu líder.
A verdade, porém, é que o presente sistema constitucional angolano foi edificado há mais de uma década, na altura em que se conseguiu um cessar-fogo, depois dos Acordos de Bicesse, e foi possível realizar eleições gerais no país, presidenciais e legislativas.
O advento desse período foi marcado pela aprovação de uma nova Lei Constitucional em 1992, precisamente destinada a acomodar um novo regime democrático emergente, bem como pela elaboração de numerosas leis ordinárias, destinadas a garantir um clima de pluripartidarismo.

Tal contexto, contudo, não vigoraria mais do que algumas semanas após a realização das eleições de Setembro de 1992, uma vez que se reiniciaria a guerra civil, nunca a UNITA tendo aceitado os resultados eleitorais.

É por isso que o procedimento de revisão constitucional está em curso, com vista à aprovação de uma Constituição definitiva, a qual se prevê possa ser aprovada durante o próximo ano, ao mesmo tempo se preparando – agora em definitiva paz – as segundas eleições gerais, destinadas a conferir uma nova legitimidade aos cargos políticos, com titulares eleitos há mais de 10 anos.

III. Cabo Verde tem a singularidade de ter sido o Estado que mais rapidamente transitaria para a democracia e onde, no plano prático, mais se tem registado a alternância democrática, já tendo os seus dois grandes partidos formado maiorias parlamentares e governamentais.

A sua primeira Constituição, de cunho provisório, seria aprovada em 1975 e, em 1980, adoptar-se-ia um texto constitucional definitivo, num contexto de inspiração no modelo soviético.

A actual Constituição só seria aprovada em 1992, depois de um período de abertura política, e no qual a respectiva redacção se realizou em clima de efectivo pluripartidarismo.

Esta, porém, não se conserva no seu texto original e já foi objecto de profundas alterações, as quais se destinaram a aperfeiçoar o parlamentarismo e a intervenção popular nos referendos e nas iniciativas legislativas populares.

IV. A Guiné-Bissau tem vivido, nos últimos anos, sucessivos momentos de turbulência, motivados por alguns golpes de Estado, o último dos quais aconteceu há poucos meses e teve como sequência directa o derrube do Presidente da República.

A evolução político-institucional da Guiné-Bissau tem a particularidade de ter antecipado o resultado da Revolução Portuguesa de 25 de Abril de 1974, porquanto a sua independência chegou a ser proclamada em 1973, texto constitucional que depois seria retomado com a concessão da independência formal.

Mas o actual texto constitucional, alcançado depois de uma revisão profunda ocorrida em 1993, é o terceiro na história deste Estado porque em 1984 haveria uma golpe de Estado e, então, se elaboraria uma nova Constituição.

300 *Estudos de Direito Público de Língua Portuguesa*

A Constituição de 1993, apenas pontualmente revista em aspectos secundários, já contou com inúmeras tentativas de revisão geral, mas todas naufragaram, quer pela ausência de acordo parlamentar, quer pela ausência de vontade do Presidente da República de promulgá-la.

V. Moçambique, sendo outro dos dois grandes Estados Africanos de Língua Portuguesa, tem sido referido como um caso de sucesso na efectivação de uma negociação internacional de paz.

A sua independência foi alcançada em 25 de Junho de 1975 e é dessa altura a entrada em vigor da sua primeira Constituição, que vigoraria até 1990, apenas com pontuais alterações.

A actual Constituição, que é a segunda, sofreu algumas revisões constitucionais limitadas, enquanto se discute, há mais de cinco anos, uma profunda revisão dos seus preceitos:

– em 1993, foram alterados os artigos atinentes aos partidos e ao regime de candidatura a Presidente da República, na sequência do Acordo Geral de Paz, assinado no ano anterior;
– em 1996, foi reformulado o capítulo atinente ao poder local, no sentido de evitar dúvidas de constitucionalidade em relação à nova legislação autárquica entretanto produzida;
– em 1998, foi alterada uma das competências do Conselho Constitucional, órgão judicial com funções constitucionais e que neste momento se prepara para, finalmente, começar a funcionar.

VI. São Tomé e Príncipe, o mais pequeno dos Estados de Língua Portuguesa, tem atravessado sucessivos períodos de crise económica e social, devido à sua pobreza, tais períodos tendo provocado situações de alguma turbulência política.

A independência foi alcançada em 12 de Julho de 1975, mas o respectivo texto constitucional só entraria em vigor pouco tempo depois, tendo sido aprovado em 5 de Novembro desse mesmo ano, na sua Assembleia Constituinte, texto que posteriormente seria objecto de pequenas revisões.

A actual Constituição foi aprovada em 1990 e foi a única, de todos os Estados Africanos de Língua Portuguesa, que se sujeitou a um procedimento de referendo popular.

Depois de muitas propostas e outras tantas disputas, este texto constitucional foi finalmente alvo de uma apreciável revisão constitucional – até agora a única feita em 13 anos – e que teve o mérito de corrigir muitas das soluções iniciais, melhorando-o substancialmente, como sucedeu no regime de fiscalização da constitucionalidade e no regime de revisão constitucional.

7. O futuro jurídico-constitucional dos Estados Africanos de Língua Portuguesa

I. Não parece que possa suscitar qualquer dúvida a melhoria de condições que entretanto, embora muito gradualmente, os Estados Africanos de Língua Portuguesa têm vindo a alcançar.

Só que tal facto não pode esconder que o amadurecimento democrático desses países ainda não resolveu algumas das questões institucionais que se lhes colocam, nem sequer falando de outros problemas, que aqui não nos compete referir, directamente relacionados com o respectivo desenvolvimento económico e social.

Daí que seja necessário encarar, de vez, a respectiva resolução, na convicção de que se vai abrindo um espaço para a discussão.

São essencialmente quatro os tópicos que importa referir:

– a relação do Direito legal com o Direito consuetudinário;
– o funcionamento do sistema de governo e o papel do Chefe de Estado;
– a democratização das estruturas locais de administração; e
– o controlo judicial do poder legislativo e do poder administrativo.

II. A relação entre o Direito voluntariamente produzido pelo Estado – o Direito legal ou formal – e o Direito espontaneamente gerado no âmbito da convivência das comunidades locais e tribais – o Direito consuetudinário ou informal – permanece como problema jurídico-institucional por resolver.

Com a modernização das sociedades africanas, até certo ponto foi possível uma maior interpenetração dos Direitos tradicionais a partir dos Direitos estaduais, em correspondência à necessidade de uma mais precisa e intensa intervenção por parte do poder político, formal e democrático.

E até se pode dizer que nalguns casos se verificou um saudável recuo das soluções informais, na medida em que muitas vezes elas impunham resultados altamente criticáveis do ponto de vista da defesa dos direitos humanos ou em matéria de estatuto da mulher africana.

302   *Estudos de Direito Público de Língua Portuguesa*

Contudo, ainda permanecem opções de difícil aceitação por parte do Direito formal, embora os Estados tenham respondido com uma aproximação de posições, como sucede genericamente no Direito da Família, com a aceitação da equiparação da união de facto ao casamento e com a validade dos casamentos tradicionais.

III. As diversas experiências tidas no sistema de governo semi-presidencial – em grande medida influenciadas pela solução portuguesa, que por sua vez seria influenciada pela Constituição Francesa de 1958 – vieram não raro revelar um importante desajustamento entre as disposições constitucionais e a prática da realidade constitucional.

O ponto fundamental diz respeito ao facto de o Chefe de Estado, apesar de eleito directamente pelos cidadãos, não dispor de um conjunto de poderes condizentes com a sua forte legitimidade democrática, ou com a tradição africana da representação unitária no chefe.

Daí que muitas vezes essa situação provoque um choque entre a representação que é levada a cabo e as expectativas dos cidadãos, com o perigo ainda maior de os Chefes de Estado, consciente ou inconscientemente, serem levados a corrigir o texto constitucional, à revelia de qualquer procedimento de revisão.

É preciso encarar este problema e melhor adequar a distribuição do poder político pelos órgãos de soberania, acautelando a necessidade de o Chefe de Estado dispor de mais poderes efectivos de intervenção, executivos ou de outra natureza, ao mesmo tempo se carecendo de esclarecer as zonas de actuação do Presidente da República e do Governo.

As experiências de Angola e de Moçambique são bem eloquentes de quanto se acaba de dizer, gerando tensões que facilmente poderiam ser evitadas se houvesse alterações nos respectivos textos constitucionais.

IV. As democracias contemporâneas não se têm resumido ao poder público que se exerce ao nível nacional, mas são igualmente relevantes no plano das estruturas de poder autárquico, a níveis infra-estaduais, regionais e locais.

E se esta verificação se afigura pacífica ao nível dos Estados europeus, muito mais o será se pensarmos em Estados de elevada extensão territorial, como é o caso da esmagadora maioria dos Estados africanos.

O seguro, porém, é que a implantação da democracia local nos Estados Africanos de Língua Portuguesa se tem atrasado e tem enfrentado inúmeros obstáculos, que são também entraves ao seu desenvolvimento económico e social.

Dos cinco Estados em causa, só efectivamente funciona um sistema de poder local em Cabo Verde, sendo a situação dos restantes Estados, embora por razões diversas, de inefectividade ou debilidade desse mesmo poder:

- na Guiné-Bissau e em Angola, o sistema autárquico nunca foi verdadeiramente criado;
- em São Tomé e Príncipe, por erros de concepção, apesar de ter havido eleições, o sistema autárquico na prática não está operativo;
- em Moçambique, que se prepara para viver o momento das segundas eleições autárquicas, previstas para este mês, possuindo alguma efectividade, o legislador foi excessivamente prudente, apenas criando autarquias locais em 33 localidades, num universo que ultrapassa a centena e meia.

A democracia local é, nos dias de hoje, em que a política já não é ideológica mas sobretudo pragmática, um instrumento fundamental para a realização democrática dos cidadãos. Por isso, descurar a sua efectividade é atingir a essência da democracia, que não se resume à democracia nacional.

V. A intervenção do poder judicial, controlando o poder legislativo e o poder administrativo, é ainda outra faceta fundamental da construção de um verdadeiro Estado de Direito. Contudo, o certo é que ainda são múltiplas as deficiências que se registam.

No controlo do poder legislativo, afigura-se fundamental a instalação de uma forte e independente fiscalização da constitucionalidade, através da qual se atribua a possibilidade de o poder judicial – seja nos tribunais comuns, seja em tribunais especiais – intervir afastando da Ordem Jurídica as normas que considere inconstitucionais ou ilegais.

No controlo do poder administrativo, identicamente se percebe a relevância da faculdade cometida aos tribunais de verificarem a legalidade da actividade da Administração Pública, seja nos actos administrativos que produzem, seja nos contratos administrativos que celebrem com os particulares.

Todavia, o maior problema é de mentalidade e de cultura, bem visível na dificuldade que se regista de diferenciar o controlo da juridicidade dos actos – que se apresenta a título institucional – do controlo das opções que, em cada momento, são tomadas pelos titulares do poder público. Não tem sido fácil perceber que o combate às actuações ilegais do poder não envolve necessariamente um conflito contra aqueles que estiveram na génese das decisões que posteriormente foram consideradas ilegais.

Simplesmente, a dificuldade não diz apenas respeito a um déficit de institucionalização dos mecanismos de controlo – o problema passa também pela ausência de legislação que dê operacionalidade a esses mecanismos de controlo.

Tanto em Angola como em Moçambique, só para falar dos principais Estados em análise, apesar de os respectivos textos constitucionais preverem a sua existência, acresce que a correspondente jurisdição permanece confiada aos supremos tribunais, que pouco tempo e qualificação dispõem para cuidarem das matérias da sua jurisdição geral, nada restando para se ocuparem dos específicos processos de fiscalização da constitucionalidade.

Paris, 20 de Novembro de 2003.

L) A PRIMEIRA CONSTITUIÇÃO DE TIMOR LESTE[1]

SUMÁRIO:

1. O nascimento do Estado e da Constituição de Timor Leste
2. O texto da Constituição Timorense
3. Os princípios fundamentais
4. Os direitos fundamentais
5. A organização do poder político
6. Uma Constituição inspirada em Portugal

---

[1] Texto introdutório à Constituição da República Democrática de Timor Leste, a ser publicado em obra contendo os textos das Constituições dos Estados de Língua Portuguesa, numa edição promovida pela Senado Federal do Brasil.

1. O nascimento do Estado e da Constituição de Timor Leste

I. O Estado de Timor Leste nasceu no dia 20 de Maio de 2002, depois de muitas e complexas vicissitudes[2]. Mas com esse acontecimento se registou paralelamente um outro, da maior importância: o aparecimento de uma Constituição, a primeira da vida desse Estado.

Eis uma das diversas possibilidades para a segregação do poder constituinte, que vem a ser um dos sinais específicos da realidade estadual: para que se possa falar de Constituição, é sempre forçoso estarmos frente à realidade estadual[3].

Daí que este não seja um momento qualquer, mas antes um momento duplamente constituinte:

– *constituinte de um Estado*, que agora vê a luz do dia e assim se apresenta na comunidade internacional; e
– *constituinte de uma ordem jurídica*, porque esse Estado de auto- -adorna de um texto constitucional, que passará as reger os seus fundamentais destinos.

II. Claro que isso nem sempre assim sucedeu, pelo menos até ao constitucionalismo: até ao século XVIII – e, portanto, antes do surgimento das Constituições contemporâneas – já havia Estados, alguns multissecu- lares, como Portugal, que não ostentavam qualquer estrutura constitucio- nal moderna.

---

[2] Segundo o art. 170.º da Constituição de Timor Leste (CRDTL), "A Constituição da República Democrática de Timor-Leste entra em vigor no dia 20 de Maio de 2002", embora o texto tenha sido aprovado em 22 de Março desse mesmo ano pela Assembleia Constituinte.

[3] Sobre a relação entre Estado e Constituição, v. JORGE BACELAR GOUVEIA, *O estado de excepção no Direito Constitucional*, II, Coimbra, 1998, pp. 1401 e ss.; JORGE MIRANDA, *Manual de Direito Constitucional*, II, 4ª ed., Coimbra, 2000, pp. 7 e ss.

A Primeira Constituição de Timor Leste 307

Naturalmente que, coincidindo o nascimento de um Estado com a aprovação do seu primeiro texto constitucional, o Estado permanece o mesmo perante a necessidade de mudar esse texto constitucional.

Só que os textos constitucionais não são tão perenes como as realidades estaduais e, diferentemente destas, destinam-se a traduzir um projecto de Direito que se julga apropriado para a conjuntura histórico-cultural em que se surge.

III. Se é verdade que a realidade político-estadual de Timor Leste se consumou com a declaração da independência política, bem como com a concomitante aprovação de um texto constitucional fundacional, não é menos verdade que a realidade cultural e social de Timor Leste já muito anteriormente lhe subjazia[4].

Desde que há memória do território, ele emergiu no seio dos Descobrimentos Portugueses do Oriente, tendo permanecido durante muito tempo como possessão ultramarina, muito para além da perda progressiva de outros territórios, ora em favor de Estados vizinhos, ora dando origem a novos Estados.

A última descolonização portuguesa, ocorrida na sequência da Revolução de 25 de Abril de 1974 em Portugal, foi um momento crucial na evolução política e social de Timor Leste, pois que logo depois o território seria anexado pela Indonésia, a grande potência vizinha, e deixando de fazer parte do território português[5].

IV. Apenas na década de noventa – e depois de diversos massacres perpetrados contra o povo maubere – se desenhariam os passos que conduziriam, em definitivo, à erecção de Timor Leste a Estado independente, não obstante todo o esforço desde aquela primeira hora protagonizado por Portugal no sentido de lhe propiciar a autodeterminação[6].

---

[4] Com um interessante percurso acerca desta vertente histórico-jurídica do território de Timor Leste, v., por todos, MIGUEL GALVÃO TELES, *Timor Leste*, in *Dicionário Jurídico da Administração Pública*, II suplemento, Lisboa, 2001, pp. 569 e ss.

[5] Como se diz ainda no art. 293.º, n.º 1, da Constituição da República Portuguesa, "Portugal continua vinculado às responsabilidades que lhe incumbem, de harmonia com o Direito Internacional, de promover e garantir o direito à autodeterminação e independência de Timor Leste", preceito que, porém, contém uma norma que entretanto caducou.

[6] O que bem se atesta pelas sucessivas resoluções que foram aprovadas pela Assembleia Geral das Nações Unidas sob iniciativa de Portugal. Para a consulta desses textos, v. JORGE BACELAR GOUVEIA, *Timor Leste – textos jurídicos fundamentais*, 2ª ed., Lisboa, 1993, pp. 11 e ss.

308   *Estudos de Direito Público de Língua Portuguesa*

Mercê de uma favorável conjugação de circunstâncias de política internacional, mas também graças a um porfiado esforço de resistência interna contra a ocupação indonésia, bem como ao empenhamento do Estado Português, foi possível estabelecer um procedimento de referendo internacional, dirigido pela Organização das Nações Unidas, que teve como resultado a opção pela independência política do território e, consequentemente, a proclamação de um novo Estado.

É agora o resultado último desse esforço que se apresenta neste texto, em que cabe essencialmente frisar os aspectos fundamentais das Constituições dos Estados de Língua Portuguesa.

2. O texto da Constituição timorense

I. O texto constitucional timorense não é dos mais extensos no conjunto das Constituições de Língua Portuguesa[7], contando com 170 artigos, que se distribuem pelas seguintes sete partes, antecedidas por um preâmbulo:

– Parte I – *Princípios fundamentais*
– Parte II – *Direitos, deveres, liberdades e garantias fundamentais*
– Parte III – *Organização do poder político*
– Parte IV – *Organização económica e financeira*
– Parte V – *Defesa e segurança nacionais*
– Parte VI – *Garantia e revisão da Constituição*
– Parte VII – *Disposições finais e transitórias*

II. As opções sistemáticas do texto constitucional timorense, não contendo qualquer peculiar originalidade, não deixam de se inscrever nas tendências mais recentes de se dar primazia aos aspectos materiais sobre os aspectos organizatórios na ordenação das matérias, bem como à inserção de importantes incisos a respeito de questões económicas e sociais que hoje nenhum texto constitucional pode lucidamente ignorar.

Cumpre também assinalar o relevo dado, sendo assim erigida a parte própria, à matéria da defesa e segurança, no que não terá sido alheio o recente percurso histórico-político do povo e do território de Timor Leste,

---

[7] V. todos esses textos, actualizados, em JORGE BACELAR GOUVEIA, *As Constituições dos Estados de Língua Portuguesa*, Coimbra, 2003.

A Primeira Constituição de Timor Leste 309

o mesmo igualmente se dizendo dos princípios fundamentais, que se apresentam numa parte inicial, sistematicamente autonomizada.

Do ponto de vista da técnica legislativa, regista-se a conveniente opção pela colocação de epígrafes em todos os artigos, permitindo um compulsar mais fácil do texto constitucional, para além da adopção da organização dos preceitos nos termos da tradição jurídica portuguesa e não seguindo outros esquemas estrangeiros, que foram assim – e, a nosso ver, bem – rejeitados.

III. A elaboração do texto da Constituição da República Democrática de Timor Leste (CRDTL) foi levada a cabo, após a decisão referendária no sentido da independência, no âmbito de uma assembleia constituinte, especificamente eleita para o efeito em 30 de Agosto de 2001, cujos trabalhos duraram vários meses.

Mas seria em 22 de Março de 2002 que ocorreria o acto final de aprovação do texto final dessa Constituição, que entrou em vigor em 20 de Maio de 2002.

O sistema que foi seleccionado assenta na legitimidade popular quanto à elaboração do futuro texto da Constituição, embora de acordo com critérios que vieram depois a ser convalidados pelo novo Estado nascente.

IV. O texto da CRDTL é ainda antecedido de um extenso preâmbulo, que pode decompor-se de vários conteúdos e que, por isso mesmo, se afigura de grande importância para uma primeira contextualização do novo Direito Constitucional Timorense.

Não fazendo formalmente parte do articulado do texto constitucional, sendo por isso desprovido de força dispositiva, o preâmbulo da Constituição Timorense tem um inegável interesse histórico e hermenêutico:

- *histórico* porque apresenta uma visão oficial acerca dos acontecimentos que estiveram na génese do Estado, ainda que a verdade histórica não possa ser decretada, assim sendo um de entre outros possíveis contributos para a respectiva dilucidação;
- *hermenêutico* porque representa uma intervenção textual do legislador constituinte, com potencialidades explicativas que, em certos casos, vão sempre para além de um texto meramente articulado, como se tem reconhecido na técnica dos textos arrazoados.

310 Estudos de Direito Público de Língua Portuguesa

V. Não obstante ter sido aprovada tão recentemente, o texto da Constituição de Timor Leste – até para ganhar uma maior longevidade – não poderia deixar de equacionar os termos da sua própria revisão.

A opção fundamental aqui tomada foi a de se adoptar um texto constitucional *hiper-rígido*, com a consagração de diversos limites à segregação do poder de revisão constitucional:

- *limites orgânicos*: a revisão fica exclusivamente a cargo do Parlamento Nacional[8];
- *limites procedimentais*: as alterações ao texto constitucional devem ser aprovadas por maioria de dois terços dos Deputados em efectividade de funções[9];
- *limites temporais*: a revisão ordinária da Constituição só pode ser feita de seis em seis anos, embora se admita a revisão extraordinária, desde que o órgão competente assuma poderes constitucionais por votação de, pelo menos, quatro quintos dos Deputados em efectividade de funções[10];
- *limites materiais*: há um conjunto bastante vasto de matérias que não podem ser objecto de revisão constitucional[11]; e
- *limites circunstanciais*: a vigência do estado de excepção impede a prática de qualquer "...acto de revisão constitucional"[12].

É assim possível inserir este texto constitucional no elenco das Constituições hiper-rígidas, uma vez que, embora admitindo a sua revisão, apenas tal se admite em termos limitados, com respeito por um formalismo e por um conteúdo que se perpetua para além das revisões constitucionais.

VI. Não é possível neste momento efectuar uma pormenorizada análise do texto constitucional timorense, mas tão só realizar a sua apresentação, assim se procurando estimular o estudo posterior das diversas instituições jurídico-constitucionais timorenses.

Para esse efeito, importa reflectir sobre três principais aspectos, a despeito de a CRDTL incidir sobre outros temas:

- os principais fundamentais;

---

[8] Cfr. o art. 154.º da CRDTL.

[9] Cfr. o art. 155.º, n.º 1, da CRDTL.

[10] Cfr. o art. 154.º, n.ºs 2 e 4, da CRDTL.

[11] Cfr. o art. 156.º da CRDTL.

[12] Art. 157.º da CRDTL.

A *Primeira Constituição de Timor Leste*　　311

– os direitos fundamentais; e
– a organização do poder político.

3. Os princípios fundamentais

I. A primeira parte do texto constitucional, como tem sido recentemente acentuado, destina-se a concentrar os aspectos que, na sua essencialidade, caracterizam a ideia de Direito de que aquele articulado é portador.

É por isso que podemos encontrar, nos primeiros preceitos do texto constitucional, um conjunto de opções a respeito das múltiplas dimensões que se colocam à vida colectiva dos timorenses, agora que se organizaram numa estrutura estadual.

Estas são algumas dessas principais orientações[13]:

– o princípio do Estado de Direito;
– o princípio unitário, da soberania popular e da descentralização administrativa;
– o princípio da independência política e da cooperação internacional;
– o princípio da constitucionalidade;
– o princípio da socialidade;
– o princípio da liberdade e do pluralismo político e partidário;
– o princípio da liberdade religiosa e da cooperação.

Na impossibilidade de apreciar todos estes princípios, que nem sequer se afastam muito da dogmática fundamental do moderno Direito Constitucional, observe-se de perto duas questões que, no texto constitucional, oferecem uma certa originalidade:

– as relações entre a lei e o costume como fontes de Direito timorense; e
– as relações entre o Estado e as confissões religiosas.

II. Em matéria de fontes do Direito, como não podia deixar de ser, o Estado Timorense, ao fundar-se nesta Constituição, proclama o princípio da constitucionalidade, segundo o qual "As leis e os demais actos do Es-

---

[13] Cfr. os arts. 1.º e ss. da CRDTL.

tado e do poder local só são válidos se forem conformes com a Constituição"[14].

Contudo, o texto constitucional não estabelece o monopólio da lei estadual como fonte do Direito timorense e aceita a relevância do Direito costumeiro nos seguintes termos: "O Estado reconhece e valoriza as normas e os usos costumeiros de Timor-Leste que não contrariem a Constituição e a legislação que trate especialmente do direito costumeiro"[15].

É extremamente significativo que se assuma uma posição frontal em matéria de Direito consuetudinário, sendo certo que o desenvolvimento do Estado Constitucional, desde o Liberalismo, se foi fazendo segundo paradigmas positivistas legalistas, de repressão de qualquer informalidade normativa, espontaneamente criada nas comunidades.

Por outra parte, também importa referir que essa recepção do Direito costumeiro não é ilimitada, mas antes se submete a condições que parecem razoáveis, num contexto em que ao Direito estadual ainda compete uma força directiva essencial, sobretudo se pensarmos numa altura em que se trata de fundar uma organização colectiva, que dá os seus primeiros passos, depois de tantos anos de luta pela independência política.

Evidentemente que podem sempre restar dúvidas acerca da legitimidade da limitação do costume através da lei, tratando-se de fontes que exactamente se definem pelo seu antagonismo.

Mas daí automaticamente não se segue a impossibilidade de a lei – neste caso, a lei constitucional – se pronunciar sobre a validade do costume, até porque o faz muito restritamente, não só apelando a um esquema de resolução de conflitos, não de ingerência directa, mas também unicamente vedando os costumes que mais grosseiramente ponham em causa os valores fundamentais da comunidade, protegidos ao nível constitucional.

III. Matéria que igualmente suscita um enfoque peculiar no texto constitucional timorense é a da relação entre o Estado e o fenómeno religioso, não se esquecendo ainda o papel da Igreja Católica.

Esta Parte I da CRDTL afirma, sem qualquer dúvida, a não identificação do Estado com as religiões, mas aceita que as respectivas relações – que assim existem e sem quaisquer complexos – se estribem numa ideia de cooperação: "O Estado promove a cooperação com as diferentes con-

---

[14] Art. 2.º, n.º 3, da CRDTL.
[15] Art. 2.º, n.º 4, da CRDTL.

A *Primeira Constituição de Timor Leste*   313

fissões religiosas, que contribuem para o bem-estar do povo de Timor Leste"[16].

Quer isto dizer que se coloca de parte um modelo que, pura e simplesmente, pudesse proibir o estabelecimento de qualquer actividade conjunta do Estado com as confissões religiosas, como por vezes alguns autores dão a entender, ao defenderem uma concepção mais agressiva do princípio da laicidade do Estado, que não pode significar a impossibilidade do seu relacionamento com a realidade institucional do fenómeno religioso.

É ainda de frisar que a concretização dessa cooperação, fazendo-se de acordo com a força sociológica das confissões religiosas que se encontram implantadas em Timor Leste, deve levar em especial consideração a Igreja Católica, expressamente nomeada no texto constitucional, não só numa perspectiva política como numa dimensão social, o que pode ser interpretado como um mandato ao legislador ordinário no sentido do seu legítimo favorecimento em detrimento de outras confissões religiosas desprovidas desse papel, no passado e no presente:

– no preâmbulo, afirma-se que "Na sua vertente cultural e humana, a Igreja Católica em Timor-Leste sempre soube assumir com dignidade o sofrimento de todo o Povo, colocando-se ao seu lado na defesa dos seus mais elementares direitos"[17];
– no preceito destinado à defesa da resistência timorense, refere-se que "O Estado reconhece e valoriza a participação da Igreja Católica no processo de libertação nacional de Timor-Leste"[18].

4. Os direitos fundamentais

I. Do ponto de vista dos direitos fundamentais, eles vêm a corresponder à Parte II da CRDTL, englobando toda essa matéria, com a mais completa epígrafe de "Direitos, deveres, liberdades e garantias fundamentais"[19].

Trata-se de um importante sector do texto constitucional, que reflecte vários equilíbrios e que se mostra, de um modo geral, nitidamente filiado numa herança cultural ocidental em matéria de direitos fundamentais, com

---

[16] Art. 12.º, n.º 2, da CRDTL.
[17] Parágrafo 8.º do preâmbulo da CRDTL.
[18] Art. 11.º, n.º 2, da CRDTL.
[19] Do art. 16.º ao art. 61.º da CRDTL.

314   *Estudos de Direito Público de Língua Portuguesa*

o apelo conjunto tanto à teoria liberal como à teoria social na respectiva configuração material[20].

São escassas as inovações que o texto constitucional timorense pôde introduzir neste domínio, avultando os principais temas que têm caracterizado, no século XX, os textos constitucionais que se alinham, numa acepção mista, nas correntes do Estado Social de Direito.

II. Macroscopicamente pensando, o sistema constitucional de direitos fundamentais realizou uma boa opção pela sua intensa constitucionalização ao nível do texto constitucional, reservando-lhe este uma parte específica, ainda que não se contestando a hipotética presença de mais direitos fundamentais noutras áreas do articulado constitucional.

Tal não significa, porém, que os direitos fundamentais admitidos se possam reconduzir àqueles que beneficiam de uma consagração ao nível do texto constitucional documental porque outros direitos são admitidos, consagrados noutras fontes que, deste modo, se alcandoram num idêntico plano constitucional mais elevado, com a presença de uma relevante cláusula de abertura a direitos fundamentais atípicos: "Os direitos fundamentais consagrados na Constituição não excluem quaisquer outros constantes da lei e devem ser interpretados em consonância com a Declaração Universal dos Direitos Humanos"[21].

Importa também sublinhar que se teve particularmente em atenção uma preocupação com o rigor da positivação dos direitos fundamentais, o que bem se atesta pela opção da respectiva consagração tipológica, que por aquela referida cláusula aberta vai para além dos direitos que se apresentam tipificados.

Em matéria de interpretação, regista-se finalmente que a Declaração Universal dos Direitos do Homem serve de diapasão interpretativo comum[22], o que assume uma grande importância na conformidade de tais direitos por alusão a um texto internacional – como é aquela Declaração Universal – simbolicamente muito representativo e que foi sobretudo precursor na consagração de novos direitos fundamentais, ainda que numa óptica internacionalista.

---

[20] Sobre as várias teorias de fundamentação dos direitos fundamentais, v., por todos, JORGE BACELAR GOUVEIA, *Ensinar Direito Constitucional*, Coimbra, 2003, pp. 417 e ss.

[21] Art. 23.º da CRDTL.

[22] Cfr. a parte final do art. 23.º da CRDTL.

III. Dentro de uma perspectiva mais microscópica, ao nível da especialidade, opera-se a dissociação essencial entre os direitos, liberdades e garantias pessoais e os direitos e deveres económicos, sociais e culturais, numa clara alusão à distinção clássica, nos direitos fundamentais, entre direitos de defesa e direitos a prestações.

Não tem sido tarefa fácil proceder à destrinça de uns e dos outros se tomarmos uma preocupação que se situe num horizonte que exceda a mera arrumação sistemática.

Em vão no texto constitucional se depara com essa matéria. Mas estamos em crer que ela passará pelo tipo de eficácia – se imediata ou se mediata – do sentido dos direitos fundamentais que estejam em apreciação.

Quanto aos direitos fundamentais consagrados, para além dos direitos que são comuns – e ainda bem – a outros sistemas constitucionais, verifica-se a existência de algumas curiosas particularidades, que cumpre apontar:

– uma mais intensa protecção do direito à vida: a defesa da vida humana não acontece apenas nos termos habituais, ao dizer-se que a vida humana é inviolável – igualmente se lembra que há uma dimensão prestadora, a cargo do Estado, no tocante a essa matéria, esclarecendo-se que "O Estado reconhece e garante o direito à vida";[23]

– uma idade mais baixa para a titularidade de direitos políticos, que é admissível logo a partir dos 17 anos: "Todo o cidadão maior de dezassete anos tem o direito de votar e de ser eleito";[24] e

– uma justa e moderna preocupação de promoção dos homens e das mulheres, não apenas como tarefa geral do Estado, mas ainda no âmbito específico do quadro organizatório do poder público[25].

5. A organização do poder político

I. No plano do sistema político, cuja matéria se unifica na Parte III do texto constitucional, assinala-se uma preocupação com uma pormenorizada definição do estatuto dos diversos órgãos de soberania, que são os

---

[23] Art. 29.º, n.º 2, da CRDTL.

[24] Art. 47.º, n.º 1, da CRDTL.

[25] Cfr. os arts. 6.º, al. *j*), 17.º e 63.º da CRDTL.

316   *Estudos de Direito Público de Língua Portuguesa*

seguintes: o Presidente da República, o Parlamento Nacional, o Governo e os Tribunais[26].

Mas a organização do poder político, dentro do princípio da unidade do Estado, também conhece a descentralização administrativa, em dois distintos níveis[27]:

- ao *nível regional*, prevendo-se uma especial organização para o enclave Oe-cusse Ambeno e para a ilha de Ataúro;
- ao *nível local*, com a atribuição de poderes de natureza administrativa às instituições do poder local.

II. No plano da democracia representativa, o sistema de governo que resulta da leitura do articulado constitucional – conquanto não seja necessariamente este o que venha a resultar da prática constitucional – funda-se numa concepção próxima do semi-presidencialismo, tal como ele vigora em Portugal.

Os órgãos políticos têm funções relevantes, não se vislumbrando que qualquer um deles esteja destinado a um papel apagado na dinâmica do exercício do poder, ainda que as relações entre o Presidente da República, o Parlamento Nacional e o Governo sejam de uma natureza distinta daquela que estes órgãos mantêm com os tribunais.

No entanto, cumpre aqui mencionar que se vai um pouco mais longe na concepção, formalmente proclamada, do princípio da interdependência de poderes, fazendo com que o Parlamento Nacional, por exemplo, intervenha na escolha de alguns dos titulares do poder judicial, não limitando tal competência ao Governo ou ao Chefe de Estado[28].

III. Mas é também de mencionar o reconhecimento da democracia semi-directa, que se torna clara na adopção do mecanismo do referendo nacional, até provavelmente com uma explicação histórica óbvia: o referendo internacional que permitiu a independência política de Timor Leste.

Contudo, da leitura dos preceitos constitucionais que o consagram[29], sente-se um receio, talvez infundado, quanto ao uso desse mecanismo, que

---

[26] Cfr. a enumeração do art. 67.º da CRDTL.

[27] Cfr. os arts. 71.º e 72.º da CRDTL.

[28] V., por exemplo, a competência que o art. 95.º, n.º 3, al. *a*), da CRDTL atribui ao Parlamento Nacional de "Ratificar a nomeação do Presidente do Supremo Tribunal de Justiça e a eleição do Presidente do Tribunal Superior Administrativo, Fiscal e de Contas".

[29] Cfr., principalmente, o art. 66.º da CRDTL.

resulta de exercício árduo, pelo menos comparativamente a várias experiências comparadas, como parece ser óbvio se consultarmos o caso português:

- quanto ao procedimento de decretação, a necessidade de ser proposta por um terço dos Deputados e de a respectiva deliberação parlamentar ter de reunir a vontade de dois terços desses mesmos Deputados, o que é excessivo;
- quanto às matérias susceptíveis de referendo, o facto de os principais assuntos que se colocam à governação, porque incluídos nas competências parlamentares e governativas, a começar pela revisão constitucional, serem excluídos do alcance das perguntas referendárias.

IV. Com particular melindre, está sempre o sistema de fiscalização da constitucionalidade das leis, o qual, apesar de inserto na Parte VI, oferece uma óbvia conexão com a organização do poder público.

O texto constitucional timorense está longe de desconhecer o fenómeno e, pelo contrário, mostra-se peculiarmente preocupado com a questão, dedicando-lhe relevantíssimas orientações, o que confirma, também aqui, o desejo da efectividade de um Estado de Direito.

Não se optou pela criação de uma jurisdição constitucional específica, o que não quer dizer que essa actividade não seja exercida – tal, de facto, sucede e está expressamente deferida ao Supremo Tribunal de Justiça.

Numa perspectiva processual, anota-se também que a sua amplitude é extensa, mesmo incluindo a fiscalização da constitucionalidade por omissão, figura que suscita peculiares dificuldades.

6. Uma Constituição inspirada em Portugal

I. Sumariamente apresentado o texto constitucional de Timor Leste, ficaria um ressaibo de incompletude se não fizéssemos um esforço de inserção filial do texto constitucional timorense nas diversas paragens jurídico-constitucionais que se conhecem.

É certo que hoje – em que também se assiste a uma globalização constitucional, que porventura terá sido uma das primeiras – não se afigura fácil descortinar instituições verdadeiramente marcantes dos sistemas jurídico-constitucionais: todos os sistemas se inter-influenciam e os textos mais jovens recebem múltiplas e paralelas influências.

No entanto, não se pode esconder que a influência da Constituição Portuguesa de 1976, depurada pelas cinco revisões constitucionais de que já beneficiou, foi bem visível, ao que se alia o mesmo diapasão linguístico, como se pode comprovar nestas três dimensões:

- nas formulações literais utilizadas e na estrutura sistemática do articulado;
- nalguns mecanismos de direitos fundamentais, assim como nas respectivas fontes constitucionais;
- nas soluções do sistema político e nos esquemas de garantia da Constituição.

Isto significa que o texto constitucional timorense bem pode engrossar a família de textos constitucionais de matriz portuguesa[30], tal como sucede com os outros textos, publicados nesta mesma edição.

É por isso que não é temerário afirmar a existência de uma família de Direito Constitucional Lusófona, tal a proximidade dos textos constitucionais que actualmente regem os Estados de Língua Portuguesa no Mundo, ainda que com uma menor carga identitária daquela que acompanha os primeiros sistemas constitucionais do Mundo, como o britânico, o inglês ou o francês[31].

II. Ao nível da estrutura do texto constitucional, ainda que com uma maior simplicidade, tal como em Portugal, a Constituição Timorense assenta no mesmo número de partes, apenas conferindo uma maior evidência à parte sobre a defesa e a segurança, relevo que se justifica pela importância que se atribui ao tema, tendo em mente os sangrentos acontecimentos pós--referendo, assim como o futuro da afirmação de um novo Estado num meio relativamente hostil.

Por outro lado, a colocação da parte alusiva à organização económica vem a ser, nos dias de hoje, a mais correcta, mercê da progressiva perda de

---

[30] Quanto à demonstração da existência de uma matriz lusófona de Direito Constitucional, v. JORGE BACELAR GOUVEIA, *O estado de excepção no Direito Constitucional*, I, Coimbra, 1998, pp. 761 e ss., e *Ensinar Direito Constitucional*, pp. 397 e ss.; JORGE MIRANDA, *Manual de Direito Constitucional*, I, 7ª ed., Coimbra, 2003, pp. 239 e ss.

[31] Sobre o sentido destas e de outras famílias de Direito Constitucional, v. JORGE BACELAR GOUVEIA, *A influência da Constituição Portuguesa de 1976 nos sistemas jus-constitucionais lusófonos*, pp. 11 e ss., in *As Constituições dos Estados Lusófonos*, 2ª ed., Lisboa, 2000, pp. 11 e ss., e *Ensinar Direito Constitucional*, pp. 393 e ss.

importância das respectivas normas. O Estado Social encontra-se em redução, não se conferindo às normas constitucionais o papel que outrora foi seu apanágio, descontando ainda o facto de não se pretender no texto constitucional qualquer influxo marxista, como terá sucedido, nos tempos iniciais, com o texto constitucional português.

III. No plano do sistema constitucional de direitos fundamentais, do mesmo modo se registam importantes similitudes com o texto constitucional português.

A que ressalta mais à vista vem a ser a *summa divisio* entre os direitos, liberdades e garantias e os direitos económicos, sociais e culturais, mais simplificadamente assumida nos títulos II e III da Parte II da Constituição Timorense.

Dentro da parte geral dos direitos fundamentais, são também evidentes as parecenças nalguns dos mecanismos que traçam o respectivo regime geral, como as cláusulas de abertura a direitos atípicos e a interpretação segundo a Declaração Universal dos Direitos do Homem.

IV. Ao nível do sistema político, cumpre evidenciar uma idêntica correlação de forças no plano do sistema de governo, com os mesmos órgãos de soberania, em que se opera um equilíbrio semi-presidencial dinâmico dos três órgãos politicamente activos.

Quanto à garantia da Constituição, verifica-se uma idêntica concepção hiper-rigída do texto constitucional, tal a multiplicidade de limites, da mais variada ordem, que são constitucionalmente consagrados, até como meio de cimentar uma primeiríssima manifestação do poder constituinte deste Estado nascente.

Lisboa, 29 de Março de 2004.

ÍNDICE GERAL

Nota Prévia 7

A) A influência da Constituição Portuguesa de 1976 nos sistemas constitucionais de língua portuguesa 9

B) O princípio democrático no novo Direito Constitucional Moçambicano .. 19

C) A relevância civil do casamento católico no Direito Moçambicano da Família 65

D) Reflexões sobre a próxima revisão da Constituição Moçambicana de 1990 103

E) Legislação eleitoral em Moçambique 147

F) As autarquias locais moçambicanas e a respectiva legislação: um enquadramento geral 169

G) O estatuto dos governantes municipais em Moçambique 195

H) A Lei Básica da Região Administrativa Especial de Macau 207

I) Segredo de Estado e Lei Constitucional em Angola 237

J) Os sistemas político-constitucionais dos Estados Africanos de Língua Portuguesa 287

L) A primeira Constituição de Timor Leste 305

Índice Geral 321

Obras do Autor 323

OBRAS DO AUTOR

a) Livros e monografias

1) *O valor positivo do acto inconstitucional*, AAFDL, Lisboa, 1992 (reimpressão em 2000)

2) *O direito de passagem inofensiva no novo Direito Internacional do Mar*, Lex – Edições Jurídicas, Lisboa, 1993 (com o prefácio de Armando M. Marques Guedes)

3) *Os direitos fundamentais atípicos*, Editorial Notícias e Editorial Aequitas, Lisboa, 1995 (dissertação de mestrado em Ciências Jurídico-Políticas na Faculdade de Direito da Universidade de Lisboa, com prefácio de Marcelo Rebelo de Sousa)

4) *O estado de excepção no Direito Constitucional – entre a eficiência e a normatividade das estruturas de defesa extraordinária da Constituição*, I e II volumes, Livraria Almedina, Coimbra, 1998 (dissertação de doutoramento em Direito Público na Faculdade de Direito da Universidade Nova de Lisboa)

5) *Reflexões sobre a próxima revisão da Constituição de Moçambique de 1990*, Livraria Minerva Central, Maputo, 1999 (também publicado como *A próxima revisão da Constituição de Moçambique de 1990 – um comentário*, in *Revista da Faculdade de Direito da Universidade de Lisboa*, vol. XXXIX, n.º 2, 1998, pp. 709 e ss.)

6) *Autonomias regionais – que futuro político-constitucional?*, ed. da Assembleia Legislativa Regional, Funchal, 1999

7) *Estudos de Direito Público*, I, Principia – Publicações Universitárias e Científicas, Cascais, 2000

8) *As relações externas de Portugal – aspectos jurídico-políticos* (com FAUSTO DE QUADROS), ed. do Ministério dos Negócios Estrangeiros, Lisboa, 2001

9) *Introdução ao Direito Constitucional de Angola*, ed. da Assembleia Nacional de Angola, Luanda, 2002,

10) *Novos Estudos de Direito Público*, II, Âncora Editora, Lisboa, 2002

11) *Manual de Direito Internacional Público*, Livraria Almedina, Coimbra: 1.ª ed., 2003; 2.ª ed., 2004

12) *Ensinar Direito Constitucional Público*, Livraria Almedina, Coimbra, 1.ª ed., 2003; 2.ª ed., 2004

13) *O Código do Trabalho e a Constituição Portuguesa*, O Espírito das Leis, Lisboa, 2003

14) *Estudos de Direito Público de Língua Portuguesa*, Livraria Almedina, Coimbra, 2004

15) *Portugal e o Direito do Mar* (com FAUSTO DE QUADROS e PAULO OTERO), ed. do Instituto Diplomático do Ministério dos Negócios Estrangeiros, Lisboa, 2004

324   *Estudos de Direito Público de Língua Portuguesa*

b) Artigos, comentários, pareceres e nótulas

16) *Os limites circunstanciais da revisão constitucional*, in *Revista Jurídica*, Lisboa, 1989, n.ᵒˢ 11 e 12, pp. 103 e ss.

17) *Inconstitucionalidade por omissão – consultas directas aos cidadãos eleitores a nível local – anotação ao acórdão n.*° 36/90 do Tribunal Constitucional, in *O Direito*, 122.° ano, Lisboa, 1990 – II, pp. 420 e ss.

18) *Os direitos fundamentais à protecção dos dados pessoais informatizados*, in *Revista da Ordem dos Advogados*, ano 51, 1991-III, pp. 699 e ss. (também publicado na *Revista da Faculdade de Direito Milton Campos*, II, Belo Horizonte, 1995, pp. 169 e ss.)

19) *Os incentivos fiscais contratuais ao investimento estrangeiro no Direito Fiscal Português – regime jurídico e implicações constitucionais*, in AAVV, *A internacionalização da economia e a fiscalidade*, Lisboa, 1993, pp. 269 e ss. (também publicado na *Fiscália*, n.° 12, ano 3, Lisboa, 1995, pp. 4 e ss.)

20) *Breves reflexões em matéria de confidencialidade fiscal* (com PAMPLONA CORTE--REAL e JOAQUIM PEDRO CARDOSO DA COSTA), in *Ciência e Técnica Fiscal*, n.° 368, Lisboa, Outubro-Dezembro de 1992, pp. 7 e ss.

21) *A relevância civil do casamento católico*, in *Africana*, VIII, n.° 14, Porto, 1994, pp. 155 e ss.

22) *A evasão fiscal na interpretação e integração da lei fiscal*, in *Ciência e Técnica Fiscal*, n.° 373, Lisboa, Janeiro-Março de 1994, pp. 9 e ss. (também publicado na *Fiscália*, ano 4, n.° 15, Lisboa, Janeiro-Março de 1996, pp. 4 e ss.)

23) *O espaço aéreo internacional* e *O espaço exterior*, respectivamente os capítulos VIII e IX da Parte IV sobre O domínio da sociedade internacional, insertos no livro de JOAQUIM DA SILVA CUNHA, *Direito Internacional Público – a sociedade internacional*, 4ª ed., AAFDL, Lisboa, 1993, pp. 323 e ss., e pp. 331 e ss.

24) *European Data Protection and Churches in Portugal*, in AAVV, *Europäiches Datenschutzrecht und die Kirchen* (org. de GERHARD ROBBERS), Berlin, 1994, pp. 127 e ss. (também publicado como *A protecção de dados informatizados e o fenómeno religioso em Portugal*, in *Revista da Faculdade de Direito da Universidade de Lisboa*, XXXIV, Lisboa, 1993, pp. 181 e ss.)

25) *Objecção de consciência (direito fundamental à)*, in *Dicionário Jurídico de Administração Pública*, VI, Lisboa, 1994, pp. 165 e ss.

26) *Des collectivités locales en attente de région*, in AAVV, *Les collectivités décentralisées de l'Union Européene* (org. ALAIN DELCAMP), Paris, 1994, pp. 303 e ss.

27) *A inconstitucionalidade da lei das propinas – anotação ao Acórdão n.° 148/94 do Tribunal Constitucional*, in *Revista da Faculdade de Direito da Universidade de Lisboa*, XXXVI, Lisboa, 1995, n.° 1, pp. 257 e ss.

28) *O princípio democrático no novo Direito Constitucional Moçambicano*, in *Revista da Faculdade de Direito da Universidade de Lisboa*, XXXVI, Lisboa, 1995, n.° 2, pp. 457 e ss.

29) *O segredo de Estado*, in *Dicionário Jurídico da Administração Pública*, VII, Lisboa, 1996, pp. 365 e ss.

30) *A zona económica exclusiva*, in *Dicionário Jurídico da Administração Pública*,

VII, Lisboa, 1996, pp. 611 e ss. (também publicado na *Revista da Faculdade de Direito de Milton Campos*, vol. 5, Belo Horizonte, 1998, pp. 247 e ss.)

31) *Le régime de la télévision au Portugal*, in *European Review of Public Law* (Spetses Conferences), 21, vol. 8, n.º 3, Atenas, Outono de 1996, pp. 917 e ss. (também publicado como *Nótula sobre o regime da actividade da televisão em Portugal*, in *O Direito*, ano 128.º, Lisboa, 1996, III-IV, Julho-Dezembro, pp. 295 e ss.)

32) *Considerações sobre as Constituições Fiscais na União Europeia*, in *Ciência e Técnica Fiscal*, n.º 381, Lisboa, Janeiro-Março de 1996, pp. 37 e ss.

33) *O crédito bonificado à habitação e a Região Autónoma dos Açores* (com JORGE MIRANDA), in *Revista da Faculdade de Direito da Universidade de Lisboa*, XXXVII, Lisboa, 1996, n.º 1, pp. 299 e ss.

34) *O financiamento municipal das assembleias distritais e a Constituição* (com JOSÉ MANUEL SÉRVULO CORREIA), in *Revista da Faculdade de Direito da Universidade de Lisboa*, XXXVIII, Lisboa, 1997, n.º 1, pp. 233 e ss.

35) *A duração da patente no acordo do TRIPS e no Código da Propriedade Industrial à luz da Constituição Portuguesa* (com JORGE MIRANDA), in *Revista da Ordem dos Advogados*, ano 57, Lisboa, I-1997, pp. 249 e ss.

36) *Princípios constitucionais do acesso à justiça, da legalidade processual e do contraditório; junção de pareceres em processo civil; interpretação conforme à Constituição do art. 525.º do Código de Processo Civil – Anotação ao acórdão n.º 934/96 do Tribunal Constitucional* (com JOSÉ MANUEL SÉRVULO CORREIA), in *Revista da Ordem dos Advogados*, ano 57, Lisboa, I-1997, pp. 295 e ss.

37) *A Quarta Revisão da Constituição Portuguesa*, in *Vida Judiciária*, n.º 7, Lisboa, Outubro de 1997, pp. 17 e ss.

38) *A irretroactividade da norma fiscal na Constituição Portuguesa*, in *Ciência e Técnica Fiscal*, n.º 387, Lisboa, Julho-Setembro de 1997, pp. 51 e ss. [também publicado em *Direito e Cidadania*, ano I, n.º 3, Praia, Março-Junho de 1998, pp. 9 e ss., em AAVV, *Perspectivas Constitucionais – Nos 20 Anos da Constituição Portuguesa* (org. de JORGE MIRANDA), III, Coimbra, 1998, pp. 445 e ss., em *AJURIS – Revista da Associação dos Juízes do Rio Grande do Sul*, n.º 74, ano XXV, Porto Alegre, 1998 (Novembro), pp. 299 e ss. e ainda, numa versão reduzida, como *A proibição da retroactividade da norma fiscal na Constituição Portuguesa*, em AAVV, *Problemas Fundamentais do Direito Tributário* (org. de DIOGO LEITE DE CAMPOS), VisLis Editores, Lisboa, 1999, pp. 35 e ss.]

39) *La Déclaration Universelle des Droits de l'Homme et la Constitution Portugaise*, in *Revue Européenne de Droit Public*, vol. 9, n.º 4, Atenas, Inverno 1997, pp. 1225 e ss. (também publicado, numa versão ampliada, como *A Declaração Universal dos Direitos do Homem e a Constituição Portuguesa*, in AAVV, *Ab uno ad omnes – 75 Anos da Coimbra Editora*, Coimbra, 1998, pp. 925 e ss., nas *Perspectivas do Direito – Gabinete para a Tradução Jurídica*, vol. IV, n.º 6, Julho de 1999, Macau, pp. 29 e ss., e na *Revista de Informação Legislativa*, ano 35, n.º 139, Brasília, Julho/Setembro de 1998, pp. 261 e ss.)

40) *Benefícios fiscais das organizações e funcionários internacionais no Direito Fiscal Português – alguns breves apontamentos*, in *Fiscália*, n.º 20, Lisboa, 1998, pp. 9 e ss.

41) *A inconstitucionalidade do Decreto-Lei n.º 351/93, de 7 de Outubro – parecer* (com JOSÉ MANUEL SÉRVULO CORREIA), in AAVV, *Direito do Ordenamento do Território*

326   *Estudos de Direito Público de Língua Portuguesa*

e Constituição (org. da Associação Portuguesa de Promotores e Investidores Imobiliários), Coimbra Editora, Coimbra, 1998, pp. 61 e ss.

42) *La citoyenneté au Portugal – commentaires et réflexions*, in AAVV, *Citoyenneté nationales et citoyenneté européenne* (coord. por FRANÇOISE PARISOT), Paris, 1998, pp. 206 e ss. [também publicado em português como *A Cidadania em Portugal – comentários e reflexões*, in AAVV, *Cidadanias nacionais e cidadania europeia* (coord. por FRANÇOISE PARISOT), Didáctica Editora, Lisboa, 2001, pp. 216 e ss.]

43) *Sistema de actos legislativos – opinião acerca da revisão constitucional de 1997*, in *Legislação – Cadernos de Ciência de Legislação*, n.°s 19/20, Oeiras, Abril-Dezembro de 1997, pp. 47 e ss. (também publicado no Brasil como *O sistema de actos legislativos na 4ª revisão da Constituição Portuguesa: um "aprofundamento multidimensional" do princípio democrático*, in *Revista de Informação Legislativa*, ano 38, n.° 149, Brasília, Janeiro-Março de 2001, pp. 71 e ss., e como *The system of legislation under the 4th Revision of the Portuguese Constitution: a «multidimensional enhancement» of the principle of democracy*, na *Revue Européenne de Droit Public*, vol. 13, n.° 4, winter/hiver 2001, Athens, pp. 1331 e ss.)

44) *Pela dignidade do ser humano não nascido*, in AAVV, *Vida e Direito – reflexões sobre um referendo* (org. de JORGE BACELAR GOUVEIA e HENRIQUE MOTA), Lisboa, 1998, pp. 73 e ss.

45) *As autarquias locais e a respectiva legislação – um enquadramento geral*, in AAVV, *Autarquias Locais em Moçambique – antecedentes e regime jurídico*, Lisboa/ /Maputo, 1998, pp. 81 e ss.

46) *O estatuto dos governantes municipais*, in AAVV, *Autarquias Locais em Moçambique – antecedentes e regime jurídico*, Lisboa/Maputo, 1998, pp. 119 e ss.

47) *Partidos políticos* (com ANA RITA CABRITA), in *Dicionário Jurídico da Administração Pública*, 1.° suplemento, Lisboa, 1998, pp. 345 e ss.

48) *Sistemas eleitorais e método de Hondt*, in *Dicionário Jurídico da Administração Pública*, 1.° suplemento, Lisboa, 1998, pp. 459 e ss.

49) *A 4ª Revisão da Constituição Portuguesa*, in *Direito e Cidadania*, ano II, n.° 5, Praia, Novembro de 1998-Fevereiro de 1999, pp. 235 e ss. (também publicado como *The 4th Revision of the Portuguese Constitution*, in *Revue Européenne de Droit Public*, vol. 11, n.° 1, n.° 31, Atenas, Primavera de 1999, pp. 203 e ss.)

50) *Governadores civis* (com JOSÉ MANUEL SÉRVULO CORREIA), in *Dicionário da História de Portugal* (org. de ANTÓNIO BARRETO e MARIA FILOMENA MÓNICA), VIII, suplemento, Porto, 1999, pp. 118 e ss.

51) *A inconstitucionalidade da discriminação remuneratória nas carreiras médicas prestadas em tempo completo*, in *O Direito*, ano 130.°, Lisboa, 1998, I-II, Janeiro-Junho, pp. 133 e ss.

52) *Legislação eleitoral em Moçambique*, in *Direito e Cidadania*, ano III, n.° 7, Praia, Julho-Outubro de 1999, pp. 261 e ss.

53) *The Treaty of Amsterdam: some progresses, many disappointments* (com MARGARIDA TELLES ROMÃO), in *Currents – International Trade Law Journal* (South Texas College of Law), Houston, Summer-1999, pp. 63 e ss.

54) *O Decreto-Lei n.° 351/93 e a Constituição Portuguesa*, in *Themis – Revista da Faculdade de Direito da Universidade Nova de Lisboa*, ano I, Lisboa, n.° 1 de 2000, pp. 189 e ss.

Obras do autor 327

55) *A assunção de dívidas municipais pelo Governo Regional dos Açores e a Constituição Portuguesa*, in *Legislação – Cadernos de Ciência da Legislação*, n.º 25, Oeiras, Abril-Junho de 1999, pp. 134 e ss.

56) *Hondt (método de)* (com José Manuel Sérvulo Correia), in *Verbo – Enciclopédia Luso-Brasileira de Cultura*, XIV, Lisboa/São Paulo, 1999, pp. 1369 e 1370

57) *O acesso às matrizes prediais organizadas pela Administração Fiscal por parte dos advogados*, in *Revista da Ordem dos Advogados*, ano 60, I, Lisboa, Janeiro de 2000, pp. 353 e ss.

58) *A prática de tiro aos pombos, a nova Lei de Protecção dos Animais e a Constituição Portuguesa*, in *Revista Jurídica do Urbanismo e do Ambiente*, n.º 13, Coimbra, Junho de 2000, pp. 231 e ss.

59) *Autonomia regional, procedimento legislativo e confirmação parlamentar – contributo para a interpretação do art. 279.º, n.º 2, da Constituição Portuguesa*, in *Revista da Faculdade de Direito da Universidade de Lisboa*, XLI, Lisboa, n.º 1 de 2000, pp. 135 e ss.

60) *A aplicação do Acordo ADPIC na Ordem Jurídica Portuguesa – o caso especial da duração das patentes*, in AAVV, *I Forum Ibero-Americano sobre Innovación, Propiedad Industrial e Intelectual y Desarrollo – Actas*, Madrid, 2000, pp. 433 e ss.

61) *Os direitos de participação dos representantes dos trabalhadores na elaboração da legislação laboral*, in AAVV, *Estudos do Instituto de Direito do Trabalho*, I volume, Coimbra, 2001, pp. 109 e ss.

62) *O regime profissional do pessoal paramédico constante do Decreto-Lei n.º 320/99 e a Constituição Portuguesa*, in *O Direito*, ano 132.º, Lisboa, Julho-Dezembro de 2000, III-IV, pp. 503 e ss.

63) *Estado de guerra*, in *Dicionário Jurídico da Administração Pública*, 2.º suplemento, Lisboa, 2001, pp. 301 e ss.

64) *Regulação e limites dos direitos fundamentais*, in *Dicionário Jurídico da Administração Pública*, 2.º suplemento, Lisboa, 2001, pp. 450 e ss.

65) *As associações públicas profissionais no Direito Português*, in AAVV, *Direito em Questão – aspectos principiológicos da Justiça*, Editora UCDB, Campo Grande, 2001, pp. 257 e ss.

66) *O direito de ingresso na Administração Pública Portuguesa segundo o Decreto-Lei n.º 89-F/98*, in *O Direito*, ano 133.º, Lisboa, 2001 – II (Abril-Junho), pp. 483 e ss.

67) *Reflexões sobre a 5ª Revisão da Constituição Portuguesa*, in AAVV, *Nos 25 Anos da Constituição da República Portuguesa de 1976 – Evolução Constitucional e Perspectivas Futuras*, AAFDL, Lisboa, 2001, pp. 631 e ss.

68) *A importância da Lei n.º 134/99 no novo Direito Português da Igualdade Social*, in AAVV, *Actas do Seminário Técnico sobre a aplicação da Lei Anti-Discriminação* (org. pelo Alto Comissário para a Imigração e Minorias Étnicas), Lisboa, 2002, pp. 10 e ss.

69) *Acordos de colaboração entre instituições do ensino superior público e o imposto sobre o valor acrescentado*, in *THEMIS – Revista da Faculdade de Direito da Universidade Nova de Lisboa*, ano II, n.º 4, Lisboa, 2001, pp. 235 e ss.

70) *A importância dos direitos fundamentais no Estado Constitucional Contemporâneo*, in *Revista da Faculdade de Direito da Universidade Agostinho Neto*, n.º 2, Luanda, 2002, pp. 7 e ss. [também publicado em AAVV, *Direitos Humanos – Teorias e Práticas*

328   *Estudos de Direito Público de Língua Portuguesa*

(org. de PAULO FERREIRA DA CUNHA) Coimbra, 2003, pp. 53 e ss., e em chinês, na *Perspectivas do Direito*, n.º 12, Janeiro de 2003, pp. 31 e ss.]

71) Recensão ao livro JOSÉ MANUEL PUREZA, *O Património Comum da Humanidade: rumo a um Direito Internacional da Solidariedade?*, Porto, 1998, in *Análise Social – Revista do Instituto de Ciências Sociais da Universidade de Lisboa*, n.ºs 158-159, XXXVI, Verão de 2001, pp. 557 e ss.

72) *A crise da Justiça – a evidência de uma crise cultural?*, in AAVV, *O Debate da Justiça* (org. ANTÓNIO PEDRO BARBAS HOMEM e JORGE BACELAR GOUVEIA), VisLis Editores, Lisboa, 2001, pp. 183 e ss.

73) *A Lei Básica da Região Administrativa Especial de Macau*, in *Boletim da Faculdade de Direito da Universidade de Macau – 2.º Seminário Internacional sobre a Lei Básica comemorativo do 20.º Aniversário da Universidade de Macau*, ano VI, 2002, n.º 13, pp. 173 e ss.

74) *Segredo de Estado e Lei Constitucional em Angola*, in AAVV, *A produção de informações de segurança no Estado Democrático de Direito – o caso angolano* (org. de Carlos Feijó), Cascais, 2003, pp. 23 e ss.

75) *Autonomia creditícia autárquica: critérios, procedimentos e limites – parecer de Direito*, in *Lusíada – Direito*, II Série, Lisboa, n.º 2/2004, pp. 201 e ss.

c) Colectâneas de textos

76) *Legislação de direitos fundamentais*, Livraria Almedina, Coimbra: 1ª ed., 1991; 2ª ed., 2004

77) *Organizações internacionais – textos fundamentais*: 1ª ed., AAFDL, Lisboa, 1992; 2ª ed., Livraria Almedina, Coimbra, 1995

78) *Timor-Leste – resoluções das Nações Unidas,* 1ª ed., AAFDL, Lisboa, 1992; *Timor-Leste – textos jurídicos fundamentais*, 2ª ed., AAFDL, Lisboa, 1993

79) *Casos Práticos de Direito Internacional Público I*, AAFDL, Lisboa, 1993

80) *As Constituições dos Estados Lusófonos*: 1ª ed., Editorial Notícias e Aequitas, Lisboa, 1993; 2ª ed., Editorial Notícias, Lisboa, 2000

81) *Textos fundamentais de Direito Internacional*, 1ª ed., Editorial Notícias e Editorial Aequitas, Lisboa, 1993; 2ª ed., Editorial Notícias, Lisboa, 1999; 3ª ed., Editorial Notícias, Lisboa, 2002; 4ª ed., Lisboa, 2004

82) *Acordos de cooperação entre Portugal e os Estados Africanos Lusófonos*, ed. do Instituto da Cooperação Portuguesa: 1ª ed., Lisboa, 1994; 2ª ed., Lisboa, 1998

83) *Legislação de Direito Constitucional*, Livraria Minerva, Central, Maputo, 1994

84) *Legislação Eleitoral*, Livraria Cosmos, Lisboa, 1995

85) *Código Civil e Legislação Complementar* (com Susana Brito e Arão Feijão Massangai), ed. do Banco Comercial Português: 1ª ed., Maputo, 1996; 2ª ed., Maputo, 2000

86) *Código Penal e Legislação Complementar* (com Emídio Ricardo Nhamissitane), ed. do Banco Comercial Português: 1ª ed., Maputo, 1996; 2ª ed., Maputo, 2000

87) *Código Comercial e Legislação Complementar* (com Lúcia da Luz Ribeiro), ed. do Banco Comercial Português: 1ª ed., Maputo, 1996; 2ª ed., Maputo, 2000

Obras do autor

88) *Constituição da República Portuguesa e Legislação Complementar*: 1ª ed., Livraria Almedina, Coimbra, 1997; 2ª ed., Âncora Editora, Lisboa, 2001

89) *Legislação de Direito Financeiro,* Livraria Almedina: 1ª ed., Coimbra, 1999; 2ª ed., Coimbra, 2002

90) *As Constituições dos Estados da União Europeia*, VisLis Editores, Lisboa, 2000

91) *Direito da Igualdade Social – fontes normativas,* VisLis Editores, Lisboa, 2000

92) *Direito da Igualdade Social – guia de estudo,* AAFDL, Lisboa, 2000

93) *Direito Fiscal – guia de estudo,* 1ª ed., FDUNL, Lisboa, 2002; 2ª ed., FDUNL, Lisboa, 2001; 3ª ed., FDUNL, Lisboa, 2002; 4ª ed., AAFDL, Lisboa, 2003

94) *Ciência Política – guia de estudo,* FDUP, Lisboa, 2002

95) *Direito Financeiro – guia de estudo,* 1ª ed., FDUNL, Lisboa, 2002; 2ª ed., AAFDL, Lisboa, 2003

96) *Direito Internacional Público – elementos de estudo,* 1ª ed. FDUNL, Lisboa, 2002; 2ª ed., FDUNL, Lisboa, 2002; 3ª ed., AAFDL, Lisboa, 2003

97) *As Constituições dos Estados de Língua Portuguesa*, Livraria Almedina, Coimbra, 2003